中國神話與人體生命科學

郭 兆 祥 著

文 史 哲 學 集 成
文史哲出版社印行

國家圖書館出版品預行編目資料

中國神話與人體生命科學 / 郭兆祥著. -- 初版
. -- 臺北市：文史哲, 民 95 印刷
　　面：　公分. -- (文史哲學集成；402)
　　ISBN 957-549-192-0(平裝)

1.神話 - 中國 2.特異功能 3.生命科學

282　　　　　　　　　　　　　　88002351

文史哲學集成 ₄₀₂

中國神話與人體生命科學

著　　者：郭　　　　兆　　　　祥
出 版 者：文　史　哲　出　版　社
　　　　　http://www.lapen.com.tw
登記證字號：行政院新聞局版臺業字五三三七號
發 行 人：彭　　　　正　　　　雄
發 行 所：文　史　哲　出　版　社
印 刷 者：文　史　哲　出　版　社
臺北市羅斯福路一段七十二巷四號
郵政劃撥帳號：一六一八〇一七五
電話 886-2-23511028・傳真 886-2-23965656

實價新臺幣 四五〇元

中華民國九十五年（2006）三月初版

中國神話與人體生命科學
目　次

第三部分　神話中人體特異功能文化場掃描圖

中國神話與人體生命科學

第一章　概　說

　　神話是一種人類文化現象，是民族精神的反映。中國神話，是一種以漢民族爲主的，同時還包括五十多個兄弟民族的整個中華民族的文化現象，是中華民族精神的歷史載體。神話作爲一塊光彩奪目的瑰寶，引起了無數的文學家、歷史學家、哲學家、民族學家、人類學家、考古學家等的極大興趣，他們各自從這個領域吸取人類、民族文化的精華，充實豐富著各門學科；神話這枝奇葩，還吸引了衆多的生物學家、氣象學家等的深情關注。

　　人體科學，是生命科學的一大分支，它是研究人體一般生理功能及特異功能的一門科學。人體一般的生理功能，醫學對之作了相當詳盡的研究，而特異功能，醫學目前大抵是無能爲力的，這樣，它就成了人類生命科學研究的主要對象之一。人們常說，人體是一台生理機器，而我們認爲，人體是一個相對獨立的宇宙，它按自己獨有的規律運行著。整個人類的生理現象，既有普遍性，又有特異性，其特異性，即人的特異功能，它除極少數先天就具有者外，還有不少的人通過氣功的途徑獲得。科學發展到今天，我們清楚地看到，人們向宏觀世界進軍的同時，向微觀世界又邁出了難能可貴的一步。

　　神話研究，或間接的、片段的；或連續的、系統的，由來已久，中國的神話研究，也不例外。中國神話研究，到了今天，大

致形成了兩大走向:一則為神話的整理,其中包括神話故事的整理。神話故事為千千萬萬少年兒童,其中包括仍具有童心的中老年人所青睞;一則為神話理論的研究,其中當然也包括理論研究的應用,為書齋中的學究們所鍾情。前者給眾多的孩子們豐富精神生活,為之提供精神食糧,讓他們展開想像的翅膀,海濶天空,任之翱翔,益智開慧,以增添生活興趣與學習熱情的密度與厚度;後者為眾多科學工作者,從各個科學領域與陣營以獨特的輔佐與資助,或者以借鑒與啟發。

我們立足於神話研究圈,縱觀神話探討及反饋陣營與發展前景,大家都可看到,並非十分樂觀。首先,讀者圈較小,欣賞與接受的切面顯得單薄。全國的少年兒童們,仍保持了童心、喜愛兒童文學與神話故事的讀者有限,同時,社會科學的高層知識界,與其他領域讀者的數量相比,在年齡層次與知識層面上看,顯然難以匹敵。其次,神話與宗教時或呈交叉態,尤其是民間神話與兄弟民族神話,與封建迷信難以迥然廓清,致使一些神話盲與無知者,望而生畏。神話,反映了遠古時代人類初民的生活與生存史,在混沌思維律的包孕下,它囊括了那個時代的政治、經濟、文化、哲學、藝術、美學、生產等諸領域的科學成就,同時,它還間接反映了中古、近古人們的生活與生存史。因此,它確是一座金庫,光彩奪目,令人神往。所以,怎樣使神話走向更廣濶的社會,增加更多的群眾性,擁有更大的讀者圈,獲得更強的生命力,是本書寫作的原始動機之一,同時,也應是每位神話工作者不能忽略的一個問題。

人體生命科學,在氣功的載體中,雖不具有像神話一樣的神聖性,但它具有一種怪誕性與神秘性。人體生命科學是一門既古老又年輕的科學。在過去漫長的歷史長河中,其特異功能或被視

爲奇談怪論，或被視爲茶餘飯後的笑料及談資，或被視爲極少數人神秘主義的主觀體驗。現在，它在生命科學大旗之下，迎著高科技的東風，神采奕奕地走向科學殿堂。人體特異功能，能爲生理學家、心理學家、醫藥醫學家、哲學家、美學家提供新穎的研究材料，能給氣功師、生命科學家提供更扎實的數據、資料，能爲微觀科學開闢更廣濶的陣地。人體生命科學，與人們的健康密切相關，能獲得廣大群衆的注目與投入。身體非健康者，可以通過氣功途徑去追求其特異功能而痊癒；身體健康者，可以通過氣功途徑延年益壽，同時，也可借助獲得某程度的特異功能爲他人治病，爲他人造福；另一方面，它也可給與氣功、特異功能無緣者以好奇感。同時，它還能吸引對人體特異功能持否定態度者，因爲要否定它，需要從這裡擷取反面材料。因此，人體特異功能，具有廣泛的群衆性，擁有更大的讀者群。

神話很「神」，人體生命科學又很「特」。神話主要泛屬於人文科學，生命研究主要從屬於生命科學。它們一者側重於社會科學，一者側重於自然科學，分別屬於不同的「領域」。但是，它們又絕非截然分離，毫無關係的兩大學科。甚至可以說，它們對人類整個科學以極大的影響，各自在整個科學領域，留下了自己的跡痕與烙印。今天，邊緣科學與綜合科學給人以強烈的時代薰陶。本書試圖也親口一嘗「梨子」的滋味，將二者結合起來考察，力圖使神話研究的形式更通俗大衆化，領域更深層化，原理更科學化；同時，力圖使人體生命科學的研究更理論化、系統化，以期使全社會承認它的應有的地位。

神話與人體生命科學，在一定的歷史時期曾同處於一個母體之中，它們之間除了有千絲萬縷的聯繫外，還具有某種程度的同一性。在此，我們將其科學地嫁接在一起，將這兩門科學作一綜

合考察與研究，絕非一味地獵奇，而是期望它結出一顆全新的果實，即特功神話學（或神話特功學）。當然，期望並非結論，然而，至少我們可爲這枚新果實注入全新的養分。

　　作爲概說，下面就研究的基本課題的內容、態度、方法、風險與前景作一闡釋。

一、研究的內容

　　神話是研究內容的一個方面，人體生命科學是研究內容的另一個方面，將二者結合起來綜合考察，探討以神話形式記載的人體生命科學，探討人體生命科學所反映的中國神話的實質，就是本書所要探究的全部內容。

　　1.中國神話與人體生命科學中的人體特異功能深入縱式的透視　中國神話的內容十分豐富，界定又十分寬泛，其基本課題研究對象即中國神話，不可能面面俱到，畢竟有些內容並非是特異功能，我們偏重於與人體生命科學中的人體特異功能相聯繫的這一部分；人體生命科學中的特異功能內容蕪雜，有些內容難以全部熔鑄於中國神話，我們偏重於與中國神話緊密相關的內容闡述。

　　首先，偏重於與人體特異功能與中國神話的哲學思想透視。哲學思想是人類各種科學高度理性的總結與概括，同時，其哲學思想又是由各種科學支撐而共同構架著的。這裡，稍具體地說，就是正負兩極觀、陰陽觀、五行理論等內容，其中的物質觀，運動變化觀，都滲透到了「二神混生」的陰陽等神中與盤古等神中。

　　其次，偏重於同醫學中的疾病防治相關的神話與特異功能的透視。生老病死，是人類的一個永恆主題，不管是初民時代的昨天，還是科學相當發達的今天，它一直吸引著人們極大的關注。與死亡鬥爭，與疾病鬥爭，與衰老鬥爭，貫穿了幾千年的人類文

明史。防治疾病，在中國神話中比比皆是，特異功能最顯現的、最主要的一項內容，就是延生護身，防病治病。如「方相逐役」等神話，就再現了其歷史內容。

再次，偏重於中國神話與特異功能的美學透視。神話被視之爲文學的源頭（如小說等），神話也當然可視之爲文藝的源頭。古今衆多的書畫、雕刻、建築、音樂、舞蹈、詩文的佳構與不朽的傑作，就是在特異功能態中創作出來的，如畫龍點睛與神筆馬良神話，如瓊樓玉宇與啓從天帝處偷得的天樂《九辯》及《九歌》，何況許多作者本身就具有特異功能，如屈原、李白等。

又次，偏重於中國神話與特異功能的自然科學透視。這裡，在除開醫學的探討之外，著眼於天、地、生、數、理、化的發明與創造。自然科學是一個龐大的體系，這裡是擇其要點論之。神話中，夸父、嫦娥、共工等神話，就觸及日、月、地理等內容，燭龍、煉丹、雷公、電母，就觸及到物理、化學、天文等內容。至於發明創造，就不勝枚舉，如神農、黃帝神話。這裡，一則如夸父、黃帝等，本身就是具有特異功能，並非「子虛烏有」的神話人物，二則尋求特異功能的氣功，講究導引吐納，十分考究日、月、星、天、地、人的「天人合一」，細究起來，還講究地磁、地光、地氣。

又再次，偏重於中國神話與人體特異功能的社會科學透視。社會科學，諸如政治、謀略、倫理、軍事、語言文字、教育、宗教等。這裡，已將哲學、美學另立專章。在中國歷史上，不管是上古，抑或中古、近古，衆多流芳百世的人物及驚天地、泣鬼神的歷史事件，就是人的特異功能這株大樹綻開的姹紫嫣紅、芬芳四溢的花朵。像刑天舞干戚神話，像諸葛亮及其「八陣圖」等，不一而足，令人眼花撩亂，目不暇接。

縱觀這一部分，我們可以看到，它是以文化場爲基本框架，以特異功能與神話材料爲基本元件，來進行透視研究的。

2.中國神話與人體特異功能簡介性的橫式掃描 由於歷史的主、客觀原因，中國神話基本上是支離破碎，遠不如希臘等神話的完整與系統；人體特異功能的追求與實踐體驗，亦只在很小的深山老林的廟宇台觀之圈中存在，因此，本書有必要將之一作簡介，使讀者有一個大致的輪廓和基本完整的印象。

首先，要介紹的是介於神話與人體特異功能之間的一系列古典文獻，如《山海經》、《淮南子》、《拾遺記》等書。其中尸巫神話，遠國異人等，都是具有特異功能的實有的人。神話人物，他們之所以「神」，正是由於有其他人所不曾有的特異功能，所以常人便認爲是神奇怪異。在幾千年的歷史歲月中，特異功能大抵只圍於有限的「修煉」層次，故不曾走向芸芸眾生之中，當然談不上普及，因而，無數的「凡夫俗子」在其神話面前，瞠目結舌，不可思議。這裡，基本上迴避了《周易參同契》、《馬王堆導引圖》等。然而，我們通過這些重要而有限的歷史資料，便可「一葉而知秋」了。

其次，我們甄選的具有特異功能人物，是緊扣具有神話意義的人物，如黃帝、鯀禹、望帝，如姜太公、劉伯溫等上古、中近古神奇之輩。他們處於不同的歷史時期，分別串結起整個中華民族的歷史，他們或是政治家、謀略家，甚至是平民布衣，具有廣泛的代表性。當時的旁人對那些不可理解的具有特異功能人物，視爲神人，伴隨神話的產生和發展，就成了神話人物；歷史上的神話人物，站在生命科學視點上看，原來就是一些具有特異功能的非常之人。這樣看來，隨著特異功能的不特，神話人物便就不神了。

　　再次，偏重於與神話相關的性命雙修與辟穀，即那些不食人間煙火的神仙。人們認爲，神仙爲常人杜撰的「神」，但我們今天認爲，神仙也是人做成，神仙並非虛無縹緲，但願人人成神仙。傳說彭祖活了八百歲，後人一直難以破譯其確切涵義，因爲常人是不能活這麼久的，而在本書中，我們可以看到，原來不過如此！因爲辟穀不但可以袪病除疾，還可以延年益壽，性命雙修，「命」便是一個十分重要的內容。

　　又次，我們特別著意於與神話意義相關的意念。這裡的意念，已非傳統的意念內容，它已發展到一個較高的層次意義，它不等同於意識，但它包孕著意識，它又與存在互相滲透著。今天在特異功能領域，我們可目睹較多的意念手、意念鼻、意念耳，由此衍發而成的還有意念水、意念針、意念草等。意念與神力幾乎同等。我們如看「淡」了意念或意念力，那麼，神力也就不很「神」了。

　　又再次，還要討論與神話相關的通向特異功能之功理功法相關的等差性。特異功能，並非等同神力，同時，神有高低之分，神力有從發生、發展、形成與進一步豐富與完善來看，都是社會、自然生活的反映與複寫。不過，就神話而言，依據神話經典作家觀點，它是人們不自覺的藝術方式，通過想像，或者借助於想像以征服大自然、改造大自然，以肯定、突出與強調人的本質力量。其實，神話有相當大的一部分內容，並非爲想像和借助想像征服與改造大自然，而是對人的某種或某些特殊本領及特異力量的眞實的記錄與攝影。數千百年來，這些人的本領與力量漸乎消失，或者一頭撲進了宗教懷抱，消失了的被人們遺忘，與宗教爲伍的又被神秘的宗教光環所淹沒，所以今天來看，那只是想像或借助於想像的產物。沒有這一點認識，我們就不能研究神話與人體特

異功能的同一性，即二者原來有很大一部分緊密聯繫在一起，我
們今天的研究，很大一部分是再現歷史，還歷史本來面目。當然，
由於初民時代（即或爾後，大致也概莫能外）的局限，人們認識
事物的非邏輯性與天真，導致產生某些錯覺、誤解，也由於人們
（初民時代，也有這種情形）著意渲染，誇大其事，使神話「神」
得無邊，產生一些非特異功能領域的神話，這些紀錄與資料，不
是本書研究的對象，只在這裡僅僅提及而已。

　　人體特異功能，在遠古時代，與神話相連，也與原始宗教相
聯（因為初民的神話與宗教互為淵源）；在中古時代，與民間方
士及宗教相聯（如集宗教、氣功、仙於一體的漢民族道教就是）。
歷史上的宗教教徒與方士，或許是先知先覺，或許是文化的傳人。
客觀地說，他們是那個時代的知識分子，他們是較早體悟人體奧
秘的有識之士，他們並且將這些體驗熔鑄於宗教經典之中。宗教
是古代人類精神文明的滙集，是當時高層次知識典籍，教徒為當
時的大知識分子。顯然，歷史局限性，在今天看來，真理越過一
定的時空，就成了荒謬，因而宗教在現在，就成了精神鴉片、精
神驛站（其中，也包括某一層次的方士）。人體特異功能，既特
異，又平常。特異的是，其功能在人類漫長歷史長河中，人們普
遍漸乎消逝，保持其功能或功能萌芽的人是罕見的；平常的是，
人人都有特異功能或其萌芽，人們的特異功能一旦誘發或激發，
就會呈現光澤耀眼的光芒。這些功能，過去常與宗教相伴，龜藏
在深山老林之中，今天，則走向千家萬戶。不過，在神話中，也
保留了無數的孑遺，只要我們認真地抉微便可挖掘出閃光的瑰寶。

　　在這裡，我們有必要道出神話與宗教的異同，切不可誤將神
話與宗教混為一談。神話是積極進取的征服世界，強調人的靈性，
突出人的價值；不完全要儀式；不完全要巫師等的參與。而宗教

是使人安分守紀，聽從神秘力量的主宰，坐以待斃；要有一定成規的儀式；要有巫師等的主持與參與。

的確，神話與宗教在外在形式上有不少相似相近點。如盤古神話，反映了古代人們對世界形成的天眞的認識，而祂一旦進入廟宇，就成了人們的保護神，人們也祈求祂的保佑。

特異功能，就是古人認爲的「神力」，特異功能者，就是古人認爲的「神」與「神仙」；神力，我們今天認爲，就是特異功能，神與神仙，就是具有特異功能的人（雖然不能一概而論，但主要內容當爲不誤）。

綜上所論，我們研究內容的基本課題，是站在「純科學」的肩膀上，鳥瞰中國神話與人體特異功能，從不同角度，不同層面展開討論，以撩開「神」與「特異」的面紗，並使之走向社會，走向廣大的人民群衆之中，站在科學的辯證唯物主義立場，非單一對抗性地，而是打入其堡壘，分化瓦解，融化非科學的唯心主義，這就是我們的主旨與基本內容。

二、研究的態度

中國神話與人體特異功能，都很「神奇」，我們研究的基本態度是尊重事實，不妄加臆度，正視歷史，不以今非古，在前人研究的起點上，進一步拓展領域，扣緊第一手材料，不放過人們未深入探討的材料，展示自己的觀點。

下面具體分幾個小點敍述

1.唯物的客觀性　尊重客觀，尊重事實，不以譁取寵；不以怪獵奇，遵循存在第一，意識第二的準則，不搞無中生有，不想當然。中國神話，本身就是尊重事實，如中國地勢，西高東低，就有共工怒觸不周山神話，人體特異功能，也是無數實有事實的

複寫與攝影，如搬運功，他就是能把它物從他處搬運過來。譁、寵、怪、奇，本身就是神話與特異功能基本形式，如果一味羅列現象，也就失去了研究的價值。所以，客觀性就是非主觀能任意改變的事實，唯物性就是唯物是實，有就是有，一就是一，如若一味想當然，那麼就無科學性可言了。

2.**通俗性**　中國神話，尤其是上古神話，文字艱澀，內容荒誕，幾乎令人望而生畏。特別是異體字，錯簡，空闕，衍文更令人無法卒讀，我們引述的材料，不可避免要接觸到。尤其是從「五四」以來，停止使用書面與口頭的文言文，國人現在全部使用白話語體文，一般讀者對文言文幾乎是興趣殆盡。人體特異功能也分散在各種典籍之中，歷史上這些珍貴的材料，也概莫能外地是用文言文記載的。人體特異功能，很多是憑藉氣功途徑訓練出來的，氣功古籍也朦朧、深奧，尤其是以模糊思維與語言，配以比喻與象徵手法，使人迷離撲朔。因而，我們力圖以通俗曉暢的語言文字引用之，力圖以準確的概念、判斷與推理闡釋之。

3.**實用性**　神話與科學結緣，早成事實，將特異功能用應於科學，正在舉步。治病、健身、延年益壽正在神州大地蔚為風尚；探礦、檢測機器、農業豐產、化學和物理實驗，也已初露頭角。特異功能具有廣濶的前景，如東昇的太陽，噴薄而出，呈現出強大的實用性。本書的撰寫，也企盼跳出書齋，躋身於工農業生產、躋身於科學實驗的大潮之中。同時，也企盼中國神話與人體特異功能在社會生活領域有一席之地，以便為社會服務，為人民造福。

4.**科學性**　我們探討的課題，很多內容與宗教迷信混雜在一起，精華與糟粕共存，科學與愚昧同在，呈魚目混珠之狀。我們力圖踏在科學的梯架上，剔除糟粕，宏揚精華。科學是一門老老實實的學問，來不得半點虛偽，摻不得半點砂礫。科學就是講究

嚴肅，要求嚴謹。科學技術神話，發明創造神話，就具有這種特質，如儀狄、少康製酒，般製弓矢神話。特異功能同樣如此，如特異功能大師嚴新，1990年6月，在一萬公里之遙的美國向中國科學院高能物理所正電子物理實驗室中的半衰期為458年的放射源—241發功，在1991年6月6日8—11時及 6月7日8—11時兩次發功中，從241AM的半衰期發生10％左右驚人的變化。科學的定量，精確的數據，正是科學所要求的內容。

5.**開放性**　我們不閉關自守，不夜郎自大，不滿足於今天的科學達到了無與倫比的輝煌程度。科學是無止境的，人類對宇宙、對世界、對自身的認識，永遠沒有達到極境，當然也不可能達到極境，我們力圖為此以盡一點綿薄之力。這是開放的第一層涵義。其次，我們不閉門造車，我們隨時準備迎接新科學的挑戰與檢測，尤其關注西方新興科學。這些科學知識，儘管未完全定性，儘管還有待於進一步檢測、論證，儘管還有待於完善、充實，我們決不把它們拒之於門外。其三，我們持「化腐朽為神奇」的宗旨，不但不害怕迷信、愚昧、荒唐的人類糟粕，而且積極去分解、剖析與研究它們。它們在人類歷史上曾存在過一段相當長的時期，那麼，其中一定會有合理的內核與值得肯定的因素，決不把嬰兒與污水一同潑出去。

以上這些態度，應是神話與特異功能所必須具備的。只有持這幾種基本態度，才能對其領域深入研究，才能使其研究走上正軌。

三、研究的主要方法

單若是確定了一定的態度，選定了相應的內容，而沒有一定的科學方法，本課題也是難以順利完成的。方法是技巧，是途徑，

是渡河的橋與船。方法恰當，可達到事半功倍的效果。我們主要採取以下幾種方法。

1.**系統分析方法**　神話不局限於上古神話，我們持廣義神話觀，由此擴展到中古、遠古乃至今天。我們把神話視之為一個有機的大系統，綜合考察。人體特異功能也不是一種孤立的現象與理論，我們承襲前人的觀點，把氣功、特異功能與生命科學視之為一個複合系統。當然，特異功能本身具有系統性，同時，我們把其產生原因、作用、效用納於一個體系之中。系統分析就是一種聯繫的觀點，它是一種宏觀視角，以系統論為理論砥柱，它可避免人們認識事物的片面性與支離破碎性。世界上的事物千千萬萬，多是呈孤立形式而存在的，但它們彼此又是互相聯繫的，並且在一定的時空內，互為因果。系統分析方法，既有傳統的聯繫觀，又有嶄新的系統觀，它在傳統觀中注入了新的活力。這種方法，不會使我們陷入顧此失彼的沼澤之中，不會使我們陷於只見芝麻不見西瓜的歧途之中。

2.**藉鑒考證方法**　夾雜在煉丹、導引、服氣、教義及眾多的經史諸子著作中的神話與特異功能，其字詞的句讀，旁徵博引的材料，不能隨便臆斷，雖無須「無一字不無來歷」，但大抵應合理、準確。考證方法是中國流傳了幾千年的治學方法，甚至到今天仍長盛不衰。考證方法就是對字詞的音、形、義，段落章節的含義，主旨、修辭、結構、技藝的處理、斟酌的考察、論證，如王弼、孔穎達、刑昺、郝懿行及至胡適、聞一多等人，都是考據有成的大師，由於考證方法淵遠流長，使得中國傳統文化能一以貫之地保存下來，這是世人都已見的最簡單事實。我們在這裡藉鑒考證方法，並間或採用考證技巧，以便使其材料更有說服力度，更能支撐其論點與主張，更能經受歷史的檢驗。

3.比較方法 如果說，系統分析方法是縱橫交錯的研究方法，如果說，藉鑒考證方法是縱向研究方法，那麼，我們說，比較方法就是一種橫向的研究方法。將神話中的社會自然科學知識與人體特異功能中的社會自然科學知識進行對照比較，貫穿本書的始終。有比較，才有鑒別；有鑒別，才會有所得。通過比較，找出事物異同，演繹出共同點，找出帶規律性的事物，得出閃光的新知識點。

以上這些方法，都將直接、間接地滲透到了各個章節中去了。

四、研究的風險

一般說來，任何科學研究都是具有一定的風險的，或者說研究的結論荒謬、錯誤，或者說研究的過程與步驟不對，誤入歧途，或者說揭示的規律、規則觸犯了政治、社會集團的利益，招致殺身之禍。在風險是絕對的前提下，我們又說風險是相對的，有些科學研究又幾乎不具有風險，尤其是帶工具性的科學知識研究，如邏輯形式、弦樂、管樂、打擊樂器與原理、甲骨文、語法、數學公式、武術等等。有些科學研究的風險是很大的，如達爾文的進化論，推翻上帝造人的定論，如哥白尼、伽利略對天體的研究，動搖了神聖的「地心說」，最後，伽利略被宗教裁判所處以極刑，打入「異端邪說」的十八層地獄。

對中國神話與人體特異功能的研究，具有一定的風險性，風險集中地體現在「科學與偽科學之爭」上面。

單一地研究神話（或中國神話），幾乎是沒有風險的，因為哲人、偉人、賢人馬克思主義經典作家、高爾基、魯迅、聞一多等，對人類這一傳統的優秀文化曾有過精闢的論述與中肯的評價，得到世人與歷史的認可及嘉許。

　　但單一地研究人體特異功能或將人體特異功能與其他科學結合起來研究，則具有一定或相當的風險。人體特異功能是一項新的科研課題，在全世界歷史短暫，在東方漢民族，大抵只有十來年時間，它還不被大多數人了解、認識。同時，人體特異功能與氣功幾乎爲孿生兄弟，一則與宗教（佛教、道教等）聯繫緊密，一則它一反常規的科學知識，成爲不可思議的「怪物」。它泛屬於上層建築的人類文明，對上層建築的傳統意識形態有一種波擊作用。一則，它目前還很難以科學手段予以全面、精確的測定，呈變數形態，再則，它的許多內容尚不能以精密的儀器分析，具有模糊的特質。它偏重於精神與意念的功效，有些方面甚至看似有悖於人類優秀的文明成果，所以，它的科學與僞科學之爭尚無定論。

　　但是，我們並不因爲其爭論「尚無定論」而不前。因爲科學研究，已成定論的、舉世公認的東西，無須我們再去浪費精力與時間，正因爲它尚無定論，我們才有這樣的熱忱並投入其討論之中。如果我們的觀點被歷史老人證明是正確的，那麼我們爲社會與文明盡了我們一點應盡的職責，即或是不正確或不太正確，也毫無遺憾地爲後人提供了一種難得的教益。

　　人體特異功能是一種客觀存在，我們不能迴避它，而只能正視它、研究它。如果它是人類的精華，則利用它造福於人類，如果是荒謬的，再有高超辯技，也不能使泥土變黃金，當然只有義無反顧地摒棄它。

　　我們說其研究具有風險性，並非危言聳聽，只要對它在神州大地的出現與人們對它的態度的歷史作一回顧，便可略見一斑。

　　1979年3月11日《四川日報》發表了記者張乃明等三人的報導《大足縣發現一個能用耳朵辨認字的兒童》，披露了唐雨用耳

朵認字的「奇聞」，並著意指出省委及有關部門親臨現場了解實情並開始進行研究。這篇報導，很快被全國各地報刊迅速轉載，連香港的《大公報》、《明報》都在顯著版面與位置予以報導。這條消息，給中國人以極大的震動。接著《安徽科技報》於4月6日報導了12歲女中學生胡聯耳朵認字的消息，並聲稱經有關主要領導人與有關科研機構以核實。4月13日，《北京科技報》報導北京8歲的姜燕能用耳朵認字和辨識圖形。4月20日《河北科技報》報導了河北滄縣發現15歲女中學生于瑞華用耳朵辨認文字和圖形。4月21日，《安徽科技報》又報導了胡聯的女同學何小琴也能用耳朵認字、認圖和辨色。《光明日報》報導4月在北京發現一名 11歲的小女學生王斌用耳朵和腋下部位認字，其姐王強也有類似的功能。這一條條怪特的新聞波及到全國科技界、教育界。北京、上海等地科技人員等自發組織起來，對過去被稱之為靈學的現象重新探索。據稱，有上百所高等院校、科研機構上千人參與了其調查和研究，數百所中小學的成千上萬學生作為實驗對象在各種測試中被誘發出了特異功能，認字的器官由耳推廣到手、腳，甚至胃，而視覺的特異功能逐步擴大透視、遙視、意念致動乃至穿牆透壁。這些奇異現象被拍成新聞紀錄片《你信不信》。爾後，特異功能現象，波及到了領導階層，下至省委、縣委書記，上至人大副委員長和國務院副總理。國外新聞界蜂湧而來，要求更深入了解其奇觀。社會底層反映更強烈，有的要求要了解更多的細節，有的表示懷疑，有的持強硬的否定態度。科學界卻在以平靜的態度關注著這一來自民間的自發性的熱流。就在人體特異功能炒得沸沸揚揚之際，學識淵博、德高望重、經濟學界泰斗之一于光遠先生給予了嚴肅的批評。另外，一些調查小組、調查報告予以無情地否定，緊接著，新聞界對之進行了討伐，《河北日

報》、《人民日報》、《遼寧科技報》以及教育界權威葉聖陶先
生，都予以批駁。接著，「神童」失靈了，一個個落馬，當時任
中宣部部長胡耀邦同志也予以否定。《四川日報》公開檢討，四
川省委書記楊超同志也作了自我批評。

　　在短暫的沉寂之中，香港《時報》1979年6月 8日發表了《
耳朵識字，未必荒謬》一文，批評了中國少數領導人對當代科學
了解甚少，特別是對超感官知覺和超心理學等領域缺乏應有的認
識。這篇文章，掀起了特異功能的又一次熱潮。79年9月，上海
《自然雜誌》發表了署名文章《非視覺器官圖像識別的觀測報告》，
爾後，又連發了9篇這方面的專題報告。這些報告由頗具威望的
教授學者撰寫，因而具有權威、科學性。1980年2月4日—10日，
《自然雜誌》在上海科學會堂召開《人體特異功能討論會》，有
80多名專家及14名「神童」與會。這次會議，把特異功能研究
由民間引渡到了科學論壇。很快，全國數百家報紙報導了這次盛
會。同年10月，其雜誌社撥專款，創辦《人體特異功能通訊》，
大量編發專稿。在它的影響下，許多大學的研究團體與有關刊物，
如雨後春筍。81年5月，第二屆人體特異功能討論會在重慶召開，
與會者近三百人，楊超同志親自主持會議，並代表全國二十九個
省市、自治區宣佈成立中國人體科學研究會。這次大會，使人感
到鼓舞的，是著名科學家錢學森先生予以極大的關注。這位中國
導彈、火箭技術元勳、系統論的砥柱，專門委託一位專家宣讀了
論文《開展人體科學的基礎研究》。這篇論文，成了這次大會一
篇綱領性的文獻。國防科委副主任張震寰同志與中醫界的「醫帥」
呂炳奎同志，也從各方面給予了有力的支持。因此，特異功能的
研究得到了擴展，由人體多部位辨形識字到肉眼直觀全息照片、
遙聽遙測、念力移位、改變分子結構、治病健身。1981年聲討

浪潮再起，國家科委政治研究室召開「人體特異功能座談會」，通過討論，組成「調查研究聯絡組」，收集其活動情況和材料，編發不定期內部刊物，拍攝特異功能弄虛作假表演的錄像。 82年2月24日，在中科院禮堂召集的特異功能討論會上，持否定態度者發表了激昂的演講，形成了一種逆態氣候。在此前後，還有一些插曲。81年底，在中國自然辯證法研究會成立大會上，也有討伐之聲。在哲學權威刊物《哲學研究》上，于光遠同志撰文批評（頗有意味的是，該刊同時刊發錢學森同志承認特異功能，肯定氣功的文章，體現了學術爭鳴的寬鬆氣氛）。持否定態度者還對80年10月—11月哲學界的教授們在雲南觀看了成功的特異功能表演深爲憂慮，也曾撰文批評。持肯定態度者爲「特功」爭一席之地，責問《人民日報》主編。當時出任中共中央總書記胡耀邦同志，出面制止公開論爭，指出也不要批評人體特異功能。82年5月，錢學森同志致信中宣部副部長郁文同志，以黨性保證人體特異功能的眞實性。胡耀邦同志指示：特異功能可在一些單位的管理下由少數人繼續研究，可印發內部交流刊物。87年5月，國家科委批准成立「中國人體科學學會」，隨後，大批的大氣功師接連不斷的湧現。再後，又出現了「氣功文化熱」學術專著，文學作品紛紛面世。到了90年，中國科普研究所，某些報刊，部分學術界再度出現了對特異功能較強硬的批評，這種批評斷斷續續到了今天。像《新民晚報》、《方法》雜誌乃至香港《大公報》上，可見到這一類文章。

這些爭論，從一開始直到今天，交鋒的焦點是：科學與僞科學之爭。我們認爲，這種爭論是在寬鬆的環境下進行的，也是十分正常與可喜的，以後的爭論，只要不介入其他「人爲」的因素，是能提高人的理性層次與科學意識的，我們說它具有風險，主要

是具有風險因素，我們力爭以客觀態度，不誇大其辭，也不危言聳聽。我們提出風險問題，主要是爲避免風險，以求正道。

五、研究的前景

現代科學，經過幾百年的發展，已經發展分解成相當精細的程度，同時，各門科學之間的差別與距離越來越大。然而，自本世紀以來，新興的邊緣科學向整體綜合化的方向發展。各門學科之間的差異，通過以原有學科的相鄰點作爲生長點而形成一系列新的邊緣學科而達到重新的組合。當代科學發展的特點，一方面是單科高度的分解，另一方面是重新組合。

神話與特異功能的綜合考察與研究，就是這種科學發展的嘗試與實踐。

1.分解研究的視角前景

人體特異功能，可能導致一場21世紀的科學革命，可能比本世紀的量子力學、相對論爲一場更大的革命。未來也許將會是以生命科學爲中心的高科技的新時代，特異功能的研究，將爲生命的本質、生命的起源、生物進化等理論開闢新的研究途徑，促進醫學、化學、物理學、生物學、心理學、哲學等等的向前發展。人體特異功能將導向我們步入人體科學的新時代，具有劃時代的意義，它將不會再蹈科學界曾風靡一時而短命的「大西島的秘密」、「N射線的發現」、「李森科主義」、「永動機」、「生命能說」、「勒伯辛斯卡婭學說」之覆轍，也決非與「尼斯湖怪」、「天外來客」、「魔鬼海」、「百慕達之謎」等一樣，令人陷入光怪陸離的「神殿」之中。

人類科學研究中，眾多的科學之謎被人揭曉，並創造、發現了現代科學與技術。如蒸氣機、電動機、火箭、宇宙飛船，還有

機器人、試管嬰兒、全息生物學、核醫學等等。儘管如此，然而，對漫無涯際的宇宙卻幾乎是束手無策。今天的天文觀已經擴大到大約150億光年，可仍只能望「天」興嘆，對空間構造知識還相當貧乏，對天宇的形成、發展、變化乃至滅亡的過程，更是如在打啞謎，人類對它的研究幾乎可以說是微不足道，連飛碟都無力研究之。咫尺之物，無力為之，何況遙遠渺茫的天際？另一方面，從微觀角度看待人身的研究，仍是「蒼白無力」，儘管從人體解剖學、人體生理學、衛生學等領域對人體進行了較為詳盡的研究，如人體運動系統、循環系統、呼吸系統、消化系統、泌尿系統、內分泌系統、神經系統進行了研究，但對人的大腦、神經之複雜的構件與變異功能，只能作些客觀的猜測與推論。

而人體特異功能，將打破傳統知識體系，另創新角度，另展新視野，新思維方式，新感知形態。因此，人體特異功能研究的前景燦爛，這是主潮，這是大方向，這是宏觀的把握，它定將走向世界。

神話，在歐洲，從亞里斯多德開始；在中國，從楚國屈原開始，將之注入無盡的活力。單從神話理論研究看，在西歐，曾經形成過一些著名的有影響流派，如神話學派、流傳學派、芬蘭學派（歷史地理學派）、歷史學派、語言學派、人類學派、功能學派等、神話研究論壇，姹紫嫣紅，熱鬧非凡。在中國，卓有成效的研究者，有如晉人郭璞、宋人朱熹、清人郝懿行，今人聞一多等，我們不妨籠統稱之為考據學派。另外如列子、淮南子、葛洪、王嘉、張華、東方朔等，我們不妨籠統稱之為材料學派。還有眾多的列祖先輩，我們不及一一提起。中國神話研究，長則有兩千餘年的歷史，短則也有近一個世紀的歷史，如果以神話學會成立為標誌的有計畫、有方向、有綱領地研究，也有十年之久了。外

國有這麼多流派，中國人爲何要自我菲薄？考據方法爲漢文化一種獨特的研究方法，我們自己爲何不可扯起這一面旗幟？考據方法，曾在清朝蔚爲大綱，著名的乾嘉學的訓詁考據，成就燦然，今人學貫中西的錢鍾書先生，考據成就輝煌。中國神話燦若星辰，可由於種種主客觀原因，現在保留下來的神話支離破碎，不成體系，但這些材料，仍十分寶貴，今天袁珂等先生爲搜聚遺珠，作了艱辛的努力，我們稱這些原始文獻的作者爲材料學派成員，未必會委屈古人。其實，中國神話這兩大流派，我們不予標榜，也是客觀存在的。

神話對後世文學以極大的影響，如《九歌》、《離騷》、《西遊記》、《鏡花緣》、《封神演義》等，今人魯迅《故事新編》、郭沫若《女神》等，也無不深受影響與薰陶。

另外，神話具有多功能性，它是古代百科全書，包容了歷史學、地理學、社會學、民族學、文字學、風俗學等內容，還囊括了醫學、治水、天文、動植物等自然科學。它爲了解祖先們的生存、生活、生產方式，提供了大量原始可信的第一手依據。

神話還激起今人以想像翅膀，參與發明、探討、研究行列，讓人們追求更高的精神享受，以征服新的、更高層次的科學領域。許多幻想、想像往往是科學的先導，激發人們發明創造的智慧，鼓舞人們的鬥爭熱情，增加人們與大自然鬥爭的決心與勇氣，還使我們更進一步認識我們的祖先和史前史，增加民族自信心，因此，它的前景是非常瑰麗的。

2.綜合研究的視角前景

神話研究有神話特點，特異功能研究有特異功能特點，將它們二者結合起來研究，其前景更是「別有洞天」。

首先，我們對神話的產生、形成、發展與完善有了新的飛躍

式的認識。人們對神話起源研究，有許多恰當而精到的觀點，如勞動說、游戲說、巫術說、思想感情交流說、季節符號變化說、夢幻說等不一而足。在科學研究領域，不宜搞「一元化」，不能以一家論點憑藉各種因素壓倒一切，更不能以偏概全，而宜於「百花齊放，百家爭鳴」。我們所列諸種觀點，都有一定道理，如果綜觀之，神話的起源也許是它們共同完成的，各自從不同的角度互補。但在這個結論之下，似乎使人感到還有某種缺陷與不足，在這個基點上，我們提出「神話起源於人的特異功能」。我們說，神話是人們通過幻想、想像的方式征服世界，這還只是說清了神話起源、內容與定義的一部分，我們認為，神話是對初民錯誤認識、幻覺和特殊生理現象（今已退化或趨於退化）感知等現象及宇宙怪誕現象真實的紀錄。不承認這一點，我們認為就不能全面把握神話的內涵，只了解神話的特殊性，不了解其一般性，或者反之。單說神話是初民的百科全書，就已完全令人折服。

　　在神話領域，我們還可憑藉特殊功能，得到其他啓迪，進一步拓展思維層面，諸如神話的發展、形成的因素與歷史；生命科學對神話、宗教的輔佐支撐等。這些都是由二者結合研究而產生的新曙光、新前景。

　　其次，在人體特異功能方面，可以進一步拓展其歷史視野。原來人體特異功能並非一夜之間從地底鑽出，而是在幾千年之前，人們早已發現。在初民時代，它孕育了人類原始神話與原始宗教，在宗教領域，無數教徒早已在身體力行地探索、實踐，總結其規律。我們說，神話研究者已經或正在破除其神秘的氛圍，那麼，我們可以由此引申說，以人體特異功能理論與實踐，摒除、剷平神話中惑人的痼疾、撩開、撕掉神話中迷人的面紗，使人更多、更廣地接受前人的知識與學問，繼承先祖珍貴的遺產，使人們切

身體驗到，神話與人體特異功能，雖神而特異，但並非荒誕不經。

在人體科學領域中，神話可促使人們對特異功能或者特異功能促使人們對神話的進一步的思考，如物質變精神，精神變物質，這種變，不僅是我們平面理解的變，而是一種立體的變，即不但可以間接的方式使精神變物質，而且可以直接改變分子結構，使物體移位，同時，可以使物質直接變精神，也可以使物質間接變精神。

縱觀以上的前景，它具有非凡的優勢。所以綜合神話與人體特異功能的研究，溝通兩者鴻溝，更能促使神話與人體特異功能縱深研究，更能促使新的科學的形成與發展，即神話特功學或特功神話學。本書一作拋磚引玉或鋪路填溝的試探性的準備工作，以待大家來完成這宗事業。

第一部分
中國神話與人體特異功能的基本內容

第二章　中國神話踪跡攬勝

　　中國神話，產生於與世界同步的野蠻低級階段（即或爲蒙昧的高級階段，也相去不甚遠）即舊石器晚期，到今天已有一萬來年的漫長歷史。我們把它劃分成三大神話部分：一上古神話，從神話的萌芽、誕生、形成到發展，即從舊石器晚期到商周時期約前八至十一世紀。二中古神話：神話的再發展，即上承上古神話，下至漢魏六朝。三近古神話：從隋唐到清末，是神話進一步發展時期。下面，從兩個方面概述之。

一、上古神話

　　上古神話，產生於人類幼兒、童年時代，並且隨之逐漸成熟。初民時期，人們處於蒙昧、野蠻時代，生存環境十分險惡，洪水猛獸、死亡飢餓，無時無刻不在威脅著人類。一方面，人體構造機能和感知反映器官不完全等同於今人，另一方面，幾乎談不上科學的洪荒時代，人們對大自然的各種現象，如風雨雷電的搏擊，森林草原的災異，日月星辰有規律的運轉，虹霓雲霞的無窮變化，大地山川的形成變化，人類宗祖歷史的猜測，無知地驚奇，百思不得其解，於是，一方面將原始思維與原始觀察忠實地記錄下來，

一方面構想出有一種超人的力量在支配著這一切，一方面，初民在生活與生存中又逐漸認識和支配了自然界一定量的現象與規律，同時還產生了征服整個大自然的願望，這樣就產生了與大自然鬥爭的眾多的神來。這種神構成原始的神話，它當初是與原始宗教相混同著的，人們對超人的力量與征服自然的神的形象一道舉行神聖的祭奠。這種祭奠，決非今天廟宇、教堂中溫情脈脈的合十頂禮，而是虔誠而瘋狂地參與；它也非祭壇上恍忽迷離的輕歌曼舞，而是血腥的奉獻。此時，先民們是神人合一，民神雜糅，現實與想像互相交織，互相滲透。

　　上古神話是屬於神話不自覺階段，上古神話是以積極幻想的不自覺的藝術方式、神魔鬼怪的形象來折射現實的藝術的故事或故事片段。

　　這種折射，是對自然和社會現實的折射，是幻想的折射。同時，它還是藝術，少年兒童喜愛它；它還是一種不自覺的藝術，如捕捉野牛之前後要跳野牛舞即是（當然它還具有別的功能）。折射一則為我們今天還難以理解的初民生活及生活方式，一則為初民間接地撰寫自己的生活史。所以，「折射」的故事等為不自覺神話的總體特徵。

　　為較詳細介紹上古神話，我們分幾個方面敍述。

㈠**上古自然神話**

　　上古自然神話，是指以描述自然現象為主的神話，它產生得最早，並且是舊石器晚期和新石器早期神話的主流。

　　洪荒遠古時代，生產力相當落後，人們完全依靠自然界生活著，衣食住行是最為原始，全靠自然界提供，大自然可謂人類的衣食父母，因而，人們對大自然是異常的敬重與虔誠。大自然嚴屬地統治著萬物，也統治著人類。人們常常被自然界超常的力量

給擊敗，原始人的年齡平均10—20歲。疾病、死亡與飢餓給人以嚴重威脅，因而，人們對大自然產生一種畏懼的心理。

具體有下面這些神話

1.**動植物神話**。這類神話；在上古神話中出現得早。民以食為天，人類的生存，首先有賴於食物的解決，當時，人們的主食為穀物黍類及諸植物的莖葉、根塊。人類要有生存的安全感，就要與草原、森林的飛禽走獸搏鬥，因此，動植物神話就被列在第一位了。如《山海經》中，就有大量的動植物的記載。

(1)植物類，如穀物中的「糈」（精米）、「稑」。《山海經》的北山經、南山經時有記載：「用一珪，瘞而不糈」、「其詞皆一白狗，祈，糈用稑」，「糈用稑米」，「一璧稻米」等等。另有稻、穀、黍、稷等，像「稷神」稷本為穀神。其他植物更多，如桂、祝茶、桃枝、丹木、沙棠、櫰木、柟木、三珠樹、建木、不死樹、若木等，它們或者與原始宗教相關，或者與神話人物、神話故事連結在一起，使之具有上古神話的特色。

(2)飛禽類：鳳凰、重明鳥、鯤鵬、鸞鳥、三青鳥、鴸鳥、青耕、鴕鳥、黃鳥、鶹鴿。如三青鳥，就與西王母神話聯繫在一起，鳳凰更是吉祥之鳥、神奇之鳥，它與神龍、神龜等構成上古璀璨的東方獨有的神話。

(3)走獸類：狌狌、猺羊、白猿、犀象、天狗、並封、九尾狐、封豕、巴蛇、視肉、麒麟。九尾狐、巴蛇與麒麟，是人們非常熟悉的神話，或為圖騰，或為與大自然抗爭。

(4)水族類：龍魚、蛟、三足龜、龍等，龍神話，最令人們關注，炎黃子孫，以龍的傳人自稱，神性與神聖性更無須多言。

　　2.**天地精怪神話**。這類神話，包括天文、氣象、星辰、宇宙、地理、精怪等內容。天地宇宙是怎樣形成的，盤古開天闢地非常圓滿而令人信服地回答了這個問題。他昏睡天宇混沌之中，一覺醒來，揮起大斧，猛地劈去。天宇中清者上升，濁重物下沉爲地。他死後，呼氣爲風雲，呼聲爲雷，手足身軀爲五岳，膚毛爲草木，最無益的汗液都化作了甘霖。天地有哪些變化？它又是怎樣變化的？共工怒觸不周之山，回答了這個問題。中華大地，是西高東低，水是由高而下，真是「一怒定乾坤」。

　　以上是總體來說的，下面具體看看。

　　山神：司贏母山的長乘，司和山的泰逢，司青要山的武羅，昆崙山的守門神開明獸，司山神陸吾、巫山神女等。

　　水神：天吳、魚伯、大波之神陽侯、黃河女神宵明、燭光、河神巨靈、河伯馮夷、洛神宓妃、長江之神江妃、奇相、術器、海神禺貌、不廷胡余、弇茲，另有海若、海童、玄冥等。

　　風神：風伯飛廉、折丹等。

　　雨神：雨師妾、蓱號等。

　　雲神：雲將等。

　　雷電之神：雷神、豐隆雷師、電母等。

　　霜雪之神：青女、閔、騰六、洪崖、姑射真人。

　　虹霓之神：小女子之神虹蜺。

　　宇宙之神：鍾山燭龍、儵、忽、混沌、陰陽二神、巨靈神，另有連結天地神柏高、重與黎等。

　　大地之神：社神、祇、媼、后土、地獄、土伯、幽都、鬼伯，另有四方之神東皇太一等。

　　其餘的神有：羲和生日，反影晚霞之神圓神碗氏、紅光神、常羲生育月亮、御月的望舒、纖阿、老人星、南斗星、蟾蜍、季

神如天帝女、夜游神、神人二八、女夷、春神句亡。

㈡上古自然社會性神話

上古時代自然神話之後，人們活動與因素摻雜進來，人與自然的兩重性互相消長、互相影響，人的社會生活舞台已經架起，人們各盡其能地表演著。這裡，分兩點闡述：一則爲進攻性大自然神話，一則爲防禦性大自然神話。

1.**進攻性大自然神話**：在描述人類與大自然的鬥爭爲主的神話中，它表現出人民的發明、創造、掌握自然力、向大自然索取財富的情景。大自然對於上古人民，既是保母，又是敵人，初民們曾與之進行了艱苦卓絕的鬥爭。在鬥爭中，他們不甘心於消極崇拜自然神，不滿足於單純描述自然現象，不局限隱隱約約地表示駕馭大自然的願望，主、客觀促使他們再現與大自然鬥爭的情景，熱情歌頌自己戰勝大自然的豐功偉績。

⑴火神掌火。祝融、炎帝、回祿，都是火神。古人限於科學知識，認爲火是神物，雷電之火，森林、草原的自然火，燧石擊火等。炎帝曾鑽燧生火，煮烤葷腺，故被崇爲帝。而回祿則是火災之神。

⑵馴化之神。人類在狩獵時代，馴化動物是一個專門話題，虞舜服象就非常典型。孔甲馴龍，也是罕見。孔甲是介於人與神之間，馴龍自然非常神奇。龍本是神話中最具影響的動物，然而，牠又是虛幻擬構的動物，爲人們崇拜的圖騰，牠的神話色彩燦燦然。孔甲先請劉累養龍，從董父泰龍氏弟子那裡學了些技術，可後來死了一條雌龍，劉只好逃走了，孔甲又請到了師門，師門技術高超，可得罪了孔甲而被殺，其陰魂不散，致使孔甲死去。

另外，有五亥服牛，伯益大費，英招神主司牧場，當然，更

　　早些的舜馴大象，內容更豐富，更能體現初民馴化動物的
艱難與智慧。

(3)弓箭之神。弓箭是狩獵的主要工具，由於地位神聖，作用
重大，便產生了弓箭之神。殷是弓矢的創製者，被尊爲其
神，另外還有：揮、夷矣、浮游、羿、逢蒙、倕等，另有
主司弓弩之神的天弓推亡。弩的神名是遠望，箭的神名是
續長。羿的神話很豐富，將在其他章節連帶論及。

(4)農業神話。農業生產是農業社會各民族生存之本，它是人
類擺脫漁獵時代而進入稍文明時期的標誌。這樣，自然有
許多神話相伴。

　　首先，神農開拓了農業，他教人們食五穀，自己嘗百草，察
甘苦，以求可食之物，他還教人們耕種。由於他功績非凡，所以
美尊爲地皇，他曾是由其母感生，其形象也怪，是人身牛首，牛
爲農耕經濟的命脈之一，他的外貌，也折射出了其特徵。他還製
耒耙、鑿地井、冶鑄斧頭、鋤頭、開墾荒野，擴增播種面積，他
還正節氣、審寒溫，立日曆，勤農桑。

　　后稷爲另一神話，亦被譽爲百穀之神。他種植嘉穀，《尙書
・呂刑》有云：「稷降播種，農殖嘉穀」，他爲「上天神異」。
他種植小米、麥子、大豆、瓜果、菜蔬。他爲了豐收，四處奔波，
多次過家門而不入，他不停地劃定疆界、田域，以分出宜於耕種
的土地，開地墾荒，除草施肥，開溝用犁，還製造出了一系列的
勞動生產工具。由於他恩澤眾人，大家一致認爲他功昭日月，爲
天地之主。

　　另外，還有其他一些農業之神，如柱、叔均，也種植百穀，
也種植百蔬，行刀耕火種之舉，以除饑荒之災。

　　溫飽問題是千百年來黎民眾生追求最高的目的之一，故其神

話特別豐富。

(5)建築之神。居住，是人們安居樂業的重要內容，也是初民
由流徙到定居的標誌。高元就是建築之神。遠古居民澤處
穴居，冬天不能承受霜雪霧露，夏天承受不了酷暑炎熱、
蟲蚊侵擾，高元築土構木，借棟宇以避風雨、寒暑，人們
於是有了立足之處了。另外，歷史化了的傳說有巢氏，也
是築室安居的聖人。

(6)服飾之神。衣服，其功用首先是禦寒，然後是遮羞，最後
才是審美，才有古老的審美價值。胡曹就是服飾之神。他
首創製衣、冕、袞服。遠古居民始不知有衣，冬天禦寒是
野火、樹皮，爾後才是獸皮、絲麻之類布匹。

另外一位服飾之神是伯余，他把漂白的麻，搓成一條條繩索
而再編織起來。這則神話，顯然是晚於胡曹製衣。先用樹皮，而
獸皮，而麻線編織。這種布料雖然粗糙，乃至像羅網，但仍是織
布成衣業的開端與先河。

又另外一位衣飾之神是西陵氏之女嫘祖商弦、蠶叢氏。他們
都是養蠶抽絲織布而成衣。蠶文化是中國獨家所有，通往西域的
絲綢之路就是史證。當然，所屬的蠶神話也只有中國才有。其衣
服，已昇華到以蠶絲作料，直到今天看來，仍是十分昂貴的材料。

這些神話，構成服飾神話群。

(7)車神。隨著遠古初民的生活、生產範圍的擴大，交通運輸
問題擺到一個重要的位置。這時，伴隨著車輛的車神應運
而生了。

奚仲就是一位巨神。他借鑒飛蓬的旋轉，發明了車輛。他把
彎曲的材料揉以為輪，用直挺的材料作車轅，還用馴服的馬牛駕
車。造車時，按時準備東西，選用上等材料，他做的車輪部件精

良，方圓曲直合符規矩鈎繩，車輛運轉自如，堅固牢靠，並能長期使用。車輛較之人力的挑、抬、扛、揹，既省力，也增加了效率，可使天下人多獲其利。

車神也不止一個，另外還有相士、乘杜，用四馬駕車、用牛駕車。這時，車的結構與性能比以前的又大有改進。又另外還有臘作駕，韓哀作飾的神話，他們大抵是當時的好把式的投影。

(8)舟神。舟船也是重要的交通運輸工具，不過它只是水上的交通工具。古代，水上交通比陸地交通更為重要，因而，它對先民的生產與生活，提供了極大的便利。

舟神同樣較多。虞姁為舟神，共鼓造出了獨木舟，化孤從魚的游水啟發了製造舟船，番禺是駕造竹舟（竹筏）之神，貨狄也是舟神。《易‧繫辭下》：「刳木為舟，剡木為楫，舟楫之利以濟不通，致遠以利天下」。有了船隻，人們就可以到江河湖海捕魚、生產。

2.**防禦性大自然神話**。大自然能給人們以賜福，也能給人以災禍。災禍的內容，如兇猛動物的進攻，洪水定期的侵擾，疾病的威脅等，就需要人們積極的防治，以便立於不敗之地。

(1)與兇猛野獸的鬥爭。古代，有一種猛獸，叫做狗，形態像獅子，專吃人，牠吹出的一種氣體，能使人病倒，牠時常靠近人們居住的地方，入室吃人，眾人苦不堪言，天帝後來把牠遷徙到荒蕪人煙的地方。

抗擊蟲蛇的鬥爭，如《山海經》中多有記載：蜮民之國射蜮是食，有方扞弓射黃蛇。神人不廷胡余面珥兩青蛇，踐兩赤蛇。弇茲也是頭上掛青蛇，腳下踩赤蛇，還有禺疆、疆良、夸父、禺虢、奢比尸等神，都是制伏毒蛇、猛蛇、巨蛇的「神」。蛇，遍及荒野山谷之中，對人的威脅很大，不有效地制伏牠們，人類的

安全就得不到保證。以上的大荒南經中所載的眾蛇，或被神們操持著：掛在耳朵上，踩在腳下，反映了初民、群神與牠們鬥爭的理想與願望。

　　所以，以毒蛇、猛獸爲代表，可足見古人的防禦大自然的艱巨，同時又可見鬥爭的堅韌。

　　⑵諸神治水。現代科學發展到今天，洪水仍是一大災患。每年各地的洪水氾濫成災，使無數人無家可歸。在遠古時代，我們可由此而推論，人們將束手無策，當然，也有神們、聖人治水，故治水神話不乏其記載。

　　共工是一位治水的英雄與神。共字加上三點水，便是與洪相關，他是一位抗洪之神。他生於水濱，治河、抗洪自是行家。他建築堤防，攔截堵住眾河之水，又挖山取土石，填塞低窪之處，獲得了人們的讚美。當然，至於共工神話的主旨發生變異，那是後話。

　　樸父夫婦，也是治水之神。天地初分之時，天神就派他們挖掘百川，導水暢流。至於最後的結果，或許是事出有因，不得盡知之。

　　另有杜宇、鱉靈治水，頗爲生動，現在四川還流傳著他們動人的傳說。

　　鯀禹治水。這是婦孺皆知的故事，內容豐富，流傳時間長久，地域廣泛，且長盛不衰，此處存略。

　　⑶抗旱神話。水災無情，旱災亦無情。旱災，是由於有精怪作祟。它們是被人們驅趕的、不受歡迎的對象。旱神魃，就是其一。旱魃爲害時，山上草木枯死，河流乾涸，整個大地像被火焚燒過的一樣。因之，旱魃待在哪個地方，哪個地方就久旱不雨。由於人們怨恨牠，上帝也就把牠驅趕

到赤水以北去了，但旱魃一有機會就逃回來。以後，要想
驅逐牠的人，就要先修好水渠，準備好蓄水，再大聲吆喝：
你快滾回北方去！旱魃這個禿頭無髮的醜魔惡鬼，恐怕也
再待不下去了，故天雨又足以緩解旱情。

(4)醫藥之神。生老病死，是人生的一個永恆主題，它與人類
　始終相伴隨著。醫藥，就是預防、治療疾病的看家法寶。

　　靈山十巫的巫彭等，就是上古時代的神醫。古代，巫醫一家，
彼此不分，醫字寫作「毉」，可見一斑。《山海經》中巫神眾多，
可見遠古初民就十分看重醫藥的作用。

　　雷公岐伯，嘗藥草，典主醫病。岐伯號雷公，是位天神，他
大概是位草藥郎中的折射或先祖。

　　神農是可與岐伯媲美的醫神。他也曾嘗百草，而且多次誤食
中毒。後來，他有一根神鞭——赭鞭，可辨別藥性。他品嘗種種
草木和水，篩選出藥物治病，拯救面臨夭折死亡的生命。神農不
是一位專業醫師，他主要是一位農耕之神，作為醫神，不過是兼
職罷了。

　　以上這些神話，記錄了上古初民與大自然鬥爭的歷史，表達
了上古原始初民征服自然的理想、決心，也總結了他們鬥爭的經
驗與教訓。

　　㈢上古社會性神話

　　這一個類型的神話，是以描寫社會生活及相關的事物為主的
神話，人在這段時期，占據了神話領域的主導地位，人的各種能
力，漸漸能與大自然抗衡與協調了。社會生活囊括了社會關係與
社會文化，並與之共同組成了五彩斑斕、錯綜複雜的社會矛盾。
它們投射到神話世界，即構成了社會性神話。

　　1.人類誕生神話

　　人類在地球上是怎樣出現的，母親、祖母、遠祖母是誰，自然引起人們的思考與猜測，母腹爲什麼能孕育生命，怎樣孕育、生化，也引起人們好奇的推斷、臆度。如是，人類誕生神話並伴隨著人類的發展而形成了。

　　⑴簡翟生商。殷契的母親叫簡狄，她是有娀族的長女。一天，她和姐妹們在玄丘水裡洗澡，一隻神異的鳥銜著一個蛋飛過，蛋忽然掉了下來。細看，蛋殼上有五彩花紋，精極了。簡狄把它拾起來，含在口裡（因要游水，不便手拿）。不留意，蛋就被吞了進去，落到了腹中。她於是懷孕了。不久，生下一個孩子，他就是契。簡翟生商。還有一說：神女簡狄（翟）遨玩於桑林之野，見有黑鳥生下一個蛋在地上，蛋殼成五彩，簡狄拾起來，裝進玉筐裡，用一件紅花彩衣覆蓋在上面。後來，她將鳥蛋放在懷裡，過了一年，有了身孕，又過了十四個月，生下了契。簡狄生契，是行原始剖腹術。

　　在古人看來，人生孩子，與雞、鳥生蛋，然後再孵化小生靈相似，故有吞蛋生育神話，這是一種原始的類比思維的表現。

　　⑵犬生戎，狄與狼生巴塔赤罕。犬戎國民，像狗的形狀，人面獸身，爲神人。北狄人，本是狗種。狗國人長著人身狗頭，長著長毛，不穿衣服，赤手空拳鬥猛獸，說話時像狗叫。他們的妻子能說漢人的話，生下的男性爲狗，女性是人。他們住在洞穴裡，吃生食。

　　元人祖先據稱是一條狼與一條鹿相配偶而成的，生下巴塔赤罕。

　　匈奴單于生二女，人們以她太美而視之爲神。單于想把她們配給天神，便在北方荒蕪之地建一高台，把二女關在其中。過了

三年，她們的母親想接她們回來，單于不肯。又過了一年，有條毛狼整天整夜守護著高台嗥叫，在台下挖出一洞，打開了與高台的通道。小女子視狼爲神物，將許與之同婚，小女子的姐姐出面阻攔，未遂。最後，小女子成爲了狼妻。

這裡是一組圖騰神話。狗在遠古時代，曾充當過人們的助手，直到現在仍密切與人相伴。牠遍及世界各地。牠大抵是人類馴化的第一種動物，牠尤其是受到漁獵、游牧民族在捕獵與防禦中得到青睞，因而便被崇爲圖騰——牠或許是某一祖先的化身，戎、狄、苗人等就是這樣認爲的。

狗有益人類，可奉之爲圖騰，那麼，狼爲什麼也會被人尊奉爲圖騰呢？兇猛的動物，初民畏懼牠們，希望牠們不但不加害於人，而且希望以其力量庇佑人們。鑒於這種心態，大概初民才把牠推到圖騰的地位。或許，他們想像自己的祖先一定像狼一樣兇悍，故而得以繁衍。

這是神（人）與動物結合生人的神話。

(3)沙壹生九隆與侍兒生東明。遠古時代，有一個婦人叫沙壹，居住在牢山上。有一次，沙壹到水裡去捕魚，碰到一根沉在水底的木頭，像有所感觸，於是就懷了孕。過了十個月，生下十個男孩。後來，沉木化作一條龍，浮出水面，沙壹忽然聽到龍問她：你給我生的孩子，現在哪裡？九個孩子看見龍，全部被嚇得跑了，只有最小的一個不能走，背著龍坐在那裡。龍親熱地舔著他。他母親說話像鳥叫，把「背」、「坐」二字說成「九隆」，這個孩子就叫九隆。他長大後，被九個哥哥推舉成王。後來，牢山下有一對夫婦生下十個女兒，九龍兄弟就一一娶之爲妻。其後代漸漸繁衍起來。

　　這是一則感生神話，是彝族人尊樹木爲圖騰歷史的委婉再現。

　　北夷有一索離國。一天，國王外出，女僕人在家懷孕了，國王回來後要殺她。姑娘說：早些時候看到天上有團雞蛋大小的氣團落到自己身上，而後有了身孕。她後來生了個男孩。國王命令把他扔到豬圈、馬圈裡，豬、馬不但不咬，不踐踏他，反而吐著氣養育他。國王以爲他是神，便任憑女僕收養。她將孩子抱回，並爲他取名叫東明。東明長大後，善於射箭。國王畏懼他善射勇猛而要殺自己，便急忙逃走。他逃跑到了一條河邊，沒有去路，他用箭一射，魚鱉都聚浮到水面，結成一座橋。他渡過河，到了夫餘，便只好在那裡稱王。

　　這仍是一則感生神話，但原始氣氛明顯減弱了，已不是某族的推原始話了，而是反映了社會激烈矛盾與鬥爭的神話，東明也明顯不同於犬狼的後裔，而是一個勇敢的英雄形象了。

　　⑷赤穴出廩君。武落鍾離山有一天突然崩塌了，出現了兩個洞，一洞紅色，一洞黑色。巴務相生在紅洞，另有四姓人生於黑洞，他們爭相自稱爲神，後來，通過以劍插洞壁，製土船浮於水的競比，巴務相獨勝眾人，稱廩君。他乘著土船，駛到鹽陽。其女神竭力挽留，導致使他分不清方向而迷路。廩君殺了女神，又乘土船到了夷城。他望著似洞之地說：我剛從洞裡出來，現在又進了這個洞，怎麼是好？話剛落音，石岸就塌了一段。塌方呈級狀石階，他下船拾級登岸，坐在一塊石頭上面，由於神異的力量，他沒有再走，就在這裡建城居住下來了。

　　上古人民穴居野處，人從洞穴出來的神話就伴隨而來。人從洞出的情節，實質上暗示了人類是由人繁衍的主題，因爲洞穴已隱含著女祖先的生殖器的意韻，寄寓著對女性的崇拜。這則神話

擺脫了圖騰遺跡的影響，著重突出了人本身在人類誕生神話的決定作用。

　　(5)女媧伏羲生育、再生神話。女媧、伏羲生育神話是最豐滿的神話之一。女媧人頭蛇身，其形為蛇圖騰。伏羲因風而生，所以以風為姓。天地形成後，接著是人類的形成。當是時，人民稀少，女媧搏黃土以塑人，由於工作繁重，她便取來一根粗繩子，甩到泥漿裡，再抽出來。被抽甩出的點滴泥土化作了人。大概用黃土搏人與舉繩絚於泥漿而造人，只是遠古人類繁殖的折射與想像，或者充其量只是製陶業與塑人藝術品的再現，故而又有女媧、伏羲兄妹成婚繁衍人類。在湘潭流行的神話是這樣的：

　　玉皇大帝擔心人太聰明而奪其帝位，王母親自去凡間考察。她下凡一看，凡間果然惡人成群，但中途遇到伏羲與女媧卻十分善良，因感嘆道：人應遭劫，但不該絕種。她便告訴女媧天要降災，並指點自救辦法。當地有座山，叫困龍山，山下有條黑龍，被王母吵醒，牠被煩得要劫人間。一天，牠到天河洗個澡，把天河打了個缺口，這樣，雨鋪天蓋地的落了下來，下了七七四十九天，洪水齊天，天下的人獸被洗劫一空，只留下伏羲、女媧與一條狗。伏羲擔心人類會絕種，想與妹妹女媧成婚。女媧不肯，狗卻贊成，女媧不服，問烏龜，烏龜也贊成，女媧仍不服，提出繞小山路互相追趕、追跑，烏龜告訴伏羲捉住女媧，最後果然成婚。女媧恨烏龜，不準牠再露面，從此烏龜永遠縮著頭。女媧又罵牠多舌，烏龜就成了啞巴，還在牠背上撒了把尿，烏龜背殼就裂了紋，並被踢到河裡去了。女媧懷孕後，到河邊洗臉，對著自己的面容，捏出一些妹子泥娃娃。伏羲打獵回來後，正稱讚泥巴妹子，女媧一驚，就要生產了。一會兒，她生下一個肉球，見風長，伏

義以爲是妖怪，一叉射去，肉團再跳不起來了，狗奔過去，咬住就拖，肉球被撕開了，裡面跳出一百個小男孩。原來被塑出的一百個泥巴妹子也被伏羲採來的柑子香味熏活了。自此，胎生一百個男孩與泥塑一百個女孩婚配成親，繁衍人類。

女媧兄妹成婚，在一些古籍與眾多的少數民族傳說中數量很大，它反映出了人的鬥爭精神，再現了人類誕生的深刻意蘊，表明了初民對人的生理現象、自己歷史認識層次的提高。

2.戰爭神話

戰爭，是階級鬥爭的最高形式之一，人類社會到了戰爭時代，說明社會的發展到了一個相當高的層次。

(1)黃帝與戰爭。我們是炎黃子孫，炎帝與黃帝是中華民族公認的始祖，他們至今仍被海內外的華人祭奠、紀念著。

黃帝，姬姓，都陳倉，邑於涿鹿之阿，傳說還曾都過新鄭，有熊、彭城、冥伯丘、昆侖墟，是他休息之處。他的國家號軒轅。他生於壽丘，子孫昌盛，有姓十四人，他還掌管眾多諸侯，他採首山銅鑄刀，以玉器爲兵器，他還帶頭種植五穀，栽草木，撫萬民，孵化鳥獸蟲蛾，他內行刀鋸，外用甲兵。他是黃龍體，有四張臉孔，他爲帝有后土佐輔，執繩而製四方，他還化生陰陽。

黃帝是炎帝之兄，炎帝無道，黃帝伐之於涿鹿。當時血流飄杵。炎帝無道的表現是製造火災，侵略諸侯。黃帝還曾與炎帝大戰於阪泉之野，當時，黃帝統帥熊、羆、狼、貔、鷹等部落，大獲全勝。

黃帝還曾在涿鹿大戰蚩尤。

蚩尤，爲九黎之君主，兄弟七十二人（一說八十一人）都是銅頭、鐵額，吃沙石，興雲霧，被尊爲神。他外貌怪誕、醜陋：人身、牛蹄、四目、六手，牙齒有兩寸長，據說曾大戰七十次。

他備戰有方,曾爍金為兵器,割革為鎧甲,造立兵杖、大弩,以金屬製劍、矛、戟。他曾與榆罔戰於涿鹿,還與赤帝戰於涿鹿,還趕走了炎帝,佔據了涿鹿一帶。黃帝為了擊敗他,與諸敗將榆罔等合謀,聯絡赤帝。他還採首陽山的金屬,鑄成鳴鴻刀,並製甲冑,設八陣,教諸侯製陣法,設王旗,製弧矢,派力牧、神皇發兵討伐之。

大戰開始,非常激烈、悲壯。蚩尤耳鬢像劍戟,頭上長有銳,以角觝人。蚩尤興大霧,三日不散,黃帝部隊分不清方向,血流百里,九戰不勝。黃帝令風后作指南車。蚩尤能吃石頭沙礫,飛空走險,黃帝以夔牛皮作鼓,九擊其鼓,使之不能飛牆走壁。蚩尤請風伯、雨師縱大風雨,黃帝派女魃旱神止雨。這樣,通過驚心動魄的戰鬥,終於擊敗了蚩尤,並以桎梏把他押好,然後再殺掉。傳說,現在的楓樹就是當年桎梏所化;蚩尤的血,至今仍在阪泉下流動;他被殺後,支解成幾個部分。

黃帝戰爭的神話,廣泛、深入地反映了部落、民族、國家間掠奪與反抗的戰爭,表現了人們的英勇、機智、頑強,歌頌了上古人民戰勝掠奪侵略者的偉大勝利。

(2)諸神戰共工。共工為水神,居西北,侵凌諸神,首先是得　　到了顓頊的抵抗與抗擊。

顓頊居大荒之山,日月所入是其去向。他有三面一臂。他生在若水,其母為濁山氏的後代,叫冒僕。他身邊常帶干戈武器,可招雷致電,役禦百氣,仗萬靈以信順,監眾物以導物,他有一柄曳影劍,騰空舒展。如四方有戰事,它就飛起,指向哪方,克敵致勝。不用的時候,收藏在匣子裡,像龍虎一樣呼嘯。顓頊曾向伯夷父、老彭、大款、赤民、「八愷」學習,他曾討伐過不道的諸侯。他為帝時,奇祥眾福都來歸順,他接見四方神靈,對有

文武功德者予以賞賜，朝見群臣時，奏起的音樂非常奇特，其鐘磬只要用羽毛輕拂，用輕如浮萍、水藻的石頭當樂器，奏「含英」之樂曲，樂聲之優美無與倫比，雲間的飛鳥，海中的鯨鯢都來諦聽。由於他的威嚴與無邊的神通，他用共工的陣法，誅殺了共工，平了水害。戰鬥中，他也曾受過重傷，甚至幾乎致死，但他憑藉神力，很快死而復生。

類似這樣的戰爭還有許多記載，如舜流共工，堯誅共工，帝嚳派重、黎誅共工等，這裡均從略。

⑶諸神戰三苗。苗人，在遠古，曾與中原華夏多次交戰，一則在中原，一則在南方，可見其戰鬥規模巨大，曠時持久。

苗人態度不恭，侮慢他族，自恃強大，敗壞德行，在長江、淮河、荊州一帶多次作亂，他們長得醜陋，牙齒很長，上下都突出來了，裝扮怪特，用苧麻結扎頭髮，面目手足像人，腋下長著翅膀，但不能飛。他們號為南蠻，不明察刑獄，陷民於網羅之中，不選擇品德高尚的人，不考察施政恰當與否，依仗威勢，奪人財物，殘害無辜，由於以上種種原因，堯在丹水邊大戰苗人，並把部分苗人驅趕到三危去了，舜也助堯將三苗一部分趕到三危後並誅殺之。當年，天帝令禹討伐之，他手下有位神，長著人的面孔，獸類軀體，在禹的身側，用箭射殺了有苗的將領。助禹的諸神不少，如人面鳥身的有司祿之神，司命之神，故禹得道多助，成為了千古聖人。

除此以外，當時群神戰爭，時有發生，如高辛氏二子閼伯與實沉爭戰，禹攻有扈、曹、魏、屈等，啟與有扈大戰於甘野等。戰爭頻繁，爭霸激烈，可見當時的社會矛盾，部落集團間的矛盾，都到了白熱化程度。

3.階級鬥爭神話

　　階級鬥爭是階級社會的產物。階級社會對原始社會來說，就生產力、人類文明而言，是一大進步。可是，階級社會，尤其是奴隸社會，是一個野蠻、殘酷的社會，奴隸們是其單一的生產工具，一則生產人口，一則生產財富（也包括一定的精神財富），其鬥爭與反抗，隨之而來的是他們內部私利的鬥爭。這些鬥爭交織在一起，鑄就階級鬥爭神話。

(1)刑獄之神司刑。皋陶是一位明斷刑獄之神。他樣子怪特，臉色如削皮的瓜，馬嘴，他是啞巴。他創製了牢獄，形成了法律，他以法典制案。他有兩隻斷案的神物，一則為觟㺦，是獨角羊，當案件複雜時，就用牠去頂觸，罪人便一目了然；還有一隻獬豸，也是一隻角，性格耿直，看見人們鬥毆，他就會去頂觸無理者，咬無理爭吵者。

　　另一個法官是夏后啓之臣孟塗。他主管著巴地，人們常到他這裡打官司。孟塗斷案，如遇到複雜案情時，就會令理虧或犯人的衣滲出血跡，罪人出現了，就把他逮捕。

　　這樣的法官，是人們理想中的法官。

(2)危與貳負殺窫窳。窫窳是一兇神，是奴隸主兇惡一面的寫照。他形狀像牛，赤身、人面、馬足、龍頭，食人成性，整體像貙，還有一對虎爪。大概窫窳太兇殘，被危與貳負一怒之下殺掉了。天帝妄想使之還魂，派眾多巫神持不死之藥鏈救窫窳，仍無濟於事，只好兇殘地把危與貳負銬上手腳及頭髮，繫在樹上施以酷刑。

(3)刑天反帝。刑天與天帝爭天下，天帝砍了他的頭，埋在常羊山，他不屈不撓，以乳為眼，以臍為口，拿著盾牌斧頭，不懈地反抗著。刑天沒有死，也沒有放下武器，是猛志常在，堅持鬥爭。這種精神，再現了奴隸們英勇無比及堅韌

不拔的品格。他是革命與反抗的最光彩奪目的典範之一。

(4)鼓與欽䲹殺葆江。鍾山之神的兒子叫鼓，人面龍身，他與欽䲹把葆江殺死在昆侖南，天帝一見此狀，派祖江把他們殺在謠崖。死後，欽䲹化作鶚，以後一鳴叫，就預示會有戰爭，鼓化作了鵕鳥，牠一鳴叫，就會發生旱災。這大致是他們不滅的反抗精神同天帝抗衡。

4.愛情婚姻神話

愛情是人類永恒的主題，但在愛情主題之前，也曾有過愛情的雛型——愛情婚姻的神話，它，就是對其內容的眞實而藝術的反映。

(1)牛郎織女。織女是天帝的外孫女，織女一名叫東橋。她美麗聰明，擅長紡紗織布，但她長年勞累，沒有歡悅，無心打扮。天帝憐憫她，把她嫁給天河西邊的牛郎。婚後，她荒廢了紡織，不再回河東。天帝惱怒，令她重返故地，並只許與牛郎一年只一次相會。每年七月初七，喜鵲成群結隊地架橋，渡織女與牛郎會面。平常，織女織布，整日眼淚汪汪，牛郎也是望「河」興嘆。他們的愛情濃烈深沉，誰也動搖不得。千百年來，各駐東西，伴著淼淼的天河，以期相會訴情。

(2)洛妃河伯。洛妃是洛水之神，河伯是黃河之神。他們夫妻和睦，親密無間，非常美滿。《楚辭》、《洛神賦》都有描寫：乘著浮水之車，駕兩條龍，駛上昆侖山，太陽要下山了，仍不想回去，但看著遙遠的水濱，只好重還家園。波浪魚兒相迎送，這裡的一切，是多麼令人流連往返。不過，後來由於河伯的不檢點，常娶新婦，出現了感情縫隙，但最後重歸於好，仍是一段被人稱道的佳話。

⑶湘夫人與湘君。湘夫人是天帝的女兒，居在洞庭湖，與湘
　君一起，爲湘江之神。夫妻比翼，平時兩者分居，一年只
　有幾次聚會，湘君與湘夫人急於相會，幾乎每次都錯過了
　良機。我們可以想像，他們是多麼美好的一對呀。

⑷羿與嫦娥。羿善長弓箭，嫦娥是天上的神女，他們原本感
　情篤好，但由於羿射落了九個天帝的兒子——神羿射日，
　與妻一道被革除了神職，自此夫妻不和。嫦娥心緒不暢，
　成天叨嘮，羿一氣之下，到處出遊了。途中，遇到洛神雒
　嬪。心中憂鬱的洛神，遇見了愛情事業不順的大羿，一下
　投入羿的情網之中。這，或許是對河伯不檢點的報復吧。
　河伯一次不意被羿射中右眼後，洛神自悔愛情不貞，便中
　斷了與羿的曖昧關係。羿與洛神互不來往後，也獨回到家
　中。妻子一天天衰老，他去西王母那裡取了不死之藥，放
　在家中。一天，當羿外出，嫦娥獨自吃了，飄升到月球上
　去了。自此，她們的愛情與婚姻結束了。

　　羿與嫦娥這段愛情婚姻生活，似不被人稱道，尤其是不能被
中國人習慣於以大團圓的模式所容納，但它眞實地道出婚姻、家
庭的原本面目，它沒有以藝術手法掩掩遮遮，再現了其原本的糾
葛、生活的複雜性。

　　綜上所述，中國上古神話，是非常豐富、多彩的，我們列舉
的這些片段與故事，僅僅只是極小的一部分，還有眾多書面文字
的、口頭流傳的及少數民族神話，幾乎不曾提及，有的是服從本
書綱目的需要，只得割愛，但從此可見，它確是上古人民的百科
全書，我們可以自豪地說：中國上古神話，可以與世界上任何一
個民族與國家的上古神話比美，絕不會遜色的。

二、中、近古神話

中古神話，從東周到魏晉六朝，經歷了一千多年的歷史，它為半自覺的神話。由以帶有原始的積極幻想的半自覺的藝術方式，同新摻入的有宗教內容的神魔鬼怪及人的形象，來折射社會功能。這時，它片段性減弱，故事的完整性及複雜性增強，內容也進一步充實，形式也進一步完美，故更具有吸引力。

近古神話，從隋唐至清末，也經歷了千來年的漫長歲月，它為自覺神話。它由原始幻想過渡到自覺的藝術方式，內容更加完善，故事性更強、更曲折，成為文學殿堂閃光的明珠，陶醉了千萬個藝術家。

中近古神話，是一種客觀存在的事實，我們不僅不予迴避，而且以積極態度對待它，儘管廣義神話與狹義神話仍在討論範圍，我們仍以一個小節的篇幅來容納它。

中近古神話，包容著人們對大自然的現象、本質及規律有一定程度或相當程度的了解、認識及把握，生產力的發展，生產關係的完善，人類文明的提高，導致了人們的感情、悟性的減少，理性的增強，混同模糊思維減弱，邏輯、形象思維的增加。人們在大自然面前，已不是被動地任其主宰，而是積極地發揮人的主觀能動性，並在社會各個領域取得輝煌的成就。但是，人們是要不停地進取與搏擊的，不滿足於已取得的成就，不管是天理、人倫、科技等方面，都希望更能全面而深刻地把握之。同時，世界上千千萬萬的事物，是不可窮盡的，懲惡揚善，長生不老，吉祥幸福等，人們極望重新探索，極盡源流。所以，神話仍在發展與進一步成熟，同時又產生新神話。其神話內容，一則是對原有傳統神話的豐富、完善，一則是對誕生的新神話，一則是受外來文

化的衝擊,將之改造成具有漢民族特徵、符合漢民族心理特徵的神話。這樣,萬滙歸一,鑄就了中近古神話壯麗的篇什。

㈠動植物神話

不死草:幾乎與道教追求長生不死同步,是一味長生不死的藥物。在蓬萊、方丈與瀛州均有這種草。與之相同的還有不死樹,其葉、莖、根同樣具有長生的藥效。古人由之而衍想出有不死之泉,飲之長壽。

娑羅樹:即月中桂樹。這種樹,首先只有外國僧人認識。巴陵有一廟,僧房下面,長有一株樹,沒有窮盡,外國和尚說,這就是娑羅樹。這顯然是受印度文化衝擊,它由廟旁到月亮中,是一個較大的跨度。

躡空草:葉如松子,取下放在手掌中,吹一下就長,吹一次長一尺,長到三尺才止,再移栽到地裡,不吹就不會綻殼、發芽。當人們吃了它,就可在空中站立,腳不著地。這種植物,是人們從立地到立空的想像的延伸,大抵是尋求自身超脫、解放的表現,也是人們要騰雲駕霧的先聲。

嘉禾:大禾。它在三苗異畝中生長。一根稻穗,幾乎可以裝成一車,長的幾乎可以有風箱長。這是農業社會發展到相當高度的新神話。它反映了人們祈求豐產的南方神話。在改良品種方面,人們有了良好的藍圖。

榆樹:有一個女仙喜歡吃各種草木,常常不要睡覺。一天,吃了一種樹葉,睡了不知道醒,在睡夢中很舒適。這種樹,就是榆樹。這種樹,有一種安眠作用。作為醫藥價值,能緩解人的緊張與疲憊,看來是夢寐以求的事。

蓂莢:又叫歷莢。當年堯帝以庭院中的蓂莢生長變化斷定四時的變化。前半個月每天長一莢,後半個月每天落一莢。這是人

們最爲羨慕的歷莢瑞草。此植物顯然爲好古者附諸堯帝。當然，從甲骨文獻看來，商時曆法已相當豐富完善了。但此草大抵爲後人附麗而不誤。實爲炫耀祖先的獨特植物。

湘妃竹：又叫斑竹。當年舜南巡，葬於九嶷蒼梧，娥皇、女英淚下沾竹。娥皇、女英以生命殉愛情。歷史，通過神話的反光鏡，記下了這段迷人的感情。

鹿活草：又叫天名精，曾有人射中一鹿，剖開五臟，用此草塞進去，鹿一下就跳起來，把草扯掉，鹿便倒下，連續幾次都是這樣。此草還有一名叫劉儘草。鹿爲吉祥之物，也是滋補之物，當爲人之愛物，人們當願它不死，並永遠與人類相伴，故有此草。

斷腸草：一名相思草。形如石竹，一節連一節，又叫愁婦草。此二名大抵由「相思而斷腸」衍發出來。其實，原爲神農曾嘗百草，常以茶解毒。但有一次遇到其斷腸草，因爲毒太厲害，致使腸斷，終於死去。這是人們了解、認識與研究植物，或作食物，或作藥物作出的犧牲。事在遠古，實爲中古的追述。

洞冥草：北極有座種火山，日月都照不到。有種草，叫明莖草，晚上如金燈，折下的枝幹作火把，可照見鬼怪形狀。仙人寧封常吃此草，在晚上入睡時，只見肚腹部的光亮照射到體外。北極時常有連續的白晝與黑夜，幾十天連續爲夜晚，一片黑暗，人們便想像出有此神奇之草。由此可見，人們的活動範圍，當時已達到了一個相當的極限。

屈軼草、人木、仙桃等，都是一些神奇的植物，它們的身上，寄寓了人們美好想像，記述了人們認識複雜世界的閃光的足跡。

唐鼠：傳說有一唐君，學道成仙，白天升天，雞在天上叫，狗也在雲裡叫，只有惡物老鼠留了下來，老鼠反而感激他，每月晦日吐腸胃再生，人們叫這種老鼠爲唐鼠。

　　駮神豕：豬身人頭，貌醜，眾鬼厭惡牠，有一畫家正要畫它，牠跳到深潭中去了，有人說：這種動物怕人畫。畫家扔掉紙筆，果然，這駮神豕又出來了。這時，畫家站著，裝著不動，用腳趾把牠畫下來了。

　　畫雞：正月初一，貼畫雞於門上，再掛著葦索，插上桃符，眾鬼懼怕，它具有僻邪鎮邪之功效，大抵為人們的保護神物之一。

　　天狐：狐五十歲變婦人，百歲變美女、神巫、丈夫，與婦人交接，能知千里遠的事，善迷惑人，便使之失去理智。

　　九頭鳥：又叫鬼車鳥，當天陰晦時就飛鳴而過，愛攝人魂氣。牠曾被狗咬過，常流血，血流到哪家，哪家就有災難。

　　巨蚌：洞庭湖中有巨蚌如船，半夜展開一片殼，在水面往來，吞吐明珠，與日月爭輝，附近的漁民，無論如何也捕捉不到。

　　無損獸：鹿身豬頭，有牙齒，喜歡靠人吃穀米。人們割它的肉，牠不會傷痛，不久其肉會自復如初。

　　搖牛：生長在山溝裡，不時地鬥打，海水沸騰，家牛怕它，人去捕捉，霹靂隨著會追來，牠具有神奇的威力。

　　情急了：過去有一男子與一女子相愛，書信往來，皆是憑一隻鳥傳情達意。這隻鳥特別解人意。一次，小伙子特別思念她，到了心急如焚的地步，鳥兒趕快飛過去，對姑娘說：情急了。以後故以此命名。

　　㈡精怪神話

　　木精：千年樹精為青羊，萬年木精為青牛。漢桓帝時，走到一條河邊，忽見一頭青牛從河裡走出。大家驚得四處逃跑。這時，只有他身邊的太尉迎著牛走去，牛一看，回頭就往河中跑，太尉追上去，一伸手，把牛腳扯斷，並揮起斧頭把牛頭砍了下來，後他一細看，這頭青年原為木精所化。

　　倀鬼：一隻老虎要到一個地方去，倀鬼先行，牠搗壞了獵人的獵槍，所以獵人把梅子鋪撒在地上。鬼喜歡吃酸物，有梅子吃就不會顧及老虎了。這時，老虎才能較容易被捕捉住。

　　山精：如人，一隻腳，愛吃山蟹，白天睡覺，晚上出來爲害。人們白天看不到，晚上才能聽到叫聲、笑聲，牠喜歡騷擾他人，但只要叫牠，牠就不會害人。

　　小兒鬼：顓頊的兒子死後爲疫鬼。其鬼有三：一個住在江中，是虐鬼；一個住在若水，是魍魎；一個住在宮室裡，喜歡嚇小孩，是小兒鬼。其鬼雖然附著在顓頊身上，當實爲後來的神話。

　　患：漢武帝東遊，未出函谷關，有物擋道，長數丈，像牛，青眼曜睛，入土，初動而不搬家，衆人皆驚訝。東方朔用十多斛酒澆灌，後消逝了；並說，是懮氣所生，飲酒忘懮，所以能消除此患。

　　虛耗：唐明皇曾夢見一個小鬼，偷太眞寶物。虛即望空虛中偷人物如兒戲，耗即耗人家喜事成懮，最後，他被鍾馗吃掉了。

　　藻兼，水木之精，夏天住在深林，冬天潛入深水。一天，漢武帝與群臣大宴，梁上有一老頭，八、九寸長，面有皺紋，鬚髮潔白，仰頭視屋，俯指帝足。武帝大驚。東方朔說：您大興土木，幾乎砍完伐盡了樹木，他沒有居住的地方，所以來訴說。希望您的宮室足於此而不再興建了。

㈢諸神神話

　　桔中叟：四川有一人的桔園，秋收時有兩個桔子大如斗，剖開一個，中有兩對老頭在其中玩戲，一會兒，他們四人共乘一龍駕雲遠逝。

　　福神：漢武帝時，他特別寵愛道州矮人，並把他們當作宮中玩物。楊成上奏道：他們只是矮人，但不是玩物一樣的僕人。武

帝被感動，不再去尋索這樣的矮人作玩物。後人認爲楊成功德無量，能賜福與人，並崇奉他爲福神。

紫姑：她本是富人一妾，但被大婦嫉妒，大婦每次讓她幹髒活、重活。正月十五死後，人們每年這天晚上，在豬欄、廁所邊迎進送出，並焚香禱告：大婦曹姑死了，你丈夫也不在了，你可出來玩了。投訴人如自覺身重，就是紫姑來了。

琴高：本是宋康王能吹樂器的舍人，能行涓、彭之術。他去涿水中取龍子，並告訴弟子：潔齋待，不久，果然乘著紅鯉魚來，早上，有成千上萬人觀看，他在天空浮游有兩百多年。

麻姑：她來到東陽蔡經家，手指纖細，經見之，嘆說：這實在是一雙纖纖玉爭，望能與我搔背。麻姑大怒，經倒地，雙眼流血。麻姑登仙處，有千年金雞、玉狗鳴叫。

丁令威：他曾學道於靈虛山，後化鶴歸遼，在城門華表柱上休憩，當有一孩兒要用弓箭射之，他一下便飛走了，並且衝向高空。

鍾馗：唐明皇一晚夢見二鬼。小鬼足跛，偷了太眞紫香囊等在逃；大鬼戴著頂帽子，穿件藍衣，袒露一手臂，捉住小鬼，怒目圓睜吃掉了它。唐明皇驚問道：你是什麼人？答曰：武舉不勝的鍾馗，我曾發誓要爲您除盡天下所有的妖魔鬼怪。明皇醒來，令吳道子畫之。以後，凡有鬼崇，皆被鍾馗捉拿。

劉海：又叫劉海蟾，一叫劉玄英，曾爲相。一天，有一道人來拜訪，把雞蛋、錢文堆成浮圖的樣子，海蟾驚呼：危險！道人說：人比牠更危險。海蟾大悟，便隱居終南山，煉丹成，屍體裂開，有股白光氣從頭顱的頂門衝出，化作一白鶴，飛衝天宇霄漢。

赤松子：雨師，能入火自燒，常到昆侖山上，歇息於西王母石室中，隨風雨上下，炎帝小女追他，也一同成仙而去。

王子喬：他可化為白蜺。一次，送藥給崔文子，文子驚訝不已，揮戈擊去，一擊果正，藥也從空中掉下，他一看，只見王子喬的屍體躺在地上。

江郎神：有一個人叫仕洛，因戰亂不能回家，他請巫師禱告江郎神。過了十天，他在洛河邊看到三個少年，一少年說：在合適的時候，帶你回去。到了約定的時候，仕洛閉目坐在車中，如飄風一樣歸去，忽然一下覺得掉了下來，一看，已在家園裡了。

哪吒：他本是玉皇大帝大羅仙，帝令他降落凡間，他遵旨投胎於托天王李靖母素知。到了分娩期，素知生了五天才把他生了下來。以後，哪吒化身在東海洗澡，觸犯了東海龍王，龍王要與哪吒交戰，後來故有哪吒鬧海的故事。

歐默：他家有三曜神珠，但無兒子，只有三個女兒，各嫁諸侯作妻。他臨死時說：把神珠扔到南海，我女兒回來，可告訴她們。歐默死後，三女齊來奔喪，並詢問神珠的下落，家人告訴她們，神珠按老人遺囑，被扔到南海，後三女到南海邊號哭，三曜神珠終於浮了起來，她們以其孝心，終於各自得到其神珠。

藍采和：八仙之一，常衣衫襤褸，夏天衫內加絮，冬天躺在冰雪之中，氣出如蒸。他行乞天下，常扶助貧困的人。他經常飲酒，幾十年不見衰老，一次在酒樓上乘醉輕舉升天，鞋帽衣衫掉下，成仙遠逝。

㈣生活神話

鱔溪：一山峽下有兩口潭，很深很寬。漢閩越王逞的時候，有一條大鱔魚，長三丈，為害天下，逞第三個兒子白馬三郎以箭射殺牠，鱔魚用尾巴纏住他，三郎人馬與鱔魚都一起死了，後人立廟以祭祀他。

樵風涇：有個人叫歐冶子，他鑄劍的地方叫越若耶溪，漢鄭

弘採薪，拾到一支箭，一會兒，有人尋找遺箭，鄭弘還給他，那
人問鄭弘想要什麼，他便說：由於若耶溪運柴不便，期望早上有
南風，傍晚颳北風。後來，果然是這樣，這個地方後人就叫之為
樵風涇。

　　鹿回頭：涯州黎塞住有一對老年夫婦，他們以打獵為生。他
們生有一子，兒子長大後，子承父業，一到十八歲，也去打獵。
一天，他沒有打到一隻野獸，悶悶不樂地躺在山中，有一個老人
走來，以拐杖喚醒了他。他一看，有隻梅花鹿伏在一旁，他一跳
起，就往南一直追趕不停。追呀追，一追就追過了七指嶺。那隻
鹿猛地一回頭，便變作一位秀美可人的仙女。不久，就與這一青
年喜結良緣。後來，這個地方的人丁興旺。

　　五羊石：南海有五個神仙，穿著五色不同的衣，騎著形狀各
異的五色羊，各以穀穗一束留給人們，並禱告說：希望永無饑荒。
禱告完畢，騰空而去，其羊變成了石頭。

　　爛柯山：有一個人叫王質，每天要上山砍柴。一天，他路過
山旁，看見兩個童子邊下棋邊唱歌。王質站住，在一旁邊聽邊看。
過了一會，一個孩童將一樣東西給了王質，叫他含在口裡，果然，
其物神奇，令人無飢餓感覺。又過了一會兒，另一個孩童說：為
什麼還不回去？王質掉頭一看，身旁的斧頭把柄已經腐朽，看了
半局棋，不知是過了幾百年呢？

　　江鼉冒官：唐時李黿，遷為邵州刺史。他帶著家小前去赴任。
當他到達洞庭上岸時，因鼻子出血而倒地昏厥，血流沙上，被江
鼉舔盡，變成另一個李黿，原來的李黿被妖法繫在水中，其妻小
與假李黿上船趕路赴任。這件事做得人不知鬼不覺，任何人都不
知道。過了幾年，天下大旱，連極深的河都可淌過去。有一個道
士自南往北，經過洞庭，在沙灘上看見一個人被綑，他趕緊將他

解救。當李鵠甦醒過來後，把原委詳細訴說了一遍，道士聽完後，便畫一符，貼在巨石上，石頭即刻騰飛，把假李鵠在衙案旁擊斃而死，並通過法術，將眞李鵠接任。通過辨析，原來的妻小此時才恍然大悟。直到現在，人們還有不在水邊瀝血的習俗，因出於此。

　　梁山伯與祝英台：梁山伯與祝英台同學三年，求學屆滿，祝英台先回，後兩年，梁也歸來。不久，方才知道祝英台爲一女子，山伯歸告父母，以求婚配。當是時，祝英台已被許給馬氏，婚事未成。梁山伯後當上了縣令，得病而死，並囑咐家人要葬在馬氏家旁。第二年，祝英台嫁給了馬氏。當船經過梁山伯墳墓處，風雨大作，波濤洶湧。祝英台聽說梁墓在此，悲慟至極，哀聲動地。這時，墳墓突然裂開，祝英台躍於墳墓中，成爲雙璧。眞是正如後人常云：生不同室，死要同穴。

　　天女散花：有一天女，把天花拋給衆菩薩，這些花都紛紛落地。當投擲到大弟子處時，其花便粘在他身上，並且沒有一朵花落地，天女嘆口氣說：俗習未盡，所以花瓣著身。

　　玉斧修月：大和中，鄭仁本表弟，曾與一個叫王秀才的人在中岳遊玩。一天將黑時，不知到了什麼地方，忽然看到一個平民，很白淨，把一個裝東西的包袱當枕頭，正睡熟，他們就叫醒他：我們到這裡迷路了，你知道大路嗎？這個平民抬頭稍看，沒有回答，又睡起來。他倆過了片刻，再三呼喊，他才起來，坐著回頭看後說：你們知道月亮裡是由七種寶物合成的嗎？月勢如珠丸，太陽照在凸處，常有八萬二千塊石頭，我就是一個充數的。說完，打開包袱枕頭，盡是些刀斧鑿具，還有兩包玉屑飯，這些飯雖不能長生，但分吃了可以免除疾病。他把這些飯遞給了他倆，指著一條羊腸小道說：它可與官修驛道相合。說完，此人不知去向。

　　阿詩瑪：她本是農家之女，自幼美麗聰明。財主想占她爲媳，她不肯，財主把她搶去，阿詩瑪哥哥阿黑追到財主家，與他父子鬥智鬥勇，大獲全勝，終於把妹妹救出虎穴。財主不甘心乘阿詩瑪渡河時，發下洪水，衝走阿詩瑪。阿詩瑪死後，被山歌仙女挾上山頂，變爲回聲。

　　孟姜女：祀梁被秦始皇派去修長城，於其役之苦，最後因飢餓、寒冷、繁重的勞動致死。孟姜女在家等呀盼呀，盼穿秋水，她不知丈夫早死。在久不見丈夫返回家園時，她決定北上尋夫。經過千難萬險，才到達長城。當她知道丈夫早已化作白骨一堆時，便不禁放聲大哭。一哭哭了七天七夜，淚水滂沱，淚水濤濤，洶湧澎湃，衝垮了一段長城。

　　茶神：陸羽，是一個被陸姓和尙收養的孩童。長大後，學問淵博，天性愛飲茶，並首創煎茶法，著《茶經》一書。現在賣茶肆坊，時或可見塑有他的陶像，並端莊懸掛，因爲他能使主家盈利。他已由人品升爲神品。

　　浮丘丈人：有一老一少的仙人，兩人共一目，彼此扶持而走，居人丟下麥豆，撒下就成了金子，水中荷的枝幹，就是紅、白珊瑚枝，老的就是浮丘丈人，少的就是浮丘叔。

　　溫嶠燃犀：溫嶠到牛渚磯，聞到水底有樂聲，水很深，傳說下方有怪物，是燒犀角照著，一會兒，魚龜類蓋住了火，奇形怪狀，有的乘車馬，穿著紅衣帽，晚上做了一個夢，一人對他說：與你相隔，有什麼意相照呢？溫嶠恨它，沒多久，死了。

　　五瘟神：隋時，有五個大力士，凌空疾走高達三五丈，披五色袍，一人拿著杓子、罐子；一人拿著皮袋、劍；一人拿著扇子；一人拿著錘；一人拿著壺。帝問是什麼神，主管福還是主管災禍。下面有人答道：是五力士，在天上是五個鬼，在地上是五個瘟神：

春、夏、秋、冬及管中瘟，後來匡阜眞人收五個瘟神爲部將。

馬師皇：黃帝時的馬醫，他懂得由馬的形狀而斷其生死，並予以診治，而且一治就好，後來有條龍對著他，垂著耳，張著口。黃帝說：這條龍有病，知道我們能治，於是以針刺唇下的口中，用甘草湯餵牠就好了。以後，凡是龍有病，就找他治病。有一天，龍背著黃帝飛走遠去了。

從以上材料可見，中國中、近古神話，是十分豐富的，我們舉出的這些內容，只是蒼海一粟，它的形式是非常活潑，內容是光彩照人，是很具有生命力的。但是，我們不可誤以爲中國中、近古神話，都是些隻言片語，沒有完整的故事情節、豐滿的人物形象。我們以上所錄，是經過高度地凝煉，濃縮的了。因爲它不像上古神話文字幹練而記錄的文字較少，爲了盡量展示之，故叙述較詳了。到了中、近古，語言文字日益豐富完善，文字材料日益增多，所以我們從簡了。中近古神話，多是出自於那些非經、史、子書，如《神異經》、《海內十洲記》、《搜神記》、《拾遺記》、《述異記》、《搜神後記》、《別國洞冥記》等書，轉述中我們也省略了其出處，並以通俗的語體文介紹之。很多神話，是在上古神話的基礎上進一步衍化，如《牛郎織女》人物、情節、主題都得到進一步的發展；還有許多神話，我們未曾提及。諸如：天妃、廣寒宮、美人虹、三王山的眉間尺、女郎山、無支祈、曆陽湖、玉妃溪、雷峰塔、朱雀、商羊、二桃殺三士、五丁力士、白蛇傳、和合二仙、柳毅傳書、白螺天女、張道陵七試趙升、沉香救母、董永與七仙女、德慶龍母、田章上天等等。這些，仍只是中近古神話的初步輪廓與線條，我們列舉這些，爲的是使人確信中、近古神話確實豐富。

中、近古神話，較之古樸的上古神話顯然反映出了強烈的時

代特色，豐滿的生活內容，以上的動、植物與山水神話，爲客觀神話，精怪、諸神與生活神話，爲主觀神話，它們都打上了藝術的特色，溶自然、社會於一體，展開人們豐富想像，包孕了人們無數的直覺，再現了古代人民精神風貌、文化走向與文明程度。

　　綜上所述，中國神話，淵源長久，歷史漫長，內容充實，爲中華民族一筆十分可觀的精神財富。中國神話，是中華民族幾千年的非官修的歷史——百科全書，她生動地再現了人們幾千幾百年前的生活風貌，展示了我們這個民族博大精深的內蘊。

第三章　人體生命科學體系

簡　論

　　生命科學，是對宇宙間生命研究的科學，人體生命科學，是對人的生存、生命的開端、發展、高潮、結束的研究。其實，科學才只發展今天，生命科學雖是研究所有的生命，但由於生命現象眾多，種類繁雜，因此，它的主要內容仍基本上是研究人。人體生命科學大致是由三個方面組成：一曰氣功，一曰人體特異功能，一曰生命科學。氣功是生命科學的基礎，人體特異功能是其核心，生命科學是爲頂端。

　　氣功，是世界東方的一個神秘話題，是一門全球性的科學。但是，他的孕育、發展、成熟，完善得令人不解的卻是中國氣功。中國氣功，博大、精湛，包囊著東方思維、東方科學的基本形態，將在世界傳統文化與現代文化的交叉處，打上一個赫然的烙印。

　　人體特異功能，是在各種膚色、各種語言的不同民族間存在的一種有待研究的課題。所謂特異，就是只有少數人具有，不是一般生理機制所有的功能。我們一般地認爲：個別與一般、特殊與普遍、進化與退化、變異與遺傳，是一般生物體，其中在所有的動植物體中，當然包括人類、人種，是最基本、最簡單的現象。直到目前爲止，它大抵未能進入科學正宗的殿堂，但它具有非凡的潛、顯交錯的研究價值。

　　人體生命科學，是一門方興未艾、又重新崛起的科學，它以

西方醫學爲先導，以現代生理學、心理學等科學爲理論指導，以綜合醫學爲砥柱，研究生命自控工程、人體潛能、遺傳工程、細胞工程、仿生工程等，現當代，尤其是以試管嬰兒的誕生爲先兆，給生命科學帶來了令人欣慰、痴迷的彩霞。

中外不少的科學家曾大膽預言，下世紀——二十一世紀將是生物科學的世紀。由此，我們高興地看到，以氣功科學爲基礎，以特異功能爲核心，以生命科學爲頂端的生物科學，其前景是多麼璀璨、奪目。

一、氣功科學

氣功，古已有之，且卓著成效，對人的健康、長壽與幸福的身心雙重解放，起到了意想不到，幾乎令人難以置信的效果。氣功，也稱內丹術，導引吐納、運氣術、練氣法、禪坐、服氣功等。氣功就是運用人體各個器官、組織把握、控制、調節、吸收、排除氣體的過程，它是講究呼吸、姿式、意念等內容的一門科學，下面分別介紹。

㈠呼吸與調息

1.**氣體**。氣體是宇宙間的一種存在的物質。宇宙間的各種物質，大體是以三種形態存在，即固體、液體與氣體。這三種形態的物質對於動、植物來說，是缺一不可的，同時，對人來說，也具有同等重要的作用。

動物要捕獲食物，如弱肉強食的老虎吃羊、兔子、鹿麂，而羊、兔子等又要吃青草，而青草又要吮吸水分，這裡被它物吃掉的兔子、羊、青草就是固體物質，而水則是液態物質，除了青草要直接汲取水以外，羊與兔子也要食用水。另外，所有的動植物，尤其是動物，如羊、兔子、鹿麂等，一刻都不能離開空氣，要直

接地呼吸，空氣當然就是一種萬物都不可缺少的氣態物質。植物也離不開空氣，否則不能新陳代謝，維持自體的生態平衡。因此，三態的物質，對於動、植物的作用眞是太大了。

人爲萬物之靈長，更離不開這各種物質都需要的三態。人每天要進食。人常說：人是鐵，飯是鋼；一天不吃人發慌。此外，還要吃菜，吃各種適合於人體需要的動植物的美味佳肴。俗話又說：看菜吃飯。人是高等生命之一，文明與文化將人推上了一個高雅的台階（如吃的有茶文化、酒文化、蓮文化；用的有竹文化等）。飯菜就是固態物質。此外，人們還需要液體，每天要攝取大量的水，如喝茶，飲礦泉水等，特別是炎熱的夏天，更須臾離不開水的補充與滋潤。氣體，更是每一瞬間都不可缺少。不管是一個生命力十分旺盛的壯漢，還是生命力衰老或幼小的弱者，一旦堵塞了呼吸道的暢通或進入眞空器皿中，馬上就要命歸黃泉，這是人人都明白的一個最簡單的生存常識。

由於人們生存的需要，三態物質及講究的方式，進入了千家萬戶。我們不妨一作浮光掠影的回顧。

人們對飯食是頗爲講究的。

千百年來，北方以小麥、小米等爲主食，以形、味等方面，推出了許多食品，如包子、饅頭、餃子、麵條、油炸系列等，另有糕、餅等。南方以大米爲主的有早、粳、糯米等。菜的製作，單是肉類品，古代有炙、醢、羹、脯等，現代有：蒸、煮、炒、燜、炖、溜、燒、爆、烹等，除工藝不同外，它的主、佐料的各異，形成了著名的魯菜、川菜、揚菜、粵菜、湘菜、閩菜、徽菜、浙菜等，這些菜，連用的器皿都講究陶瓷、金屬類的罐、鍋、壺、盆等。由於中國菜烹製如此考究，導致中國餐館名揚四海。目下，歐美衆多國家的飲食業，幾乎被華人獨攬。如美國，就有二、三

萬家中國餐館，僅紐約一處，就有五千餘家。

從飲用的液體食物看，也是很精的。

茶，是中國主要傳統飲料。中國人飲茶，從漢到唐，以《茶經》的誕生與茶神的出現爲標誌，形成完整的體系。它講究色、香、味、形。茶葉的製作，分爲蒸、搗、拍、焙，茶葉好，茶才能沁人清心。古代的茶，有沖、煮二飲之法，現在的綠茶，一般承沖飲之法；紅茶，大抵承煮飲之法。

液態物常見的還有酒。過去常是穀物釀酒，酒爲穀物的精液。酒有濃淡之分，清濁之別。一釀酒甜，多釀酒烈。淡爲體，濃爲醇，釀後過濾者爲清，未濾者爲濁。人們飲用它，可調劑各種體內元素，促進新陳代謝。

人對氣態的吸取，人爲的有二：一是芳香四溢的花草，一是從美洲傳來的煙草。

花草可調節空氣，春有桃花，夏有荷花，秋有菊花，冬有梅花。植物花草是空氣過濾器。晚上，它吸入人們吐出的二氧化碳，吐出人們需要的氧氣，它的吸取與排除，正好與人們相反，所以，公園、樹林等是人們的保護傘。

吸煙，也是人們對氣體的一種採集方式。不過，此煙爲濁氣。煙本是印第安人在祈禱神靈降臨的輔助之物，它流到中國，大抵有四百多年的歷史了。煙之濁氣是人們所不需要的，儘管它對鼠疫、霍亂有一定的預防作用，但它含有大量的尼古丁等有害因素。歷史上曾一度風靡過鴉片煙，那更是禍患無窮。現在煙的消費量相當大，愈來愈多的有識之士疾呼「禁煙」，而且還有了世界無煙日。

人們在芬芳四溢的花叢中得到啓迪，除了大自然植物能生產香氣、香味外，現在，人們通過自己的雙手，製造出眾多的香水

等物，它除了藥物、保健、美容等功效外，是人們直接在與「環境污染」作鬥爭，改造美化生存空間。

從以上的內容看到，人的生存離不開物質的三態，其中的空氣，就是較爲重要的內容之一。人們通過固態、液態的人體所需要的物質來維持生命，延長生命，防病祛病，然而，我們的祖先，早已懂得了利用氣態物質也可以維持生命，延長生命，防病祛病，它，就是氣功。氣功的呼吸吐納，服氣運氣，都是人們對氣認識到了一個相當高檔的層次了。

2.**呼吸**。氣功的呼吸，包括自然呼吸與調息。自然呼吸，是人的一種生理本能，也是一種自然現象。人的一呼一吸，攝取必需的氣體，排出二氧化碳等氣體。調息，是人對呼吸的一種科學的提高，是一種由主觀控制、調劑的呼吸方式與狀態。中國歷史上的氣功流派，曾有過一家「伍柳派」，就十分講究，重視呼吸。當然，所有的流派都重視，而它除特別講究外，還有一套完整的理論與切實可行且卓見成效的方法，它以重呼吸而形成一大流派，可見其呼吸的重要性。

眾多氣功，在行氣練功前，要凝神入氣穴，然後進行呼吸。這種凝神入氣穴，就是調息的開始。所謂調息，就是調整人與大自然的關係，使人們自己這一小宇宙，融合於天體大宇宙之中，以期達到天人合一的境地。

人的呼吸，是全局性的採氣方式之一。呼吸分爲自然呼吸與體呼吸，自然呼吸主要是讓大自然的氣體從氣管「迎進送出」，體呼吸除了生理氣管發揮功能作用外，還要充分利用十萬八千個毛細孔，一同吸取與排除氣體。體呼吸所吸進的氣體，不僅進入到肺部，而且還進入到了五臟六腑，它顯然比自然呼吸更占優勢。特別是逆式體呼吸，效益更明顯。它在吸氣前，要盡量擴大體內

腹腔的空間，呼氣時，要盡量增加壓力，更多地排除氣體中的廢氣，增快、促進血液循環，加速新陳代謝。氣體一旦進入到體內，便可「四通八達」。人是無處不經絡，無處不氣穴。氣體一旦被吸進，便會沿著軀體前後的任督二脈，作逆式運轉（當然是打通了小周天），採入、吸進的氣體，是宇宙間和大自然中混沌態的精微物質──炁，人體內的氣體是真氣，好像炁是穀米，真氣是飯食。這個比方儘管不是十分貼切，但對我們理解氣體，或許有些啓發作用。大自然混沌元氣，一旦被人吸取進來後，經過烹煉、化合與分解，已是一種帶有信息的氣體了。這時，它已有原始大自然中不曾像這樣高度聚集的微粒流、紅外輻射、電磁波、靜電增量信號與次聲等，它一旦經氣功師發射出去成爲外氣，將有除疾袪病的奇特藥效，另一方面，對人體生理機能來說，可能激發生理潛能，特異功能的產生與幻化，同時，還能爲生命科學提供實驗材料。

調息的方式很多，具體有下面這些。

1.**自然呼吸**：爲一般的呼吸，但要求比平時要柔和些，它顯然不同於純自然呼吸。由於男女老少的差異，自然呼吸一般有如下幾種方式與形態。

(1)自然胸式呼吸：呼吸時胸部隨呼吸起伏。

(2)自然腹式呼吸：呼吸時腹部隨呼吸起伏。

(3)自然混合式呼吸：呼吸時胸腹部隨呼吸起伏，且起伏較明顯，此又稱全呼吸。

2.**腹式呼吸**：常見的是如下幾種。

(1)順腹式呼吸：吸氣隆腹，呼氣收腹。

(2)逆腹式呼吸：吸氣收腹，呼氣隆腹。此式更能加強腸胃的活動功能。

(3)潛呼吸：隨呼吸小腹微微起伏，在呼吸高度柔和的情況下會出現這種呼吸。

(4)臍呼吸：這是一種更柔和的腹式呼吸，腹部幾乎不動，而想像臍部在呼吸，此又名為「胎息」。

3.**提肛呼吸**：吸氣時稍用力意，上提會陰部，呼氣時放下會陰部。

4.**鼻吸鼻呼，鼻吸口呼，口吸口呼。**

5.**練呼練吸。**

6.**暫停式呼吸：**

(1)吸停呼：吸氣後停息，然後呼氣。

(2)呼停吸：呼氣後停息，然後吸氣。

7.**吐字呼吸：**

(1)不發聲式：呼氣時做成發某一字口型，但不發聲。如「六字訣」，即呼氣時分別做成發「噓、呵、呼、呬、吹、嘻」六字口型，但不發出聲音。

(2)發聲式：呼氣時發出某一字的聲音。如在呼氣時大喝一聲「嗨」！

8.**數息、聽息、隨息、上息**：這些都是加強與意念結合的呼吸方法。

(1)數息：默數鼻端呼吸出入的次數，從1到10到百，周而復始，數呼是練呼，數吸是練吸。

(2)聽息：兩耳默聽自己呼吸的出入，但不計次數。

(3)隨息：把意識集中於注意鼻端呼吸的上下出入，但不計次數。

(4)止息：調整呼吸到一定程度時，呼吸的出入形成一種深長柔和、似有似無的狀態，它是深長細勻的呼吸體會。

9.**意呼吸**：意想從皮膚汗孔、百會、勞宮等穴位與大自然進行以氣體為媒介的信息交換。

10.**鵲橋呼吸**：即舌頭頂上腭的呼吸。

1.舌頂上腭不動。

2.吸氣時舌頂上腭，呼氣時舌自然放下。

習功的呼吸方法還有一些，如「龜息法」等，這裡就不一一介紹了。

氣功的呼吸，是一種人為的調息，它既不同於人們處於平靜狀態下的吐納氣體方式，也不同於人們處於激烈狀態的運動中（如跑步、打球、武術等，當然，武術等也是講究呼吸的，但畢竟與氣功的呼吸有質的不同）的呼吸，跑步等這種運動急需大量的氧氣，它由於人的肢體、軀體的急劇地擺動，需要耗費大量的體力，汗的排泄，心跳頻率的增加，血液循環的加劇，體內各種能量的消耗與補充，它難以用在意念理智去控制，從而從容不迫地吐納，否則會導致昏厥、休克的。而氣功的吐納、呼吸，則有條件充分地選擇如以上十來種的方式，讓氣體在人體內發揮神奇的作用。

由上所述，我們看到，人的呼吸與調息，特別重要，它是習練氣功的第一課。我們對它的了解，可促使我們明白，氣功不管哪家哪派。都大抵是同一的，至於哪家哪派還有哪些細微的差異，以後有必要時將要觸及一些。以上就是調息的大致內容。

(二)**肢體引動與調身**

人的一舉一動都是一定的動作，不管是跑、跳、走、坐、躺、臥，還是一舉手，一抬足，都是動作的具體化。人的動作與氣功的調身，雖有一定的關係，但二者決非同一。動作包羅萬象，而調身是人們準備將要進入氣功態的動作，它對頭、身、臂、腿都

有講究，像道家功法講究弧線、圓拱狀。古人認為天是圓的，人的身體自成小天宇，所以手臂摟圓，指掌彎曲，腳掌著地掌尖向內，掌根向外，形成一種臆態的圓形。根據美學觀點，曲線大抵勝過直線，從力學角度，從運動走向角度，從視覺角度，這一點早已被前人證明了的。日、月、星辰，是圓的，山峰是曲線態的佔多，多數草木的桿、莖、葉、果也是彎曲圓渾的，波浪不會一瀉汪洋，平坦如許，連日常用具如鍋、盆、瓢盞，幾乎都是圓形、弧線或曲折彎轉的。人體美，更是講究曲線彎轉，眾女性是早已追求，即算是男性，其肌肉實質也是成曲線的，當然，它也不排斥直線，不然，世界的線條就全單一化了。

　　人的一般動作，既帶有動物性，又帶人的社會性。一般的動物，能跳、跑、走、臥等，是其生存的方式。走獸們為了掠取食物，就要追捕弱小者，或者咬斷根莖，扒取根塊，還要追逐雌性，交配繁衍。要移動位置，就要走；要跳過溝澗，就要躍進，見到獵物，就要追趕，一到晚上或困惑疲憊，就要休憩。人也不例外，但人具有不同於動物的自身特徵，具有強烈的意識與主觀能動再造性。尤其是在人們習練氣功的生活事項中，調身只是人的無數動作中的一種，如動功、靜功都要先調身，動功的大道自然，靜功的含胸拔背，下頜微收，全身放鬆，主要是為便於氣體在體內運行的暢通無阻，同時，使各種組織、器官得到足夠的氣體，實現「我在氣中，氣在我中」的境地與功能狀態。

　　調身就是要調整身姿體態，使之符合規矩與要求。調整不可不及，亦不可過度，要不偏不倚。如有些功法講究：彎膝屈臂，雙足寬於同肩，虛領頂頸，沉肩墜肘，五指松垂等，就十分講究規範化。不及，就不能有效地達到其功效；過度，筋肌緊張，不能身心舒暢。

　　動功雖講究，也宗大道自然，但具體說來，其一招一式，要求很嚴，動作既要到位，又要有度。因為頸、臂、肘、腕、指、雙肩、胸、腹、尻、股、膝、腿、足、腳等的運動，都對每一個動作有不同的效應，血、精、液、氣會有不同的反映，尤其是對氣的運行，作用更大。

　　調身，具體說來，可以分坐、臥、站、行等幾個方面調整，下面具體簡介之。

　1.坐式

　(1)平坐式：自然端坐，頭正身直，含鬆肩鬆腰，口眼輕閉，兩手輕放大腿上，手心向上，腰部自然伸直，與腹部一齊放鬆，臀部的三分之一或二分之一坐在凳上或椅子上，兩腳平行分開，兩膝與肩同寬。

　(2)靠坐式：姿勢與平坐相仿，但是背部要輕靠於椅子上，兩足以自然為度。

　(3)盤坐式：在坐墊、矮方凳上均可盤坐，它又分如下幾種：

　①自然盤：上半身與平坐姿勢相同，身體略向前傾，臀部稍高，兩腿交叉盤起，左腳上右腳下，或左腳下右腳上，兩心向上，左手在上，右手在下，重疊置於小腹前。

　②單盤：將左腳置於右腿上，或將右腳置於左腿上，其餘均與自然盤相同。

　③雙盤：將左腳置於右腳上，同時將右腳置於左腳上，兩腳心向上仰朝天（因有五心向上的要求），其餘的同自然盤坐一樣。

　④跪坐式：兩膝跪地，腳掌向上，身體自然坐在腳掌上，兩手相互輕握置於腹前，其餘同自然平坐式相同。

　2.臥式

(1)仰臥式：全身平臥床上，面朝天，頭正，枕高低適宜，口目微閉，四肢自然伸直，兩手分放於身旁大腿側，或重疊置於腹部。

(2)側臥式：側身臥於床上，左側臥右側臥均可，腰部稍彎，頭部向胸部收斂，平穩著枕，口目輕閉，上掌側自然放於髖胯部，下側的手曲置於枕上，手掌自然分開，掌心向上，置於頭側二拳處，下側的下腿自然伸直，上側的腿彎曲放於下側的腿上。

(3)半臥式：在仰臥的基礎上，將上身和頭部墊高，斜靠在床上，也可同時膝下墊物。

3.站式

(1)自然站式：兩足平行開立，距離與上肩同寬，兩手自然下垂於體側，頭正身直，面帶微笑，全身放鬆，氣沉下丹田。

(2)騎馬式：兩足平行開立，寬於肩，兩手置於小腹部，手心勞宮穴對丹田，男左女右，頭正上身直，鼻尖對臍，面對微笑，展髖裹膝，腳跟向外蹬。

(3)三圓式：兩足左右分開，間隔以肩為寬，兩足尖內八字站成一半圓形。兩膝微屈，收胯直腰，含胸拔背，兩臂抬起，兩手平乳，作環抱狀。兩手指均張開彎曲作抱球狀，兩掌心相對，頭正身直。口輕閉，令足、臂、手三部位皆圓。

4.走式

(1)弓步：兩腳前後站立，距離50—60公分，前弓後箭，腳尖稍內扣，前腿屈膝半蹲，膝與腳尖垂直，大腿盡量呈水平，後腿挺膝伸直，兩腳全掌著地，頭正身直，目視前方，兩腳交替行走。

(2)矮步：兩腳平行站立，距離約40公分，屈膝半蹲，身直頭

　　正，目視前方，保持半蹲姿勢或交替行走，兩手可隨之相
應擺動。
　　以上的肢體引動與調身，是習練氣功中重要一環，很多招式，
只要動作合符要求，就可以動到氣到，我們了解了這些，就能對
之有較爲正確的認識。同時，我們的習功者，很快可以進入功能
狀態，更快得氣，眞正實現天人合一。
　　㈢**意念與調心**
　　意念是一種心理活動。調心就是調理意念的活動。氣功的意
念活動，就是氣功較高層次的最主要的理論基礎。意念、意識、
思緒，是人特有的專利權，它是萬物之靈的核心，一方面，它是
大自然的傑作，另一方面，它的誕生與發展，加速了宇宙世界改
變的進程。調心的核心就是要意想全身或局部的放鬆，只有相應
的放鬆，人才能入靜、入定，才會有氣功的功能態。不管存思，
練神，還是意守、凝神，不管是整個生理小宇宙，還是局部的某
一穴位，它將伴隨著動作與呼吸，促使出現「恍兮惚兮」的狀態，
促使出現奇異的功能。
　　1.**空白狀態的意念**。思考與加意念，是一種意念；任何事物
都不想，也是一種意念。後一種意念，是一種高層次的意念活動，
我們稱之爲空白狀態的意念。
　　人們坐、站、躺等，任何事都不想，這首先是一種無意識的
不想。人的意念活動，是文武之道，一張一弛。白天的想事、思
考、回憶聯想是思維活動，但有時什麼事都不想，既不思考，又
不回憶，更不聯想，大腦處於一種空白狀態，使刺激、反映的神
經系統得到某種程度的休息，這種意念形式，有利於氣功的習練。
人們有時無意識地短暫地發呆、發愣，實質上也是一種空白狀態
的意念，它曾被一些思維界與學者推崇。它是一種思維的虛無外

化，將之引入到社會的意識、人倫上，就接近色空觀：色就是空，空就是無；或者爲：好就是了，了就是好。將之引伸到宇宙世界觀，就是虛極，就是道法自然，就是道常無爲。

另外，還有一種是人爲的空白無思維狀態。摒除雜念，萬籟俱寂，由此入靜，然後入定，像佛家的禪坐，道家的清靜無爲。這種心理現象，接近弗洛伊德的超我、自我、本我理論。自我的壓抑，使本我佔住大腦。本我是一種人物交泰，原始與現代共存的動物本性，用現代科學術語說，就是壓抑顯現意識：讓潛意識出來，或者換句話說，就是壓抑淺表意識，釋放深層意識。道家有「恍兮惚兮，道在其中」，儒家接近這層意思的有「以其昏昏，使人昭昭」，生活中常有「渾渾噩噩」的說法，這些，就是些人爲的空白狀態的無思維現象。

2.**良性、定向意念**。這種意念，是人們施加的、有意識參與的意念活動。氣功領域的意念，除具有精神屬性外，還具有物質屬性，即物理學中的力的性質。良性意念，是人爲的理想投入、定向心理，它可分別溶於褒、貶與中性意念。

在氣功習練前，將天宇極遠極遠處的聲響聚集耳底，面帶笑容，眉心舒展，是一種調心活動，即一種意念活動；意守下丹田，也是一種意念活動；通周天的意念周天，也是屬意念活動，在呼吸時，意想把宇宙間的聲、光、電、磁能與眞氣吸入體內，把濁氣、病氣射向天際是一種意念活動，還有存思、觀想、內視，使體內通體透明，也是一種意念活動；治病時消災、止痛等，也是一種意念活動。等等一些，不可勝數。

在日常生活中，我們常說：笑一笑，十年少，愁一愁，白了頭。其實，此笑，也是一種間接的定向意念過程。定向意念好，良性意念也好，都是一種施加正念頭，有益於身心健康。在此，

我們不管人們的進攻、防守、健身諸意念，都視之爲實體意念。
很明顯，實體意念，是相對於空白意念而言的，同時，兩者既對
立，又同一，即相輔相成，它們無高下、優劣之分。在氣功習練
中，它們都是十分重要，不可偏廢，我們只要得法，就能得到一
種自然天成的境地。

㈣功效與目的

　　習練氣功，不是簡單地打發時光，消磨歲月，而是一種理想
與追求，也不單是健身袪病，利人利己，而是一種精神境地。當
然，這些內容綜合起來，既有功效，又是目的了。

　　如果是持出世修練觀，或者單純爲了追求一種精神寄托，一
種思想，一種信仰，大抵不可取。在宗教自由的各個國度和民族，
不少的人相繼走進廟觀寺宇及教堂中，有的是成正果，有的是尋
求一種崇高的境界，以擺脫苦難，普渡眾生，有的是信仰一種教
義或眞諦，有的是在人世間受盡折磨，或婚姻不幸、或疫病折磨，
或心裡空虛。列完這些現象後，我們應明白，氣功不是宗教，但
與眾宗教密切相關。對出世修練者，我們不制止，當然也不主張。
人各有志，人亦有其自由。

　　如果是持入世修練觀，或許是爲強身健體，或許是爲了練出
凡夫俗子所不曾有的功能功力，或許是爲他人造福，或許是爲了
張揚民族文化，豐富精神財富，我們便予以極高的評價與肯定。
我們主張爲民族、爲人民、爲時代、爲社會貢獻出自己的一份光
與熱。他們的功效與目的有如下這些。

　　首先是健身。健身是預防疾病的第一件工作。防患未然，是
最好的治病態度。這種防範，不是消極被動地防，而是積極主動
地防。中老年人要少得、不得疾病，老年人要延年益壽，就要健
身。千百年來，人們爲了追求長生不老，耗費了一代又一代執著

追求者的精誠。開始是煉仙丹，爾後是以內丹術取代了外丹，的確使不少人受益。氣功除了可祛病長壽外，還可健美，如減肥、去雀斑、駐顏、青髮等。

其次，主治各種疾病，尤其是中西醫束手無策的病，它可一顯身手。無數的資料和眾人耳聞目睹的事實說明，的確如此。因此，有人稱之為特醫。像目前的不治之症——癌症，在氣功師高手面前，顯得那麼弱小無力。其他的如消化系統、分泌系統、神經系統、呼吸系統的疾病，更是手到拿來，意到病除，妙手回春。再次，它可產生特異功能。一方面，為老師帶功、給功、過功，通過一定程序的訓練、誘導，可出現特異功能，如看光功能，如發放外氣，如透視功能。有許多資料表明，在大氣功師主辦的各種學習班，不少人馬上就出現了以上功能。另一方面，練氣功是三分在練，七分在養，練出功力，養出功能，這種功能，就包括人體特異功能，如穿牆術、搬運功，另外，還有許多功能，如天眼功、慧眼功、法眼功（包括上兩項）、佛眼功等。這些，僅僅是從佛家功中借用其名詞一作披露。

所以，練功的功效與目的很多，只要我們目的正，功效大，就能為社會造福，為人民積累功德，利人利己，自覺覺人。

綜觀以上所述，我們清楚地看到，氣功從開始到終了的習練，尤其是開始，它是以調息、調身與調心等幾個主要要點構成基本框架，我們明白了這些，就大致有了一個基本的輪廓，同時，它可健身祛病延年益壽，還可出功能，我們了解了這些，對氣功就有了初步的理解。

二、人體特異功能

人體特異功能，它最大的特質就是「特異」。所謂特異，就

是一般人所不具備和所不能具備的某些生理特異現象。人的特異功能一般有三種情形：一種是人生下來就已具備了的，由父母精卵經過母胎孕育而變異而產生的；一種是病變性或遭外物撞擊（如雷擊、跌撞）性的而促成變化形成的；一種是通過訓練、誘導、習練而形成的。以上這幾種功能是呈顯性的。另外還有半顯性與隱性的特異功能。其實，每個人都是具有特異功能的，但看似有的人有，有的人卻沒有，這是爲什麼呢？我們知道，人類是逐漸進化的，進化是人類的一種自然現象，進化的對立面是退化。進化與退化是一對矛盾體，人在進化的同時（主體的），又在退化著（局部的）；反之，在退化的同時，人主要又是在進化。人的某些生理性能對每個具體的人來說，其退化的程度又不一，有的人是半消失，有的人幾乎完全消失。人的某些方面的功能是局部消失，人的某些方面的功能是全部消失，人的某些功能一點也沒有消失。

　　特異功能的顯現性，就是先天存在的特異功能。如有的一想什麼東西，面前就出現什麼東西，他的念力很強；又如報紙上時有披露的「火娃」。另外青海有一婦女，曾遭雷擊即昏厥，甦醒後，她的手就成了「魔掌」，往病人的病灶一放，對方的病就不治而癒了，這些顯性的特異功能，我們只點到爲止。這裡，只著重對特異功能顯性的人爲誘導、習練而產生出來的內容一作評介，對其呈規律性的東西作一詮釋。

　　人體特異功能的特點，歸納起來就是完全的、非完全的與處於中介環節狀態的正負穿透性、消失性、移動性。

　　㈠人體特異功能的正穿透性、正消失性與正移動性。這種正性，是一種完全的、完整的特性。

　　首先，我們來看正穿透性。穿透性，就是人的第三隻眼睛具

有的特性。它穿過物體的遮擋，再現事物的形、色與性態。如特異功能中的開天目就是。人的天目一旦打開，就可看到物體的多維特徵。開天目，又有人稱爲天眼功，它包括內視、透視，內視就是在練功時反觀自己體內，觀看氣在體內的運行，觀看五臟六腑、骨骼等。內視，道家功法又稱爲存思、佛家功法又稱之爲意密視之的「即身成佛」的身段。這種內視就是冥想與想像。習練功法的人，通過天目，可達到內視的目的，如內視五臟：肺爲白，肝爲青，脾爲黃，心爲紅，腎爲黑。開始內視時可能不能見到，但達到一定程度，就可明晰看見。再如骨骼內視，如果練好它，可使慧眼生輝。傳說中的太清王老的穿牆越壁術是從煉骨中得來的。其過程是從左腳大趾起，一節一節地從下到上觀想，並想像一道道的光照徹骨骼。另外，我們觀想內臟，肌膚則是障礙物，人們的觀想，就具有穿透性。其特性，透過山巒、牆壁、人體，能看到他物，其功效爲查病診病，找地下礦藏，尋找機器隱患。穿牆術，更具有穿透性，它不管是磚石、混凝土、大理石，都能一穿就過。傳說中的嶗山道士，是爲神話，我們如懂得了特異功能的穿透性，就能接受其事實了。

其次，再看正消失性。其性，就是使原物三維空間突然消失。物體的消失，並不是消滅、耗散，而是暫時性的消失，從視覺網中消失，它通過一定時期與一定途徑，又可物歸原主、物歸原形。

功夫界中有種神拳，能顯示這種特點。當神拳運行到一定程度，舞神拳者就會消失。眾多的氣功大師舉行帶功報告會、學習班，不少的人不治之症——癌就不翼而飛，自然消失。隱形法，也是一種正消失，障眼法，是同一原理。歷史上有個「一葉障目」的笑話，其實，我們一旦笑過後再加以深思，會悟出它原本不是笑話，當時是一種客觀的記載，是後人把它當作笑話，其人的一

葉障目，是功能不穩定，或者是修煉火候不到——出現一兩次消失現象就自以為有特異功能了，去拿人家的東西就被擒了。這是一次不成功的障目特功的演示，以致成了一則留傳千古的笑話。

再次，就是正移動性。移動性就是使具有陽性特徵、具有三維性質的可感可觸的物體發生物體移位。小者如調動小石子於瓶中，大者如把保險櫃中鈔票取來，再大者可以移大樹，房子等，有人叫它為「無中生有」，即是功夫界稱作的搬運功。又如呼風喚雨，就是將天宇中的雲氣、雨氣調集起來。這也是一種移動。在貴州、湘西、川東時或有過的趕屍術，使死了的人在交通不便的山區讓他移動，也大抵同理，當然，還有其也因素。雞蛋走路，也是一種物體移動。氣功治病，通過運氣、調氣，可以使粉碎性骨折癒合，也是一種移動性的表現，使已經移位的碎骨重新復位。還有一種功法叫起死回生，讓撕碎的紙片、葉片（如撕人民幣、扯樹葉等）重新歸位，完好如初。科學家曾監測一些氣功大師的分子移位、改變的實驗，獲得成功，這都是移動性的表現。

㈡**人體特異功能的負穿透性、負消失性、負移動性。**這種負性，是一種非完全態的、整體的特徵性。

首先，談談負穿透性。有的物體並非有遮掩物，只是在空間上相距較遠，時間上隔得太長久，或是已發生的過去時態的事，或是未發生的將來時態的事。天眼功中，有一種叫遙視，也就是俗稱的千里眼，它可看到千里、萬里之遙的事物，它並不要穿透什麼明顯的障礙物，但又寓含一定的穿透性，因此，我們稱之為負穿透性。神話中的孫悟空火眼金星，就是遙視功能。另外，預測功能、判知功能，也具有負穿透特徵，它可突破空時間的藩籬，預測將會、將要發生的事態，或者是追眼功能對已發生事件的判知，人的生老病死盡入囊中。這種功能強、功力大的氣功師，往

往令觀衆瞠目結舌，佩服得五體投地。

其次，是負消失性。負消失性，就是以特異功能使物質失去部分特性，但又非完全失去。如油鍋取物、沸茶驟冷。液體達到一百度就會沸騰，兩指或手要從油鍋（沸水）中取出銅錢等物，或使開水恢復恒溫，就是使熱量與溫度消失一部分。這種消失，主要是憑藉意念與手指的速度完成。催眠術，使人的神智由清晰到朦朧，由朦朧而入眠，也是一種負消失性，它是使人的淺表意識消失，這種消失，是一種弱態的消失。

又次，是負移動性。負移動性，就是有移動性，但又不顯著的移動。如小周天，氣體沿著任督二脈而法輪常轉，起於下丹田，經會陰、命門、大椎、玉枕、百會、上丹田，到達中丹田諸穴位的運轉。這種氣的運動，就是負移動。如手感特異功能，當手向病人病灶處一探，病人的病氣就移過來了，手中的勞宮穴及其四周有熱、麻、涼、溫、跳、刺、腫、酸等感覺。另外，要找地下水管破裂空隙處，或要尋礦藏，水管開裂的「傷痕」，與其他礦石不同礦藏對人掌各種不同的反映一齊移過來。通過人的手等部位，通過氣的作用，十分明顯地拉動物體，使之移位，也是負移動的一種表現形式。布袋功可將一鐵碗置於腹部，用一結實的繩子拴住碗蒂，依靠氣的力量，將鐵碗覆在腹部，再用人力與氣可拉動兩噸重的汽車。對於碗來說，氣是一種負移動。又如劍指斷磚，也屬這個範圍。用劍指運足真氣，使磚頭分作兩截，使之明顯移位。

㈢中介性的特異功能現象。這類特異功能，不呈分明的正性，也不呈分明的負性，它模棱兩可，混雜其間，但是，仍具有穿透性、消失性、移動性。下面稍作簡述。

1.穿透性。體感特異功能，具有穿透特徵。用軀體爲他人診

斷病情，被診斷的一方，如肺部深感渾濁、疼痛，那麼診斷者的相應部位有相同的感應、相近的感覺。這一個特點，顯然不同於內視，也不同於透視。

2.**消失性**。這種消失，就是一種完全的消失，此氣已不再附著原物了。如抖動功的收功，意想把身上的病氣、濁氣、廢氣從上到下、從湧泉穴排瀉出去。通過這種排瀉，病氣、濁氣、廢氣就不再返回附著原物了。這種功的神奇的想像，也算一種特異功能。

3.**移動性**。移動性能，不是用意念使物體位置發生變化，也不是用軀體直接接觸物體，有出乎神奇效應的位置移換。如香功練到一定程度地有意調動香味與自然產生的香味。這種香味，就是香氣移動的表現。

㈣其他特性。人體特異功能，除以上三個層次的三性以外，還有一些其他特性，這些，我們撮要地歸納如下：

1.**固著性**。它不存在穿透、消失與移動的特徵，能使物體安如磐石。孫悟空為了覓食，但又怕師父被妖魔攝走，就隨地畫了一個圈，妖怪一旦靠近它，其圈就光芒四射，因而不能靠近著邊。這個圈，就是通過孫悟空的特異功能賦予了固著性。現在，有許多功法，其中一種叫定身法，其實，它不過就是具有固著性罷了。

2.**堅韌性**。這種特性，就是人在發揮強大潛能即特異功能中產生的特性。這種功能，能使人的肉體、骨骼或韌如皮革，或堅如鋼鐵。如我們看到硬氣功的汽車輾身的表演，這種技能，也是一種特異功能，還有臥釘板，也是使血肉之軀具有堅固性、堅韌性。歷史上，曾有過義和團起義，他們憑藉訓練出來的特異功能，用拳頭、梭標與持有洋槍洋炮的外國侵略者戰鬥。他們有一咒語：「刀槍不入。」現代槍枝，是威力無比的，但習練的功底深厚者，

的確可以承受烏銃、土槍的威力。苗民每年的傳統節日四月八日，要表演許多節目，其中，有一個節目叫上刀山（即爬刀梯），表演時，在一根粗大的樹幹上架滿刀刃朝上的鋼刀，表演者一步步爬上去，又一步步爬下來，令人驚心動魄。苗民另外還有：利刀砍胸膛、雙風貫耳、鰲魚撐天、臥釘碎石、雄鷹展翅等，都具有特異功能的堅韌性。

　　3.**輔助性**。有些特異功能，需要藥物的輔助，或需要借助外力（如張力、伸力）的輔助，當然，這決非魔術師的那種輔助性，如青蛙啞聲，輕功踩蛋、燈管懸人等。這一點，經常是被「明眼人」指責與非難的。在此，我們著意點出，以之顯白於天下，以明真相，但需要進一步點出與強調的是，其輔助性是微乎其微，如超過一定的定量，就成了魔術節目了。

　　以上所述的人體特異功能，主要是從其功能的帶有規律性的東西予以論述。其中穿插了若干特異功能，以點帶面，面中綴珠，論述特異功能。我們沒有單純把其功能作現象羅列，而是著眼於理論上論述。這樣，以期更科學地探討之。特異功能，是個較廣泛的概念，也是個較普通的生活現象，我們要放開眼界，不要作繭自縛納入神秘主義的體系中，說穿了，人能我亦能是普通功能，人不能我能就是特異功能。至於其他，只是其功能的大小與強弱不同罷了。我們如果有了如此胸襟與心態，我們就有了宏揚傳統文化的基礎。

三、人體生命科學

　　人體生命科學，是一門既古老又嶄新的科學，古今中外，概莫能外。古老的文獻及其片段記載，東方中國的有西王母、巫持有的不死之藥，後有充滿仙話色彩的不死樹、草，彭祖高達八百

歲。爾後有晉人葛洪在羅浮山開爐煉丹並撰《抱朴子》一書爲代
表的追求長生不老的原始古老的生命科學，當後人由煉外丹轉而
爲煉內丹，成就卓然了。如鐵拐李等八仙，都是長壽之輩了，呂
洞賓就活了二百歲，他們從理論到實踐都作了有益的探索。到了
今天，以氣功爲龍頭，以唯象理論爲支柱，以特異功能爲核心，
進一步邁開人體生命科學研究步伐。西方以蘇格拉底、柏拉圖、
亞里斯多德開始，經過哈維的發生理論，魯杜里舒的實驗胚胎學，
到施萊登的細胞學說，達爾文的進化論，孟德爾的遺傳學，從理
論到實踐，爲生命科學鋪展了道路。這些內容，可使我們確信：
它是一門古老的科學，然而，生命科學又是一門嶄新的科學，它
新就新在，打開玄學的大門，重新審視東方傳統而神秘的氣功及
其特異功能，並且在理論上與西方傳統的生命科學結合，以全新
的宇宙觀與方法論研究它，即人體生命，並且通過實驗手段，諸
如辟穀、開天目等，一破傳統的思維模式，研究方法，使人耳目
一新。

1.解剖學

　　解剖學是人體生命科學一門基本知識，它是人們認識人體自
身由外及內的關鍵性的一環。這門科學，最早最完整的是在歐洲
的文藝復興時代，直至今天，人們的解剖的視野，達到了神經纖
維、細胞分子的境地。

　　十五世紀，人們的醫學與藝術的發展，都需要精確的解剖學
知識。僅有人體外部知識是不夠的，他們還想知道肌肉、骨骼的
運動以及它們和身體內部的聯繫，這樣，就出現了一大批或醫學，
或藝術的解剖學家，如勞奇、傑爾圖、拉斐爾、米開朗基羅、佛
羅倫薩、弗羅切歐等。其中，以達·芬奇成就最爲卓著。

　　由於藝術創作的需要，他首先研究了人體的淺層解剖，而後

又進行了人類大體解剖學的研究，還進行了比較解剖學的實驗，他只要有可能，就參加公開的解剖演示，他還曾得到允許在佛羅倫薩的一所醫院裡研究屍體。他還通過秘密的盜墓者來補充他的研究材料，至少解剖過30具屍體，還曾有趣地對一個七個月的胎兒和一個活了一百歲老人的屍體作過解剖，他相信，他將能揭示支配人類運動，甚至是支配人類生命的機制。

芬奇作了許多關於肌肉、肌肉群的模型，通過研究了解肌肉的活動。他發展了心臟活瓣的模型，並且進行了活體解剖來研究心臟的跳動。他是第一個用熱蠟注入腦室空腔製成蠟製腦室模型的人。他創建了連續切片法，並且發展了其他的關於研究軟組織的技術。另外，他解剖過飛蛾、蒼蠅、魚、蛙、鱷魚、鳥、馬、羊、牛、熊、獅子、狗、貓、猴子、雞胚等。

另外，十六世紀的維薩里，是一位解剖學的革新者。

人們把他的著作《人體的構造》看作是自蓋侖以來解剖學上的一大進展，其實，他的研究及其著述，是緊接著蓋侖的深入與發展。

維薩里生在比利時布魯塞爾一個醫生家裡，很小就通過解剖老鼠、貓、狗來學習比較解剖學。他進行一次完整的解剖演示，從早到晚要連續工作三個星期，維薩里堅持事實、堅持真理，曾受到當時許多人的強烈反對，然而，他終究完成了《人體的構造》一書。本書第一卷專門論述支持整個身體的骨骼；第二卷專門論述「運動的執行者」肌肉；第三卷描述了脈管和動脈系統；第四卷專門論述神經系統，神經的作用是傳遞知覺的靈氣；第五卷是對腹部的內臟器官和生殖器官的描述；第六卷寫了胸部的內臟器官；第七卷描述了腦、腦垂體和眼睛；第八卷動物的活體解剖。另外，這部著作，有若干幅插圖，都是對解剖學的生動描述。

在維薩里之前，希臘學者蓋侖才氣蓋世，他一生寫了256本書，其中有131本是關於醫學的（僅有83本倖存下來）這些書的內容包括哲學、數學、語法、法律、解剖學、生理學、脈搏、衛生學、營養學、病理學、治療學、藥學。蓋侖生理學的基礎主要內容是：生命過程分為三個層次，分別由植物性靈魂、動物性靈魂和理性靈魂來控制，而生命最終是靠作為宇宙呼吸的「元氣」（即空氣）維持的。他把人體看成了精心製作和分配元氣的三種適用性的改變物的場所，這些改變物又分別與體內的三個主要器官：肝臟、心臟和腦；三種類型管道：靜脈、動脈與神經相聯繫。在本質上，元氣被肝改造成「自然的靈氣」，它能引起生長。控制運動的「活的靈氣」是在心臟中形成的。適用於思維活動的第三種改變物「動物性靈氣」是在腦子裡發生的。

在蓋侖之前，亞里山大的解剖學研究早就奠定了雄厚的理論與實驗基礎，因為當時不像中世紀一帶對解剖的反感，而恰恰相反，鼓勵人們進行人體解剖。著名的專家有希羅費羅斯，埃拉西斯特拉塔，但其解剖的理論與實踐，是屬於古典型的。

在維薩里以後，有哈維，他不但在解剖學上獨有建樹，而且在心臟與血液等領域又有新的成就。

2.細胞學

細胞是生命基本單位，在統一對生命的研究上，提供了一個強有力的、普遍適用的概括。即作為生命、結構、功能、繁殖、生長和分化的概括。這個作為十九世紀的科學理論，是眾多科學家研究的結晶，它尤其是與施萊登、施旺緊密關聯著。1665年，胡克《顯微圖譜》一書中，首次採用了細胞一詞，它後來在顯微鏡等中介性的科學設備促使下，進一步得到完善與發展。動物、植物，微生物的細胞組織，一個一個被眾科學家研究，如米爾貝

爾、奧肯、普金葉、彌勒等。就對細胞研究，作出了卓越的貢獻，
到施萊登等，其細胞理論就正式確立。

　　施萊登，1838年在彌勒的《解剖學和生理學文獻》雜誌上
發表了他的《植物發生論》一文，他把注意力集中在細胞核的結
構上，不久，他把細胞核認爲是「植物中普遍存在的基本構造」。
他還在《植物學概論》中，描述了細胞形成的幾種方法。最後，
他通過朋友施旺，把細胞理論推廣到動物界。他的理論要點是：
核仁是通過微小粘液顆粒的逐步積累而生長的，而粘液顆粒則來
自含有糖、糊精和粘液（蛋白質）的液體（成膠原漿）。持續的
精液分泌把部分液體轉化爲相對不溶性的物質，從而形成了圍繞
著核仁的細胞核。當細胞核達到一定體積時，新細胞就開始在表
面長成一個幼嫩的，透明的泡囊。隨著泡囊的逐漸增大，細胞壁
內的膠狀物轉化爲植物纖維物質。這樣，完整的細胞就形成了。
植物就這樣通過由細胞內產生細胞的方式而生長。

　　施萊登的朋友施旺在動物體將細胞理論發揮得淋漓盡致。

　　另外，普金葉、耐格里、默勒、赫胥黎、巴赫、巴里、舒爾
茨、克里克爾、微耳和、威爾遜、斯特拉斯伯格等對細胞學說進
一步完善。

3.遺傳學

　　生命一代一代的繁衍下去，梧桐的後代一定是梧桐，青蛙的
後代也決不會是魚，而一定是青蛙，這是由遺傳基因決定的，即
前代的性狀能夠在下代出現，就是生物遺傳問題。

　　生物的遺傳，到十九世紀奧國人孟德爾選用了適於作遺傳研
究的材料，用科學方法，以實驗的手段，發現了遺傳基本規律，
即基因的分離規律和基因的自由組合規律，分離規律表現是：在
雜種體內，基因雖然共同在於一個細胞中，但是它們分別位於兩

個同源染色體上，具有一定的獨立性。進行減數分裂時，等位基因隨著同源染色體的分離而分開，分別進入兩個配子中，獨立地隨配子遺傳給後代。自由組合規律表現在：具有兩對（或更多）相對性狀的親本進行雜交，產生配子時，不同的等位基因各自獨立地分配到配子中去，在配子中自由組合，這就是其主要特點。

孟德爾的成就是輝煌的，但成果沉睡了若干年。孟德爾幼時為求學資金四處奔波，後進了奧古斯丁修道院，作為一個僧侶，他是很虔誠的。他後來在維也納大學學習，學習了動物學、昆蟲學、植物學、古生物學等。他回到布隆後，對多種生物進行研究。他種了34個株系的豌豆（遺傳理論就是在此項實驗中歸納出來的）。飼養了五十箱蜂。他因為修道院與政府發生了爭執，他被剝奪了從事科學研究的時間與精力。作為一個僧侶，他計算成千上萬顆皺癟的豌豆，是在消磨時光。

孟德爾的實驗與理論，沒有得到當代人的肯定與重視，耐格里的態度不冷不熱，當時的雜誌也認為豌豆不宜登大雅之堂，三十多年後，一些科學家漸漸開始認識了「廬山眞面目」。德佛里斯、柯靈斯、丘歇馬克、貝特森相繼重新認識孟德爾的遺傳「數據」。

4.胚胎學

胚胎學是研究動、植物胚胎形成、發育過程的科學。

胚胎研究，遠在公元前六世紀，科學家們已用雞蛋作模型系統來研究了。希波克拉底《幼體的特性》一書，就描述了以雞卵發育為內容的系統研究工作。以發現肺循環而著名的哥倫布對人類胚胎學也很感興趣，他批評了亞里斯多德與希波克拉底，他認為胎兒由純淨的血液通過臍帶靜脈滋養的觀點。法布里修斯為科學胚胎學的奠基人，《論形成了的胎兒》和《論雞卵和小雞的發

育》爲十分重要的著作。此門科學發展到實驗胚胎學的時代,它又向前大邁了一步。魯是卓有成就者之一,他以「發育機制」或「原因分析胚胎學」創始人自居,他認爲:每個細胞都可以獨立於鄰近的細胞而正常發育,而整個胚胎的發育則是各個部分分別發育的總和,並堅信「鑲嵌式」發育學說。作爲同是海克爾的學生,杜里舒推翻了鑲嵌式的理論,並且認爲:一個新的有機體可以從胚胎的一個部分再生出來,因此不能把胚胎看作是一架複雜的機器,於是他把發育中的卵看成是相互協調的、具有同樣潛在能力的系統。

實驗胚胎學,後經過威爾遜到斯佩曼、蔡爾德,又有長足的進展。

5.進化論

生物進化,成就最大的是拉馬克的「用進廢退學說」和達爾文的「自然選擇學說」。進化論者認爲:現在地球上的各種生物不是神創造的,而是由共同祖先經過漫長的時間逐漸演變來的,因此各種生物之間有著或遠或近的親緣關係。

法國博物學家拉馬克最早提出生物進化學說,此學說的中心論點是:環境變化是物種變化的原因。環境變化了,使得生活在這個環境中的生物,有的器官由於經常使用而發達,有的器官則由於不用而退化,這些變化了的性狀能夠遺傳下去,也就是說,獲得性能夠遺傳。此理論雖在很大程度上是猜測,但光彩照人。

英國博物學家達爾文1859年出版了巨著《物種起源》提出了以自然選擇爲基礎的生物進化學說,這個學說,不僅說明物種是可變的,而且對生物的適應性也作了正確解釋。其學說,主要內容有四方面:過度繁殖、生存競爭、遺傳和變異、適者生存。

過度繁殖:動、植物都具有巨大的繁殖能力,能產生很多後

代，即使是繁殖能力很低的生物，所產生的後代，數量也是很大的。

生存競爭：生物個體（同種或異種）之間的相互鬥爭，用以維持個體生存並繁衍種族的自然現象，就是生存競爭。生物的大量繁殖和少量生存，是自然界普遍現象。

遺傳變異：動物的子代性狀與宗代性狀相似，植物其性狀是大致相同，就是遺傳現象；動物的親代與子代之間，在毛色、長相又有區別，不完全相同，植物同一後代，在同樣條件下，有的長得高一些，有的則相反，這就是生物的變異性。

適者生存：生物普遍具有變異性，有的變異對生物的生存有利，其生物就容易生存下去，凡是生存下來的生物都是對環境能適應的，而被淘汰的生物，都是對環境的不適應。

進化理論，在拉馬克之前，就有了林耐、馬耶、布豐，在拉馬克與達爾文之後的，就有了莫泊丟、伊·達爾文、韋爾、普里查德、勞倫斯、馬修、錢伯斯與華萊士。要稍著重一提的是華萊士，他幾乎同時與達爾文研究出了進化理論，但非常大度地把名譽讓給了素不相識的達爾文，並創造了「達爾文主義」之專用名詞，並為普及進化論而終身。

6.分子生物學

自孟德爾以後，人們進一步思考：因子是什麼？它在何時、何地發生分離和重組的？在二十世紀內，對細胞的顯微和化學的研究同研究遺傳的變異性及穩定性的統計和實驗方法，它們有意地結合在一起，導致了分子生物學的誕生。

其理論，通過薩頓、貝特森、摩爾根、繆勒等，還通過德佛里斯、米歇爾、赫特維希、萊文、查伽夫、格里菲思、艾弗里、赫爾希、蔡斯、沃森、克里克等輩長期不懈的努力，終於得到確

立。

　　ＤＮＡ屬於高分子化合物，是由四種脫氧核苷接連而成的長鏈，每個脫氧核苷酸含有一個磷酸，一個脫氧核糖和一個鹼基。它不僅有一定的化學結構，還具有特殊的空間結構。ＤＮＡ是遺傳物質，而它在染色體中含量比較穩定，故而染色體是遺傳物質的主要載體。同時基因是有遺傳效應的ＤＮＡ片段，基因又能控制蛋白質的合成，故ＤＮＡ可以受制，所以在遺傳上有著很重要的作用。在人類的繁殖上，爲什麼子女像父母（外形與秉賦等），就是由於父母把自己的ＤＮＡ分子複製了一份傳給了子女的緣故。

　　以上爲西方傳統（部分內容爲現代）的生命科學常識概述。這雖只是極少的一部分常識簡介，但我們可以對之略窺一斑了。同時，它雖看似與氣功、特異功能關係不很密切，但是不可分開的（儘管氣功等內容的研究大體上未能達到如此地步），現代的試管嬰兒、生物工程等都是在此基礎上邁步的。以上爲論述的第一點。

　　第二點，生命科學，包孕了生物機器人、生物全息能理論、宇宙自控調諧與人體自控調諧生命控制的系統工程。這一部分理論，與傳統的氣功緊密相關。在其生命科學的課題中，氣功是階梯，特異功能是殿堂，人體生命科學是宇棟。特異功能是特殊的人體生命現象，所以全書在討論人體生命科學時，緊扣特異功能，以營構人體生命科學的宏偉建築。

　　1.**生物機器人**。氣功理論的人體，是一部最典型的生物機器人，其結構與裝置最爲齊全、有接收裝置、發射裝置、自動調控裝置、分析處理裝置。它與第三代機器人，除了生物性的差異外，就是一部典型生命模擬儀器。

　　機器人一般都裝有兩根觸鬚，是爲接收裝置，它如同電視機

的天線，專以捕捉外界的聲、電、光波，收音機也有這種部件。
人體也有類似的部件，不過不如此之集中，眼可接收外物的形狀、
顏色、耳可聽聲音、鼻可嗅味道、舌可辨滋味、身軀可判斷硬軟
程度，這種接收，是顯性地接收，另外，人還有一種隱性接收器，
它就是人的雙手。習練氣功時，人們一般是將兩手置於膝蓋之上，
以捕捉憑五官不能感覺到的波、場信息物質。另外，人體接收系
統中，還有一個信號擴大裝置，它的作用類似於半導體中收音機
中的三級管，其作用比它要大無窮倍，只要接收裝置調整好了，
它包括方向，頻率，就可接收宇宙空間的信息，如特異功能的千
里診病，千里耳、千里眼功能、預測、判眼、追眼、預眼功能。
幾百年、上千年的事，或尚未發生的事，它們在天宇中有殘留信
息或超前信息，人體裝置可以接收之。茫茫天宇，浩渺無邊，信
息雖較爲微弱，但可擴大，大到適合人體需要的程度。

　　機器人有指令發射裝置。當客人光顧時，它可問好，沏茶、
請坐，其手、足按指令的要求，活動自如，電腦發出指令，準確、
迅速。氣功中，打通周天，是較爲困難的，有不少穴位具有某種
固著、執拗性，如果要追求速成，更要指令系統發揮作用。人體
有幾個潛在的功能部位，如果在周天功中被打開，便隨時可釋放
出強大的功能功力。

　　機器人還具有自動調控裝置。複雜機器人如遇到危險境地，
可以「下意識」地迴避，甚至如人一樣異常靈敏，如一旦「漏電」，
便可自動關閉「閘門」，停止工作，以免出現事故。氣功中的體
感特異功能，用軀體感受信息元，無須有意爲之。如同胞兄弟、
姊妹肝、胃疼痛劇烈，你也可能有同樣而無疾病性的疼痛，這就
完全是自動調控系統在起作用，自動化程度到令人不可思議的地
步。

機器人的分析處理裝置，科學的程度，似與人的大腦，幾乎到了可以假亂眞的地步。現在的電腦，將近於普及的程度，勿庸贅言。如同主人玩七巧板、對弈，可使主人狼狽不已。氣功中，有種通靈大法，與師父通靈，與佛祖、道祖通靈，是一種複雜的分析處理過程。

2.**生物全息能理論**。植物一代一代繁殖下去，蘋果樹不會長出葡萄，稻穀不會變作荣蔬，而且植物的葉子是什麼形態，其果子必定也大抵是什麼形態。動物也大致如是。這就是生物全息能的遺傳密碼的作用。其密碼，是憑藉信息表現的。信息是什麼？我們說信息也是一種物質。人的信息，如同其他動、植各自發佈的信息一樣，是一種生物全息能的信息，其信息，是由無數個信息元構成，其信息元，包涵著它的全部能量、能功、功能，常以生物波、生物電、生物磁、生物光、生物能、生物場的形式存留於天宇之中。氣功中，師父給弟子喂功、帶功、長功，其原理就是信息元的作用。而有些弟子的氣感天生是遲鈍，也就是父輩密碼遺傳的結果。所以，特異功能的大小，很大程度上取決於生物全息理論。

3.**宇宙自控調諧與人體自控調諧生命控制的系統工程**。世界是一個大系統，人體是一個小宇宙，它們服從於一個普遍聯結的系統工程。宇宙有其自生自感的規則，人也是要服從於這個規則，它們構成一個大系統。宇宙又可自我控制，自我調諧能力，人的生理也槪莫能外。太陽系的九大行星，有其自身運行軌道，不會「撞車」，太陽系與太陽系，銀河系與銀河系之間，各自都有自己「座標點」，它們如同整個大宇宙一樣，可以自控調諧，構成一個由無數子系統組合的母系統。氣功中，講究「天人合人」，就是這個原理，人如有悖於整個宏觀世界，既不能產生特異功能，

又不能健身治病。另外，肝開竅於目，腎開竅於耳，也是各自不同的特異功能的自我調諧的子系統。人體的各個部位的特異功能均被開發，就完成了一個小的系統，幾個子系統滙眾起來，其母系統就畢功於一了，其人便成了一位具有極強功能的特異功能者了。其中，子系統的特異功能的開發，也有待於自身的某部位生理機制的自我調諧。

　　由上所述，我們看到，氣功是生命科學的基礎，或者說是入室登堂的階梯，特異功能是其核心，或者說是其迷人的流光溢彩的殿堂，生命科學是其頂端，或者說是整個殿堂群的宇棟，因而構架成一個完整不可分的科學體系。

第二部分

神話與人體特異功能的文化場透視

第四章　神話與人體特異功能
的哲學思考

　　本章作爲哲學思考，辨證法與唯物觀是爲其立足點與出發點，其中以神話與人體特異功能爲媒介，觀照人的觀察、思索的理性程度。哲學思潮，如洶湧的大海，每滴水珠，每束浪花，都是具有相對的整體性，都是一個自我獨立的框架，我們將伴著起伏的波濤，作一個重新結合的探究。

一、哲學理論的一般概述

　　哲學是理論化、系統化的世界觀，是關於世界觀的學問、學說，是人們對整個世界總的看法或根本看法，是經過邏輯思維加工過的理論，是世界觀的理論體系。哲學思想，宏觀上看，爲世界觀，微觀上看是其方法論。哲學研究對象，是世界的普遍本質和世界發展的普遍的規律。哲學對整個世界的研究，是在社會實踐中概括和總結了各種具體知識而進行抽象思辨的。哲學與具體科學之間，是一般和個別，普遍和特殊的有機聯繫。

　　哲學基本問題，是思維和存在（精神和物質）的關係的問題。這個基本問題，可以引出至少是兩個大的方面問題。首先是思維

與存在的問題，並且誰爲源。其次，思維與存在有沒有同一性，即世界是否可知。我們堅持唯物觀，我們堅持世界可知論。同時，我們還要堅持辨證法。我們認爲物質與意識是相互聯繫的，相互制約的，也是運動、變化、發展的，其變化是由量變到質變，其變化的原因與推動力，是事物內部的矛盾性。

世界是物質的，物質是不可窮盡的，物質又是可以認識的，這是我們的物質觀。物質是運動的，運動是有規律的，規律又是可以被人認識的，被人們運用的，同時，物質存在是具有永恆性的，物質是不滅的。意識是物質的產物，是人腦機能的社會產物，意識是對存在的能動反映。另外，我們亦主張世界是聯繫與發展的科學觀點：其聯繫是普遍地聯繫，又是有其層次的、立體的網絡；其發展是永恆的，絕對的。物質與精神、存在與意識，就是在此基點上的對立統一。如果把其表述擴展開來，就會是質量互變與雙重之否定，就會是能動的認識觀與主體實踐性，就會是相對與絕對的眞理統一觀與眞理的發展觀。

我們欣賞這樣的論斷：隨著自然科學領域中每個劃時代的新發現，唯物主義也必然要改變自己的形式。

我們也認爲：人類優秀的思想與科學，要不斷發展與充實自我。當代自然科學的發展，促使了一些具有深遠意義的新理論萌芽與誕生，如自然科學整體化的趨勢，自然科學與社會科學相互滲透的趨勢，科學研究成果迅速的技術化、生產化、社會化的趨勢等等。作爲綜合性橫向科學的系統論、信息論、控制論等，其產生和運用，則是當代自然科學發展新趨勢的集中概括，具有深刻的哲學意義。它們從不同側面揭示了事物內、外部的相互聯繫與制約，如實地把事物看作有機聯繫，複雜動態系統，爲人們認識、改造世界提供了新思路、新方法。它以系統、控制、信息、

層次、結構、反饋的等概念和觀點、豐富著傳統經典哲學與範疇體系。物質觀、運動觀、時空觀，以信息反饋等理論豐富了傳統的認識論，以事物的系統的、聯繫的原理充實了普遍聯繫觀，提供了用數學模型精確地描述事物運動、變化和發展的可能性。系統論、信息論、控制論的產生和應用，生動地證實了傳統經典哲學的認識的正確性，思辨的科學性，運動的發展性。

物質可分，而不可窮盡，物質不滅，其形式可以轉換，萬事萬物能量守恒。物質是標誌客觀實在的哲學範疇，這種客觀實在是人通過感覺感知的，它不依賴於我們的感覺而存在，為我們的感覺所複寫、攝影、反映。

時代發展到二十世紀，物理學領域發現了電子和放射性現象，證實原子可分。幾十年來，由原子理論進入到原子結構理論和原子核的結構理論。現在，人們又提出夸克（層子）理論。現在科學證明世界上絕無「真空」，除實物體以外，還有場的存在。因此，物質除了「客觀實在性」這一最根本特性外，還存在著規律，結構、系統、層次、信息等普遍特性的存在體。

物質由原子、中子、質子而到層子，其被認識過程與有序排列，雄辯地說明物質可分性。

為了使物質的可分性有規律可循，為了更準確研究世界的客觀性，為了探討物質運動的實質性的方式，我們觀照東方民族傳統思維的優勢，並參照世界哲學精髓，提出正負兩極說。系統論、控制論、信息論源於西方現代自然科學，諸如數學、計算機等，他們豐富了辨證唯物觀，我們又說陰陽思想來源於中華民族物質運動觀，尤其發揚光大於今天的人體科學、特異功能、氣功等生命科學，我們竭誠企盼東方文明與西方文明對撞而發散的火星，故試一作探討。

以上，我們從縱橫角度對哲學問題一作掃描，爲的是期望對哲學重作歷史的審視與探索。

二、正負兩極說

正負兩極說是力圖研究事物兩極性，以揭示事物本質類別的規律性。它的來源有兩個：一爲事物運動變化的矛盾觀，一爲事物結構層斷面的陰陽觀。矛盾的學說，是對立統一學說的主要表述，但不完全等同於對立統一。我們又說：矛盾的學說是一分爲二生動的表述，但是，一分爲二還不是對立統一。哲學界曾認爲，一分爲二要與合二爲一共同組成對立統一的思想。矛盾的學說力主鬥爭性，但同一性的表述難以被其囊括，因爲同一性一旦延伸到社會領域，矛與盾的屬性是硬碰硬，即引衍爲其鬥爭哲學。鬥爭是促使社會型態轉變的重要因素，但社會型態的變革是以成百上千年爲單位，而千年或百年之間，矛盾的特性是大體平衡、均一的。故而，同一性在社會、自然領域，它的時空跨度是主體的。陰陽觀是中華民族傳統的哲學觀（如《易經》、《老子》，黃老哲學所力主的陰陽五行思想便是），它較側重同一性的哲學命題，《易經》相對而言貴陽剛，《老子》貴陰柔。由老莊思想衍化的道家學派，有一個「派徽」，即太極圖，它包括了七大規律，以「法於陰陽」、「陰陽互根」爲理論「華表」，把陰陽理論推到了後人幾乎難以企及的極至。

我們提出正負兩極說，就是鑒於前面理論巨人與其大廈上的嘗試。正負兩極說是西方現代文明與東方傳統文化的交融，同時，在質上是介於貴陽與貴陰之間，促使揭示事物的原質與原色。

數學上，在有理數中，有一數軸，一端爲正數，一端爲負數，中間爲零，負數爲一個數族。由此而推導的，有加與減，乘與除，

平方與開方，各自互為兩極。化學上，離子帶電子之不同，分為帶正電荷與負電荷。原子由原子核與帶繞核運動的電子組成，原子核帶正電，電子帶負電。化合價：失去電子的原子帶正電荷，化合價是正價，得到電子的原子帶負電，化合價為負價。物理學的電學：用絲綢擦過的玻璃棒所帶的電荷叫正電荷，用毛皮摩擦過的膠木棒所帶的電荷叫負電荷。氣象學上，氣溫高於零度，就是正數，低於零度，就是負數。正與負是一個事物的兩種質，可代表陰陽、矛盾、大小、勝負、左右、上下、好壞、安危、貧富、天地、福禍、消長、有無、美醜、強弱、榮辱、智愚、進退、生死、難易、高低、黑白、男女、凸凹、善惡、真假等。它與傳統的陰陽觀及樸素辨證法不同的是，引進了現代科學。

　　前面，我們闡述了世界是物質的，意識、精神是存在與物質的反映。我們又說，萬事萬物是對立統一的，或者說是一分為二的（另有合二為一），那麼，物質應該也當然是可分的，因而精神也是可分的。怎麼分呢？我們以正負兩極觀剖析之。

　　我們說，物質可分為正極物質與負極物質，如前所述的正電子與負電子等，精神亦可參照其係數分之。在劃分之前，先對正負兩極物質進行界說。

　　正極物質可以憑藉肉眼看得見，可以憑藉觸聽味嗅感知。負極物質則看不到，摸不著，這是正負物質的總體特徵。從這種屬性出發，我們在下面四個方面界定正負兩極的差異。一、正極物質可看見，能摸到，有重量，佔有空間，在一定的時間值中作用於人。負極物質不佔有其空間，從一般的人的眼、耳、鼻、舌、身上諸感覺器官不能直接感受到，要通過一定的輔助物及輔助手段（如儀器等）才能被感知。前者如日月星辰，如山石田土，如花草樹木，如飛禽走獸，後者如聲波、磁場等。二、正極物質以

粒子形式存在，負極物質以波的形式存在。前者如晶體等，後者如腦電波、思維波等。三、正極物質運動的速度的上限為光速，負極物質速度的下限為光速。這是一條重要的分水嶺。四、正極物質存在的時間是有限的，負極物質的存在方式是無限的。前者如有機體，後者如情結、意念等。

我們由物質正負兩極的參照值界定正負兩極精神、意識的差異。一、正極精神是物質的直接產物，負極精神則不完全依賴於物質的存在。它是一種純理念的東西，前者如概念、判斷、推理，後者如靈魂、報應。二、正極精神是能被認識的，負極精神不一定能完全被認識。前者如相對真理，後者如絕對真理。三、正極精神永遠是處於變化、運動的，負極精神則是相對的，前者如對天體、生物體的認識，後者如邏輯的領悟。四、正極精神可被人控制，負極精神則不能，前者如意念，後者如規律、法則。

正極物質與負極精神是事物與存在的兩極，負極物質與正極精神則是兩者交點切線與疊面。這兩者決非等同，但它們的聯繫十分密切。不及與過度，是它們質的差異性，相交、相切與重疊則是兩者的同一性，如具有生命力的魂魄（思維波）與沒有生命力的概念、邏輯。但是有的則是魂魄與概念邏輯交織在一起的，如夢就是相交、相切與相疊。

因此，在物質可分的理論下，我們將其精神也予以「可分」，這樣，自然拓展了哲學思維的視野，也豐富了哲學研究層次的課題。

三、神話正負兩極應用及人體特異功的效應

正負兩極觀的界說，可以加深我們對物質與精神新層次的理解，同時也對非唯物主義者蔑視傳統經典物質觀定義及盲目崇尚

絕對精神或精神至上者以嘲弄。現在，我們把正負兩極說應用到人體特異功能與神話領域，以檢驗其立論的功效與科學價值的質與量。

首先，研究特異功能的看光功能。

具有特異功能的人，能夠看人的頭部及周身的光環，以判斷人的稟賦與健康程度。

其實，每個人的頭上、周身，都有一道光環、光圈，不但人是如此，而且動、植物，甚至無生命的物體都如此。

華蓋，黃帝所作也。與蚩尤戰於涿鹿之野，常常有五色雲氣，金枝玉葉，止於帝上，有花葩之象，故因而作華蓋也。（《中華古今注‧輿服》）

古代，眾多的帝王，配合華蓋裝飾物，有何實用價值？恐怕除了烘托帝王的威嚴，很難再找出其他功用了。那麼，華蓋為何能烘托帝王的威嚴？原來這些帝王為真龍天子，具有特殊的稟賦與氣質。歷史上的黃帝就開了先河。原來黃帝具有非凡的氣質，頭上繞五彩雲氣，雲氣狀如金枝玉葉，呈花葩之象，故涿鹿一仗，擊敗了蚩尤。黃帝作為歷史上可考的第一個帝王，神通廣大，才華出眾，發明、發現了火、乘車、作陶、作舟輿、製冠冕、築宮室、造釜甑、作灶、製金刀、造蹴鞠、鑄大鏡、作五聲、造書契、定藥性、制嫁娶、分土製國、始儺、置冢墓等，可以說是定百物之名。當然，其中有不少是傳說、神話，還有不少是附麗而成。但歷史承認了黃帝為炎黃子孫的始祖，說他超凡偉大，是為確切不謬。

黃帝頭繞五彩之光，當時也有識五彩光環的具有特異功能的巫師。

范增說項王曰：「……吾令人望其氣，皆為龍虎、成五采，

此天子之氣也。」（《史記・項羽本紀》）

《濟公傳》稱：濟公和一妖魔鬥法，妖魔見他形象平常，便不把他放在眼裏，濟公看自己鬥不過妖魔，就把那頂和尚帽一摘，現出三道光彩。

劉邦為一代帝王，濟公相傳為一代高僧，他們都超過一般凡夫俗子，氣質、功能不同平常，故有龍虎五彩的天子之氣，故有三道光環。

人、動物、植物、非生物有光環、光圈，乍看神奇怪誕，似為無稽之談，其實，它非常普通。不過能「觀顏、察色」者卻寥寥無幾。這種光，現在在科學界被稱之為「後光」。

前蘇聯曾把人的手掌、植物的莖幹、葉片的光，以相當先進的攝影設備與技術，將它全部拍攝下來，光彩歷歷在目。美國也曾作過這樣的實驗，而且在此基礎上更進了一步。當一棵樹的枝芽還沒有完全綻出來的時候，他們用特殊的攝影手段，捕捉到了其枝芽將長成後出現的最終生物場——枝杈光環，跟蹤實驗證實，這枝杈一直長到它不能再生長的程度為止，正好與枝杈光環的大小、長短相吻合。

這種光，從人的正面看，在人的身後出現，從後面看，在人的前面出現，人們叫它為後光，其實就是一種生物場。通過這種光，可以推測植物的生命發育生長的概觀，可以推測人的健康狀況及氣質。

這種光，在古代除了大巫師，在今天除了經過特異功能的誘導與專門訓練過的人之外，很少有人可以看到。一般人的光環只要健康，就是銀白色的，氣質、稟賦特殊，或者經過專門修煉過的人，就能有眾多色彩，並行成一道道光環、雲彩。傳說，老子曾有五彩光環，宗教界聲稱：佛祖、聖母有七彩光環，當是可信。

釋伽牟尼曾是一位王子，他不願繼承王位，而要普渡衆生，使之擺脫苦難，在菩提樹下，連續幾天冥思，果然大徹大悟。如果他沒有超人的氣質與抱負，沒有毅力與恆心，也不會有此斑斕的光環。黃帝沒有超凡脫俗的本領，司馬遷這位治史嚴謹的大家不會承認他爲始祖，不會成爲香火供奉的偶像。劉邦沒有特殊的氣質與能力，便不可能戰勝西楚霸王，成爲漢家王室的開山祖。看來，範增是相信並有特異功能，恐怕除了自己有其專長外，身邊還有一群識五彩雲的能人奇士。濟公除了懲惡揚善的品格外，由於他的三道光環與神奇的功能，使得他家喩戶曉，婦孺皆知。

　　氣雲、光環，或今天稱之爲「場」物態，是由人或物本身放射出來的，人與樹，人們看得見、摸得出，佔有空間，它以顆粒形式存在於一定空時間中。運動的速度較緩慢，當然在光速以下，它們的生命一旦完結，便要轉化成其他形態的物質，因此，是爲正極物質；物體四周的雲氣、光環，則具有與之相反的特性，是爲負極物質。

　　法於陰陽，正負物質互根，氣功在治病除疾時，就是運用這一原理的。如萬滙歸一功，在患者病灶處拈、甩病氣，同時配以意念，以及近乎咒語的「走──」字。智能動功在治病理療時，有一手爲拉氣治病之招：手中意念球一分爲二，兩掌各持一半，病人居中，兩手一左一右一收一合地拉氣（也可單手拉），也就是拉掉病。

　　這種氣，就是一種人體生物場。我們知道，一事物是以另一事物的存在而存在的。一個健康的人，他的正極物質是健康的，那麼，其負極物質當然也是健康的；反之，一個人處於病態之中，他的正極物質某些部位、器官或組織被疾病細菌病毒所侵噬，那麼，其負極物質也就相應發生了病變。它折射到人的光環中，其

光便是灰色的。如果十分厲害，或者瀕於死亡就會是黑色、混沌色的。如果我們準確診斷病理與病灶，抓掉病氣，除去灰色光斑與光環，即除去負極物質，那麼正極物質就同樣同時被除掉了，其人很快可以恢復健康。

我們把科學原理與氣功功理應用於神話的理解、那麼，古代的神話（主要是治病方面），就不單是一憑想像征服、改造大自然的幼稚之舉了。

《周禮・夏官・方相氏》：「方相氏掌蒙熊皮，黃金四目，玄衣朱裳，執戈揚盾，帥百隸而時難（儺），以索室驅疫。」

《文選・東京賦》：「方相秉鉞……桃弧棘矢，所發無桌，飛礫兩散，剛癉必斃。煌火馳而星流，逐赤疫於四裔……於是陰陽交和，遮物時育。」

方相，或為一人，或為一氏族首領，他是具有特異功能的。「黃金四目」大抵是神眼（後面要論及），他一則秉鉞，一則持桃符弧棘矢，而且「所發無桌」，無所不中，故厲鬼是十分恐懼，厲鬼瘟疫見之，逃之夭夭，最後是「陰陽交和，庶物時育」。

厲鬼是什麼？它是一種負極物質，即「陰氣」（見《說文》），也是「精神離形，各歸其眞」（見《列子・天瑞》）的濁氣、病氣。厲鬼畏桃弧，是因為「桃弧棘矢，以除其害」（見《左傳・昭公四年》），以桃枝做的弓，能發散一種香味瑞氣、正氣，故可以驅濁氣、邪氣。

鬼即精神離形的陰氣，厲鬼即瘟疫。瘟疫，從今天病理學角度看，就是一種細菌或病毒在人間的瀰漫。細菌，我們視之為正極物質，而它吐納、沾帶的氣流、氣味等，則將侵蝕人的肌體，這就是疫氣之一，就是一種負極物質。另外，如病毒，也是一種疫氣，當然也是一種負極物質。正極物質可用刀、火、針、石及

其他藥物等輔助手段及辦法制剋，即以正極物質剋正極物質，當然也可先剋負極物質。這是叫厲鬼，已是遠離正極物質的一種負極物質，單一用拉排手法顯然無濟於事，對這大面積的又脫離了正極物質的負極物質，則是儺而驅疫。儺是一種祈神驅鬼的巫事活動，其驅逐，是調動負極精神即意念等來完成的。

這裏的時儺與逐疫，達到了一種新層次，即為立體性的、直接性的「精神變物質」的效應層次。

諸如這樣的神話及由其神話衍變的習俗，還有不少，僅舉兩例，並可說明之。

《神異經・東南荒經》：「東南方有人焉……不飲不食，朝吞惡鬼三千，暮吞八百……名曰尺郭。」

《荊楚歲時記》：「十二月八日為臘日……村人並擊細腰鼓，戴胡頭，乃作金剛力士以逐疫。」

這種抓拉、驅逐負極物質過程，或用正極物質，或用負極精神予以完成，是否仍帶有偶然性？我們的回答是否定的。先請看《禮記・月令》：「季春之月，令國儺，九門磔攘，以畢春氣……仲秋之月，天子乃儺，以達秋氣……季冬之月，命有司大儺，旁磔，出土牛，以送寒氣。」《韓昌黎集》卷二《譴瘧鬼》：「醫師加百毒，熏灌無停機。炙師施艾炷，酷若獵火圍。詛師毒口牙，舌作霹靂飛，符師弄刀筆，丹墨交橫輝。」《後漢書・禮儀志》中：「季冬之月……先臘一日，大儺，謂之逐疫。」從遠古到漢唐，一千年以上的歲月，足資說明正極物質與負極精神永恒的力量。另一方面，我們可從人的特異功能及與之相關的神話，說明其立論的可行性、普遍性、合理性。特異功能中，有遙視，神話中，有「千里眼」。古典文獻中，有三隻眼神，這與「正負兩極說」有何關係？

土伯:《楚辭·招魂》:「土伯九約,其角觺觺些,敦恢血拇,逐人駓駓些;參(叄)目虎首,其身若牛些。」

二郎神楊戩:《董永沉香合集·沉香救母雌雄劍》:「當先顯出一神將,……身披鎖子甲黃金,白面微鬚三隻眼,手使三尖三刃鋒;……衆神看罷楊小聖,認得是,臨江灌口二郎神。」

靈官馬元帥:《三教搜神大全·卷五》:「(帥)以五團火光投胎於馬氏金母,面露三眼,因諱三眼靈光。」

一般說來,人只有兩隻眼,而不會有三隻眼,只有神靈才會有三隻眼。但神靈是人與社會的折射,那麼,人有沒有三隻眼?答案是:有!再問:何人才有?答曰:人人都有!這莫非是無稽之談?確實如此!第三隻眼在什麼地方?人們爲什麼看不到呢?

回答的要點如下:

人人都有第三隻眼,這隻眼睛,就是隱匿於人腦中的松果體,它的位置在兩耳與眉心三點相穿聯的綴結點。現代解剖學對松果體的研究已表明:它有三種作用與機制:1.松果體內有退化的視網膜;2.松果體有呈像能力;3.松果體有抑制性成熟的作用。

事實證明,人類確曾有過第三隻眼,只是由於歷史的發展,人們憑藉五官與神奇的思維來認識改造自然,松果體的顯像功能逐漸退化了。松果體既然有視覺功能,今天能否得到活標本?回答是肯定的。今天,部分有特異功能的氣功大師便有,即是開天目。它具體表現爲內視、遙視功能。現在,通過練功等特殊手段的訓練,可以激活松果體的視覺功能。40%的兒童,天性未泯,理性與邏輯思維層次低,通過得當的誘發,可見到五維以上的負極物質。七十年代末的「耳朵識字」中,多爲兒童(也有部分少年),且女性居多,第三隻眼雖爲松果體,但功能點卻四處分散,故當時有意念耳、意念手、意念鼻等。

　　《西游記》中的楊二郎，第三隻眼睛是豎在兩隻眼睛中間，那是經過文學家通過形象思維、歷史資料而又沒有親自見過的藝術加工物。其眼的大致位置還是對的，說明吳承恩對千里眼、意念眼的把握的悟性頗高。孫悟空搖身變作一座廟，楊二郎一眼就識破了，可謂功能、功力卓越。

　　這是正極物質（松果體視網膜）捕捉、攝取負極物質，即兩極物質有機的重疊的結果。他物，不管是千里、萬里之隔，或是相隔無數層的障礙物，它的負極物質形態，總是分佈於四周的，千里眼與意念耳就是再現其負極物質而得到的。

　　這種功能就是一種特異功能，以文字記載，並加以描繪（或口耳相傳），就成了神話。這樣的跡象，古書多有記錄。《山海經·海外西經》中的奇肱國人，一臂三目；《述異記》中的三瞳（國）人，皆有三顆眼睛；李冰之子李二郎，亦為三眼，不一而足。

　　第三隻眼是隱性正極物質，它能遙視、透視，就是負極物質功能，能辨圖、辨色，就是正極精神作用所致，負極物質與正極精神，就是神效。

　　同樣，具有特異功能的氣功大師，在廣州向千里之遠的北京的中國科學研究院高能物理研究所實驗室發氣，可使放射性同位素钚^{243}的衰變過程發生變化，其跡象，在正負兩極說裏，也可得到圓滿的解答。

　　同位素钚^{243}是一種客觀存在體，為正極物質，在它的四周，則彌漫著一圈負極物質，即光環或場，具有特異功能者以發放的外氣即負極物質，通過強烈的意念力即正極精神作用於钚^{243}的負極物質，钚^{243}的負極物質被改變後，正極物質同樣得到了改變。同理，钚^{243}的衰變過程也將發生變化。

　　由此類推，特異功能的穿牆術，與神話中的嶗山道士穿牆術；特異功能的搬運術，與濟公的搬運功，其原理則是一以貫之。

　　我們因此得出結論，從物質的可分性演衍出精神的可分性，再由此推導的「正負兩極說」的哲學命題，能將眾人感到理論困惑的特異功能作出合符實際的、行之有效的、科學的詮釋；同時，也促使我們對歷史上的神話一作新層次、新角度的理解——它是上古或古代人們對其經歷過的，後人無法理解的特異功能——事件、人物、過程、結果客觀而實在的真實描述。因而，我們的這種哲學思考，是完全能夠成立的。

四、挑戰觀：對唯心主義科學知識的破譯

　　唯心主義，是一種哲學體系，它至少有幾千年的漫長的歷史了，我們應當歷史地、客觀地、科學地評價之，我們切不可一見到唯心主義就如臨大敵，如見到洪水猛獸。歷史上，中國的王充、歐洲的費爾巴哈，曾經對之作過尖銳、深刻、無情的批判與否定，但仍未能遏止它們的繁孳、蔓延。唯心主義是作為與唯物主義對立面而存在的一種哲學思想。我們知道，唯心主義與唯物主義共處於同一個哲學範疇體，它們互相依存、互相聯結，又互相對立、互相鬥爭、由此而推動哲學的不斷發展。我們可假設，如果唯心主義一旦被消滅，那麼唯物主義便失去了依存的前提。它們是互根於哲學思辨天地，雙方祇有經過鬥爭與反鬥爭，才能求得發展。

　　過去，我們在與唯心主義的鬥爭中，偏重於鬥爭性，甚至急於求成一個早晨要把唯心主義消滅掉，乃至借用行政與權力，蕩除廟宇，趕走修道者，勒令還俗；在思想意識領域，發起圍剿，大張撻伐。可作為一種文化歷史現象，仍舊不能根除，心靈深處向佛，自發齋戒，不食肉葷，故而忽略了兩種哲學思想的同一性。

其實，同一性包蘊著鬥爭性，甚至在某種意義上說，同一性也是一種鬥爭方式。這種同一性，準確地表述，應是在矛盾的統一體中，一個事物的兩個方面，除了人爲的鬥爭的轉化外，還有一種自然的轉化，如自然轉化中，進化論就是表現的形式之一。在這個基礎上，還應補充一點，事物的兩個方面的轉化之外，還有一種方式即鬥爭式的自然轉化或者說自然式的鬥爭轉化。

我們一味地與唯心主義堡壘對堡壘的鬥爭，便非是純積極的鬥爭方式，我們應打入唯心主義的堡壘中，使之分化、瓦解、崩潰，這就是我們的挑戰觀。自從新時代自然科學的日新月異與生命科學以全新的面貌重新燃起自身的火花，一場主動打入論敵對方堡壘的戰鬥號角已經吹響。這種戰鬥，僅僅在自然科學領域打攻堅戰，仍是不夠的，還須在生命科學，在社會科學領域，尤其是社會科學的前鋒陣地的哲學領域，正面挑戰。這場戰鬥，不是刀光劍影、鮮血淋漓，而是對唯心主義思想體系中有益的基因、科學內容（荒謬中也包含著真理）予以破譯，最後使它祇剩下確實是荒謬錯誤的遺骸並使之無地立足，最後崩潰、消亡，這樣，唯物主義哲學思想完成了其光榮的歷史使命，它將昇華到一種更高層次的境地，尋到自身科學的歸宿地。

「正負兩極說」將爲這場挑戰，竭力提供一種思想武器，一種理論力量。

宗教，就是唯心主義大本營之一，神話亦爲唯心主義大本營之一，氣功與特異功能亦爲唯心主義大本營之一。神話曾與原始宗教同源，神話亦與氣功、特異功能爲同胞一母，科學發展到今天，中外眾多的經典作家對神話予以極高的評價，並從社會學、人類學、文學、藝術、宗教學、歷史學以深刻的研究與闡釋，抉擇出了多彩的科學因素，被世人讚譽與肯定，這樣，唯心主義少

了一個同盟軍。現在，我們又在探究氣功與人體特異功能，以全新的角度與理論勇氣，予以剖析，應當說，這是一次更深刻的挑戰。氣功在歷史上曾與宗教混雜在一起，尤其是人體特異功能，更是各種宗教大廈的臺柱。我們如果將之從宗教世系中成功地剝離出來，那將是對唯心主義哲學的一次更沉重的撞擊。

其實，在人類歷史上，早就揭開了挑戰的序幕，不過，那是自發的挑戰。就中國而言，就出現過王充《論衡》與範縝《神滅論》，不過，這還不是我們研究的對象。

神話，爲我們揭開了一幅迷幻的畫圖。

《山海經‧海外南經》：「三首國在其東，其爲人一身三首。」郝懿行箋云：「服常樹，其上有三頭人，伺琅玕樹，即斯類也。」而郭璞《山海經圖讚》云：「雖云一氣，呼吸異道，觀其俱見，食則皆飽，物形自周，造化非巧。」

《淮南子‧地形訓》：「凡海外有三十六國。自西南方至東南方，有……三頭民……」

三首國的一身三首、三頭人、三頭民，幾說一也。這在常人看來，不可思議，怎樣用異道呼吸一氣，爲何食則皆飽？眞是怪事。

我們承認這是神話，但決不認爲是神不是實在的人，不過其人是一位具有特異功能的氣功吐納養生大家，或是一群大族。郭璞顯然比清郝懿行說得更接近事態原貌：這是呼吸吐納氣功產生的結果：「呼吸異道」，「造化非巧」。「觀其俱見」，便就是千里眼，遙視、透視功能的物化；「食則皆飽」是成功的「辟穀」之嘗試。他們的功能功力是「物形自周」。我們再從插圖看，三首國（人）單盤腿，左手置膝蓋上。人的膝蓋是最敏感的信息接收器之一，歷史上眾多高僧、羅漢、道士，習功時，雙掌置於雙

膝蓋上。三首是入靜、入定時進入功能態的一種幻化的描摩，這種幻化，就是正負極物質的轉換與作用。在「全憑心意用功夫」時，強功力促使正極物質轉化爲負極物質。

我們如果不從這個角度研究的話，三首民之謎再過若干年或許都難破譯。因爲人種學家證實，在地球上至今仍不見有三首人（母嬰怪胎顯然不屬此列）。古代的巫師、方士們聲稱是神靈的顯示，今天，人們可能半信半疑。現在，我們立足於正負兩極說，堅持了對歷史文化現象不採取虛無主義態度，又不盲從審視之。

人們也許會說，三首人是人而不是神，是人的正極物質的再現，不足以說明神靈與神是不存在的。其實，神、神靈是人的本質力量的物化，它是人的對象物化的負極精神，它由正極精神烘托而成。爲進一步考察這一命題，我們來看西王母神話。

《山海經・西山經》：「玉山，西王母所居也。西王母其狀如人，豹尾、虎齒，而善嘯，蓬髮戴勝，是司天之屬及五殘。」

《漢書・五行志下》：「（漢哀帝建平四年）其夏、京師郡國聚會里巷阡陌，設祭，張博具歌舞祠西王母。又傳書曰：母告百姓，佩此書者不死……」

前面，在談到嫦娥奔月時，觸及到了西王母，在這裏，我們看到，西王母由一個巫醫結合的半神半人的形象，完全轉化成神的形象了。

西王母主管厲鬼及五殘，非神莫屬，其實，他是一位具有特異功能的遠古時代的大母親。他手持不死之藥，是醫的形象，司厲鬼，卻是巫的形象。在遠古，巫醫不分，醫字寫作「毉」，便可見一斑。他主司厲鬼、五殘的生死，因此，厲鬼作祟，只有她才能制伏，她管的辦法，沒用文字表述，但根據其外貌：豹尾、虎齒、善嘯、蓬髮、戴勝，其實就是「正負兩極說」羽翼下的負

極精神與負極物質二者合力的作用。他保護人們，則是以其「佩此書者不死」，就是正、負極精神的作用。《山海經‧大荒西經》：「王母之國在西荒，凡得道授書者皆往朝王母於崑崙之闕」。「得道授書者」都朝見西王母，她當有「道（非道教之道）」術，其術，就是制伏厲鬼的招數，這與《漢書》所載大致相同，可進一步相信正、負極精神力量的作用，即以其力量剋負極物質。西王母超凡的神力，便被世人認定為具有神格意義了。

在這裏，我們看到，神聖、神力，是人的本質力量對象化的結果，是正極精神通過負極精神的力量顯現出來的，因而，宗教意義上的神靈與神格是不存在的。

以上所述，就是我們從神話與人體特異功能的視角對哲學的思考，其核心是「正負兩極說」的這種觀點，它不僅可以破譯過去的神秘現象，其實，它還可以破譯現在與將來的怪異現象，諸如飛碟、百慕大三角區、魔鬼海等課題。我們有了這個學說，可以堅持唯物主義觀點，而且在特殊領域同樣可以堅持唯物主義。它與唯物主義是個別與一般，特殊與普遍的關係。

五、泛半元論與陰陽觀：運動論

世界是物質的，物質是運動的，這是宇宙間一種永恆的事象，也是一條顛撲不滅的真理。中國傳統的陰陽學說，就是一宗關於物質運動的學說。世界有太極，太極生兩儀，兩儀生四象，四象生八卦。這裡的生，是相對於息而言的，其生，就是運動，太極、兩儀、四象、八卦是生的衍化形態。

我們說，陰陽學說是一種樸素的運動變化的學說，從宏觀看，主要理論依據是古人對陰陽的一種抽象的、模糊的、大致的猜測與把握，囿於生產力的水平與人們認識世界的手段，故在當時不

可能以先進的儀器、設備予以監測，兩千多年後的今天，科學發展到一個嶄新的歷史階段，條分縷析的眾多科學，以精確的數據，完備的現代手段，似乎把各門科學推到了一個極限，但在歐美，已湧現出了「返璞歸真」的、鍾情東方古老神秘的文化現象的勢頭，綜合整體的研究，模糊邏輯思維獨領風騷。因此，我們立足於這樣的視角，重新審視中國傳統哲學，尤其是陰陽學說的運動觀，顯得有了其全新的價值與意義。

㈠半元論、一元論、二元論

半元論、一元論與二元論，都是哲學範疇的概念，但它們所觸及的對象，差異甚大。一元論與二元論，是就世界的本源作出回答，而本小節所論述的泛半元論，主要是討論物質運動變化的形態。

1.一元論與二元論

一元論與二元論，是哲學界傳統的論爭的焦點之一。哲學討論在行而上與行而下的集合體中，一元論所佔的優勢稍勝一籌。

一元論，有唯物主義的，也有唯心主義的。世界的本源是什麼？一曰：是物質，一曰：是精神。

從機械唯物論者費爾巴哈，到辯證唯物論者卡爾·馬克思，都堅持了一元論觀，認為世界的本源是物質的，物質（存在）第一，精神（意識）第二，人的意識，都是物質的反映，意識、精神的器官大腦，也是物質的，它是人類社會發展的結晶，大腦的意識，也是物質大腦的衍生物。

唯心主義者，不管是主觀的，還是客觀的，他們認為世界的本源是上帝、心靈的，不承認其他的因素為世界的本源，他們堅持了一元論，這裡的上帝，或換一個名詞，為「世界精神」或「絕對精神」，這裏的心靈，就是主觀意識、自我精神的獨立精神

之體驗。

　　這裏的一元論，非常坦誠、率直。

　　朴素（機械）唯物主義者，如古希臘的德謨克利特的原子論，赫拉克利特的世界活火論、中國的五行學說、印度斫婆伽派的四大，到中國漢朝王充、南北朝範縝、唐朝柳宗元、宋朝陳亮、明朝清朝之際的王船山、戴震等，再到歐洲的培根、洛克、費爾巴哈，基本上堅持了一元論的觀點。

　　主客觀唯心主義者，如古希臘柏拉圖、德國黑格爾、英國貝克萊、俄國馬赫、英國杜威；中國的儒道二家、漢朝董仲舒、宋朝的程朱理學、陸象山、王陽明等，都堅持了一元論。

　　一元論顯示了矛盾鬥爭的性質，各不相讓，針鋒相對，同時，推動了哲學的縱深探討，互相非難，共同發展，提高了人類認識事物的理性程度。

　　二元論，主要論點為：世界不是統一的，世界上的一切事物，不是來自一個根源，而是來自互相竝行、各自獨立存在的兩個根源，即一個為物質根源，一個為精神根源。它的主要觀點為：物質世界之外，還有一個獨立的精神力量的存在；同時，在精神世界之外，還有一個物質世界的存在；另外，它承認物質世界與精神世界是互相聯繫的，但它是怎樣聯繫的，陳述無力，同時，在分辨二者關係上，強調物質是消極被動的，而把精神力量說成唯一的具有能動性。它在宏觀整體上，傾向於客觀之物的精神世界。

　　二元論獨立於兩大陣營之間，它受到它們的非難與否定，故生存艱難，勢單力薄。

　　二元論，它置身五行中，跳出三界外，在哲學上獨樹一幟，但是，它確有不可避免的自身缺陷。世界的本源原當為一體，如視之為兩個來源，二者又互相竝行、各自獨立，恐怕有悖於事物

本來的質。物質與精神，確有著十分分明的獨立性與竝行性，但其根源上，確是同一的「物」。不看到這一點，就不能指出二元論的根本缺陷。

二元論作爲一種哲學理論與思潮，也曾在哲學界風靡一時，它是一種客觀存在，我們有必要對之重新反思、內視，對其精華不可一棍子致它於死地，對其缺陷也不可一味喝彩。今天，科學發展到二十一世紀，在生命科學大潮的激盪下，不得不對其重新審視與研究，這樣，才不會愧對人類珍貴的精神財富。

笛卡爾、休謨與康德，這些二元論大師，曾在哲學界作爲泰斗之一，深刻地影響了一代人。康德哲學的基本特徵是調和唯物主義和唯心主義，使之互相妥協，使各種對立的哲學體系結合在一起。他承認在人們之外，有一種客觀存在，有一自在之物，同時，他又認爲自在之物是不可認識的、超經驗的、彼岸的。在主觀上，他把感覺論送到唯物主義的渡船上，在客體與客體存在的方式上，他又把一隻腳踏上了唯心主義的渡船上。他的折衷、調和的哲學思想，不是裁剪術地拼湊成一種新的哲學體系，而是將之有機地揉合成一種思想、理論、哲學。

康德的可貴之處，就是看到了物質存在，與意識相對獨立同時，又看到了兩者的同一性。在同一性中，他排斥誰是誰非，誰第一、誰第二的組合程序，以爲二者齊頭並進，因而得出二元論的結論之一。他的不可知，恐怕深入一步探討有嫌不夠，我們如果一方面認爲：可知是絕對的，不可知是相對的，或者說不可知是相對的，可知是絕對的，其含義便有衍變性質了。可知是絕對的，是肯定人的認識世界的能動性，在一定的時間的條件下，在相應的歷史發展長河中，人是能動認世界的，不管是宏觀還是微觀，概莫能外。不可知又是相對的，在可知的域定範圍內，如果

人們有朝一日將世界全部、透徹認識，那麼人類的認識不就將僵化、停止不前了嗎？所以，在可知的範疇內，又要允許不可知的存在與成立，哲學命題的正題之後，就是反題。我們說，世界是不可知的，這是絕對的；世界是可知的，又是相對的，同理，如果世界可徹底認識透，人類社會將停滯了，或者說是毀滅了，或者說是昇華異變了。但人類對宇宙世界又的確是可知的，有些內容是徹底可知的。

對於二元論的認識世界的可知性，我們權且不作探討，現僅就世界起源稍作一番表述。

我們總體認為：一元論與二元論的哲學思想，都是人類認識、體驗、理解世界的一種總體思維方式，它們都有一定的科學性、合理性，但又都有不可避免的不足與缺陷。世界的本源，卻只有一個，或物質（存在），或精神（意識），但二者又的確不可分割。看不到這點，我們只能被古典理論所左右，現代理論則難以得到闡述與肯定。單一用物質與精神的辯證關係觀點處理、理解，是途徑之一，但個中某些問題，仍使今人疑惑難解。在東方的陰陽理論與現代科學正負兩極思維的撞擊下，不免使人產生一系列的思想火花。我們立足於這一點，提出半元論。作為一種思維方式與認識結果，供人們以探討。

2.從道教太極圖說半元論

道教由道家、巫術等思想發展而成，到了漢朝，大抵形成自己的規模，成為中國本土的宗教，深刻地影響了中華民族的文化。

(1)道教有一個標徵，即陰陽魚，人們稱之為太極圖。太極圖是道教哲學思想的濃縮與標誌，是其宇宙觀與方法觀的符號圖形化。他們認為：萬事萬物的存在，總是有其前提的，事物的運動，有其自身規律。這個規律是什麼？它涵蓋面非常廣，內容是十分

豐富的，難以用十分精當的文字語言表述，便冠之以「道」，即為「一」，也即「道生一」。然後是一生二，二為兩種物質，這個生，是萬物關鍵的一環，法於陰陽，陰陽互根，爾後就是二生三，這個二，就是注入了陰陽之內涵了。

我們以「二生三」作為起點，審視太極圖。太極圖：

此圖由黑白兩條魚構成，白魚中的黑點與黑魚中的白點，表示白中有黑，黑中有白，即陰中有陽，陽中有陰，它寓意負陰抱陽，負陽抱陰，孤陰不生，獨陽不長。

黑白陰陽魚相交之線為反「S」曲線，橫著看，有起有伏，宛如江河中的波浪洶湧，一浪接一浪，一高一低，它寓意事物是波浪式地前進。

如果在曲線中間再加上一個圈，或者從反面加一條相同的波浪線，波浪式前進的規律就演衍成道家玄之又玄的規律。

在陽魚尾處，開始時非常細小，然後變大，到了極限，事物向相反方向發展，變成了陰，這時陰魚尾出現了，又向前發展到陰魚頭，它一旦又到了極限，又變成陽，這個規律便是極反律，陽極陰生，陰極陽生，物極必反。

在陰陽魚中，一邊為陽魚頭，一邊為陰魚尾。陽魚由尾到頭，從小到大，大到一定程度，令陽極，陰陽魚互為因果，因為有了陽魚的頭，所以才會有陰魚的尾，反之亦然，這就是因果律。

陽魚變陰魚，陰魚變陽魚，陰陽魚反向互疊，可以互變，一陰一陽，一虛一實，一質一量，這就是質量互變律。

這樣，在太極圖中，就孕含著陰陽互根，陰陽相抱，波浪前進，玄之又玄、極反、因果與質量互變規律。

　　道家一個小小的標徽，卻有如此深奧的道理，在當時，他們的確代表了人類知識的最高層次。這道標徽，是東方華夏人的自豪，也是人類以公元紀元後的驕傲。

　　現在有些人，一看到太極圖，心中油然而生「骨董」、「宗教」的非良性念頭，殊不知，這是人類理性的高度抽象與概括。圖徽的作用，至今仍變異地使用，如國徽、黨徽等。

　　圖徽是最古老的文字！

　　老子說：「一生二，二生三，三生萬物」（《老子・四十三》，二生三，二爲實數，即陰陽。陰陽爲一個事物的兩個方面（當然，也可視爲兩個事物，此處姑且不論），它們互相以對方爲存在前提，共同處於一個統一體中，互相依存，互相對立，在一定條件下又互相轉化，其轉化過程，或鬥爭，對立轉化，或自然轉化，進化的、和平的轉化。這種轉變，克服了單一的矛盾、鬥爭的轉變，拓寬了轉變的渠道，因爲在陰陽物體中，它除了硬幫幫的鬥爭性外，還注入了萬事萬物活生生的靈性。

　　⑵半元論

　　上面，我們從前人哲學理論基礎上接觸了半元論，爾後，又從東方道家標徽探討了陰陽，我們在立足於這二者的前提下，進一步討論半元論。

　　我們認爲，世界的起源確應只有一個，同時，又認爲，世界是起源於物質，因爲人類與伴隨著人類的思維——意識也是物質（大腦）的產物，但是，人的思維（意識），萬物的靈性（這裡決非鬼神、上帝、主客觀唯心主義的殿堂，而是一種規律、法則），又確實是與物質始終伴隨的。另一方面，我們不能一味排除人的意識或萬物的靈性，意識與靈性是伴隨著人類與萬物的。我們在強調物質第一前提下，又承認精神、意識及靈性的不可分割性，

在不失之偏頗的思維框架中，我們提出半元論。

　　前面，我們曾提出了正負兩極說，主要從運動與關係角度觀察，後者主要是從存在與客觀性及其起源角度觀察，當然，兩者也非截然可分，二者有交叉的某種原始的內蘊。他們相依相存，在某種意義上說，前者在後者基礎上立論。

　　我們提出：任何物質，都是半個物體與半個精神（或者半個靈性）構成。世界是物質的，物質是第一性的，精神與靈性又的確是宇宙的源頭之一，它與物體並列構成客體世界。當然，這裡的精神與靈性，並非等同於物質對峙的意識，儘管它們有著千絲萬縷的聯繫，質的差異界定了它們的不等同性。

　　半元論可克服二元論先天的不足，但又堅持了二元論看到精神與靈性的特質；同時，半元論也避免了一元論把精神、靈性似有所貶的跡象與傾向。這裏，我們要強調的是半元論不是二元論的翻版，也不是對東方陰陽理論的生吞活剝，更無意與一元論（其中也有唯心主義）分庭抗禮。

　　人是一個物體，它是由物質與精神兩大半元質構成，成為超級生命物。

　　虎，是一種物體，它是由物質與靈性兩個半元質構成，是大自然靈性的物化之一。

　　恐龍，也是一種物質與靈性兩個半元質構成，至今的遺骸，仍具有原始的質性。

　　銀杏，亦為物質，它衍集了無數個世紀以公孫樹著稱於世。

　　竹，這種物質，由成肢節的外殼與生死過程的靈性構成。

　　含羞草，是一種物質，有遇到外來物自我護枝垂葉的靈性，且葉莖有刺的物質。

　　地球，有固、液與氣態的特質，以石質固態為主，它有運轉、

自我生存的靈性。

氣團，附著並占有一定的空間，它同樣有自己運動方式與規則。

水，在氣團域限之內，在服從萬有引力法則時，自身以晶體狀凝聚、發散。

太陽系，擁有一大家族，將七大行星規範在各自軌道上，並由氣團與塵埃衍化而成。

飛碟、外星人、細菌、原子、分子、質子、電子等，莫不是由物質（外殼）與靈性（內外層核質）構成。

在半元觀中，還有一種中介現象，在太極圖中，表現為陰陽魚的重合，它的中介，趨於零，但不等同於零，不管是切點、切線、中介永遠是存在的，它也是半元事物質與量的臨界分水嶺，忽略了這一點，我們就不能得到完整的知識態。當然，有的中介較小、有的則較大。如：在時間觀念這一事物中，昨天與明天構成永恆的時間體，昨天與明天都是半元體，而今天，則是中介點。在空間上，東南與西北的上下半元質、由此包蘊的中部，則是中介點，且它較大。

人，除了男人與女人外，還有一種非男非女的生理與心理的陰陽人，這也是中介點。

矛盾，各為一個共同統一物的半元質，它的對立、鬥爭、轉換、依存，構成一個事物運動變化的整體，且也有一個中介點，即非矛盾的自然轉化。反之，在陰陽一對事物中，兩者的變化，為和平的、非尖銳激烈的轉變，矛盾又為其中介點。

其餘，大小、長短、粗細、高低、左右、前後、正反、好壞、善惡、動靜、亂治、天地、同異、美醜、成敗、得失、虛實、強弱、生死、公私……它們在一對半元質事物中，都有一個中介質。

因此，老子的一生二，就是一個事物一旦形成、出現，就具有兩個半元質，就有一個臨界、中介點、線乃至面，這就是三，這個事物在其完整物體中，可以形成萬事萬物，故曰二生三，三生萬物。其理，在太極圖中，是表述得最充分不過的了。

3.從神話中的視肉看半元論

視肉，是一種神話動物，在《山海經》的海外南經、北經與大荒南經中累有記載，可它不見於後來經籍，令人莫解。

郭璞云：「聚肉有眼，而無腸胃，與彼馬勃，頗相髣髴，奇在不盡，食人薄味」。又云：「聚肉形如牛肝，有兩目也，食之無盡，尋復更生如故」。

這段話的意思是：視肉為聚肉（即為取肉，取之無盡，用之無竭；又為聚肉，割去一片，複聚而生焉），有兩隻眼睛，沒有腸胃等內臟器官，吃之無盡，割下一塊，馬上複生。

清郝懿行云：「《北堂書鈔》（145卷）引此，注作食之盡，今本無字衍也。《初學記》引《神異經》云：西北荒有遺追復脯焉，其味如麞，食一片復一片。疑即此也。《博物誌》云：越嶲國有牛，稍割取，牛不死，經日肉生如故。又《神異經》云：南方有獸似鹿而豕，首有牙善依人求五穀，名無損之獸，人割取其肉，不病，肉復自復。以上所說二物，義與郭近而形狀則異。郭注未見所出。又《魏志·公孫淵》傅云：襄平北市生肉，長圍各數尺，有頭目口喙，無手足而動搖。占曰：有形不成，有體無聲，其國滅亡，亦其類也。又高誘注《淮南子·墜形訓》云：視肉，其人不知言也。所說復與郭異，今所未詳。」

郝氏旁徵博引，我們可見一斑。後人著述《神異經》、《博物誌》、《魏誌》的遺酒追復脯、不死牛、無損獸，最後得出結論：「今所未詳」。郝氏的博學與求實令人生敬意，在他看來，

視肉仍是一個「不明之物」。

據郭、郝二氏的論述，此物郭氏或見過（或實物或繪圖），或聽過，他的介紹的韻文、散句都觸及到了，而到郝氏時，極盡搜括引證之能事，終莫能明。

視肉，根據以上隻言片語材料看，當是實有其物，或許是後來失傳了，或許是絕跡了，或許是走向了荒蕪之隅，無人認識而遺亡了。

我們今天應怎樣看待它？是神話子虛烏有，還是古時確有此物？

我們的回答是：古時確有此物，只是今天被人們遺忘而陌生了。不信請看——湖南《科學晚報》（1993年6月5日第二版）載：良聲摘自《瞭望》一文《不明生物體，驚動科學界》，具體內容轉述如下：

1992年8月22日，陝西省周至縣尚村鄉張寨村村民杜戰盟到臨近戶縣澇店鄉永安村北的渭河中打撈浮柴，在一米多深的河裏摸索了十多分鐘，左腳突然感覺踩到一塊肉乎乎的東西，他用力將它拖到岸邊沙灘上，定眼一看，發現原來是一堆「爛肉」。8月23日下午，杜與村裏兩青年再次來到渭河邊，只見那堆爛肉還在原處，他在兩個夥伴幫助下，把它拉回了家。他們從「爛肉」上切下一塊煮食，覺得沒什麼怪味，最後割下一塊放入油鍋炸熟了喫。當晚家人一道秤爲33.5公斤。三天後，再秤，已變成35公斤。他們把這一情況向有關部門報告。西北大學生物系教師楊興中，從西安電視臺得知後，趕到杜家，看到「爛肉」放在七十二厘米直徑的大鐵鍋中，形如海蜇，通體褐色，局部呈珊瑚孔狀，內部肌肉爲純白色，有明顯分層，手感柔輭。

大致情形如是，由此看來，生物不明體應爲視肉。理由如次：

　　⑴生物不明體經專家研究，具有原生動物的特點，而視肉，爲上古時代的動物，在時間上具有大致的同一性。

　　⑵視肉有眼，而生物不明體局部呈珊瑚狀。

　　⑶視肉形如牛肝，生物不明體如海蚌，褐黃，手感柔輭。

　　⑷視肉無腸胃，生物不明體是世界上罕見的大型粘菌複合體。

　　⑸視肉食之薄味，生物不明體被杜家人喫過，沒有什麼怪味。

　　⑹最分明、最主要的特徵爲：視肉割而複生，更生如故，奇在食之不盡。生物不明體被杜戰盟割去二塊煮、煎食三天後,生物不明體不但不死、不減輕，反而加重1.5公斤。

　　從外部特徵看，兩者是基本等同的，而內部結構、特徵又是否等同？其結論，還有待於自然科學研究者進一步探討。或許，與唐代名醫陳藏器的《本草拾遺》中的「鬼尿」等同，或許，與1973年美國德克薩斯州的達拉斯加城兩次發現的生物不明體等同，或許，就是如無損獸之類。

　　視肉，既有原生動物的特點，又有眞菌的特點，爲粘菌複合體。目前，粘菌研究在國際上還是空白，屬世界生物學領域的重大攻關課題，是活的珍稀生物，或許是進化途中菌類植物或植物衍化爲動物的孑遺和變生物種。因此，視肉在進化過程中，具有兩個半元素，一半是植菌體，一半是動物體。據美國1973年《新聞周刊》載：達拉斯加城的生物不明體一次爬上了電桿，使目擊者驚恐萬狀。

　　儘管生物不明體與視肉還有待進一步研究，但我們大抵可以說，生物不明體就是視肉。

　　另外，神話中的蛟龍，也具有半元特質，它是由鯊魚充當其模特兒，它代表華夏魂之一。鯊魚爲活的生物體，同時又具有其靈性，在神話中，靈性等同於民族魂了，這樣，鯊魚與華夏魂共

同鑄就東方獨特的龍神話。

　　此外，不死之樹，也是茶樹的形象的昇華，它孕育著茶樹與茶文化意義。茶樹，是活生生的植物，茶葉，在勝過咖啡等飲料同時，也具有滋化水分與人體內水份之功效，有令人陶情怡志，令人長壽之功效，因而茶樹與茶文化這兩個半元質，構成了不死之樹神話。

　　綜觀上述內容，我們認為：半元論是一種客觀存在的理論概述，能夠破譯奇特的神話材料與一些特異自然現象，其理論的表述，也是在十分客觀的社會、自然現象基礎上提煉而成的，並非空中樓閣。

㈡五行學說與五行之外的氣

　　五行學說的主要內容是，宇宙間萬事萬物都是由木火土金水五種物質構成，並且運動著、發展著，它們互為五物，行即變化。五行觀是古典的東方哲學理論，它與陰陽理論並駕齊驅。它們都討論了物質本源的意義，也表述了運動變化的意義，也許，在原始意義上稍有側重，陰陽更注重於微觀，五行更注重於宏觀，因而，在並駕齊驅的前提下，又互相補充，有一點可以提及的是，它們幾乎沒有對峙過。此外，我們還要論及五行之外的氣。要而言之，五行理論也如同陰陽學說一樣，是傳統哲學理論的又一個高峰。

1.五行概述

　　五行之說出自於《尚書·洪範》，司馬遷在《史記·周本紀》中認為，開始的這段話，是周初武王和箕子的對話的紀錄。我們說，司馬遷的話大抵是言之有據的。

　　五行：在人們口頭中，是為：金木水火土，在五行理論中，為木、火、土、金、水，《洪範》九疇中，稱為：一曰水、二曰

火，三曰木，四曰金，五曰土。次序不同，開始或爲金、木、水，結尾或爲土、水。《洪範》還說：「水曰潤下，火曰炎上，木曰曲直，金曰從革，土爰稼穡。潤下成咸，炎上作苦，曲直作酸，從革作辛，稼穡作甘。」可見，人們當時不僅對五種物質形態的性質作了說明概述，而且對其作用也予以說明概述。

五行理論是與當時生產力相聯繫的一種先進的理論抽象。民間的五行稱謂，以金爲首。金在商周，就主要是銅與錫的合金物，當然，自然狀態金礦石，是要經過冶煉的，也還是存在的。在古印度，在古代歐洲，他們認爲世界起源是水火空氣地等物。在《易》中，與八卦對應的天地雷火風澤水山中，沒有金，可見，中外這些理論，一則早於五行，一則也說明五行說代表了當時先進的技術與科學，在此時，當爲先進的理論與哲學思想。

五行理論，到了春秋時期，仍很流行，如《國語·鄭語》載西周末史伯之說：「以土與金木水火雜，以成百物。」宋國的子罕也說：「天生五材，民共用之，廢一不可」，管子認爲水爲萬物之源，到後來進一步衍化，與占卜、神靈、預測相結合，蒙上晦澀、神秘的氛圍。

2.五行分類特點

分類總體特點是「比類取象」，即世界上眾多事物，依據其不同性質、作用、形態，分別歸屬於木火土金水五行之中。其中如人體與之的關係，就是如此。

其表如下。

五味	五色	五紀	五氣	五方	五季	五行	五臟	五腑	五官	形體	情態	五聲
酸	青	生	風	東	春	木	肝	膽	目	筋	怒	呼
苦	赤	長	暑	南	夏	火	心	小腸	舌	脈	喜	笑
甘	黃	化	濕	中	長夏	土	脾	胃	口	肉	思	歌
辛	白	收	燥	西	秋	金	肺	大腸	鼻	皰	悲	哭
鹹	黑	藏	寒	北	冬	水	腎	膀胱	耳	骨	恐	呻

　　這裏用五行歸納事物，基本上木、火等已不是其本身，按其特點，概括出不同事物的屬性。如火具有陽熱、上炎的特性。在自然界裏，四季中以夏天為最熱，地理位置上看，南方比北方溫熱，在色澤上看，赤色近乎燃燒中的火。這裏不相同的事物和現象，都具有與火的炎熱相類似的特性或聯繫，因而都被列入「火」行之中。在人體腑臟方面，心情舒暢、主脈、心開竅於舌，情態表現為常喜悅，與之相關聯的是小腸。

　　其餘的木、土、金、水等各行的歸屬，也是同樣道理，凡具長夏變化特性的概括為土，具有清肅的概括為金，具有寒潤、下行特徵的為水。其餘，中醫、氣功等所提的五行，也是五種不同屬性的抽象與概括。

　　3.五行的相生、相剋、相乘、相侮

　　木、火、土、金、水是世界的本源，同時，它們之間，也存在一定相應的關係，其中的生剋乘侮的關係，就是主要的內容。

　　相生，是指五行之間的相互孳生、促進、助長，五者之間有相互協同的一面。

　　相剋，是指五行之間的相互制約、抑制、克服，說明事物有相互拮抗的一面。

　　相生有一定的規律性：木生火，當草木枯乾時，可以燃燒，

火生土，草木燒成灰燼後，便與泥土相伴，成為泥土的一部分，土生金，泥石（或礦石）有錫銅等金屬，金生水，金屬埋藏在大地深處，就有水源之一的地下河，水生木，草本植物，靠雨水滋潤，以生成莖、根、柄、葉、花、果等，順次孳生，循環不已。這一種規律，可看出五行中任何一行都有生我與我生的特點，生我者為母，我生者為子。如水生木，木生火，水與木，木與火就是同時在一定的條件下，既為母，又為子，互為相生。

　　相剋也同樣有一定的規律。木剋土，土剋水，水剋火，火剋金，金剋木。金屬刀斧可斫砍木質物，火的高溫可熔化金屬，水可撲滅火苗火星，土剋水，則是水來土掩，另外，如土地上不長草木，恐怕沒有腐質肥沃之土。

　　相生相剋規律圖示如下（——為相生，……→為相剋）。

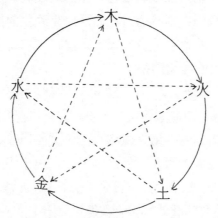

　　相剋規律，每一行具有「我剋」和「剋我」，我剋為我所勝，剋我為我所不勝。

　　從以上所述，我們看到，五行中每一行都有生我、我生，剋我、我剋的關係。相生與相剋是不可分割的兩個方面，沒有生，就沒有事物的運動和變化；沒有剋，就不能維持事物在正常協調

關係下的變化發展，因此，事物間必須生中有剋，剋中有生，相輔相成，運行不息。如木剋土，但土生金以制木，木有金制，就不會對土剋之太過；反之，土有木制，也不會對金生之太過。概而言之，自然界一切事物，是按木火土金水的相生順序，同時又以木土水火金的相剋順序，周而複始，如環無端，不斷運動而變化的。

五行生剋關係失去協調發生異常改變時，便會引起事物反常的發展和變化，出現「相乘」和「相侮」兩種生克異常的表現。

所謂相乘，是乘虛侵襲之意，即相剋太過，超過正常的制約程度，是事物間關係失卻正常協調的一種表現。如：木氣偏亢，而金又無能對木加以正常的剋制，亢盛的木便剋乘土，使土更虛。

所謂相侮，是恃強凌弱之意，相剋的反向，又稱「反剋」或「反侮」，即被剋方強於剋方，而反過來產生對剋方的抑制。如正常的金剋木，若金氣不足，或木氣偏亢，木就會反過來侮金。

4.氣與氣的理論體系

氣在五行、八卦之外，又在五行、八卦之中。古人觀察世界，是由宏觀到微觀，由直觀到體驗，也是完全符合人的認識過程的，從木火土金水，到乾坤雷火風澤水山，就體現了這一特點。五行之中，不曾論及氣，而在八卦之中，卻出現了「風」，風就是氣體的流動。八卦中的子六卦，為火（雷）、水（澤）、土（山），無金、無木，木為衍化之物，金與簡單原始工業、手工業相聯繫。八卦與五行，出現的誰先誰後，權且視為一大公案，姑且不論，我們認為：它們是我們的先祖從不同的視角研究歸納出來的兩大體系。所以，我們說，氣在五行、八卦之外，又在五行、八卦之中。

到了老子的春秋時代，氣的理論得到了闡釋。《老子》道經

（十）云：「專氣致柔，能嬰兒？」德經（四十二）云：「萬物負陰而抱陽，衝氣以爲和」就直接論及了氣。況且，全書所闡述的內容，無不與氣功吻合，後世研究氣功養生者，亦推崇爲經卷寶典。如漢代河上公從氣功角度撰有《老子河上公章句》，另有宋代董思靖撰有《道德眞經集解》等。

到了莊子，一承老子思想，撰《莊子》一書，提出養「浩然之氣」，其餘論氣之處時或有之。如《大宗師》：「伏羲氏得之，以襲氣母」，《在宥》：「愁其五藏，以爲仁義，矜其血氣，以規法度」，「今我願合六氣之精，以養群生，爲之奈何？」《達生》：「養其氣，合其德，以通乎物之所造。」等等。

《莊子》一書，由氣到了以氣養生的層次，故此書被氣功養生家視爲圭臬，道家又稱之爲《南華眞經》，就是證明。

《列子》一書，在論氣方面，一脈承襲之，如《天瑞》：「太易者，未見氣也，太初者，氣之始也。」，其餘，如《管子》、《淮南子》、《抱朴子》等，不一一列舉之。

下面，僅從哲學角度稍談談幾家。

王充（27年—100年），生活於東漢光武帝與和帝之間，漢代著名的思想家，著有《論衡》。他從自然觀方面提出唯物主義之氣的自然論，他認爲：天地之間和自然界的萬物都是由元氣自然構成的，元氣是自然原始的物質基礎。他說：「天地含氣之自然也。」（《談天篇》）又說：「天地合氣，萬物自生。猶夫婦合氣，子自生矣。」（《自然篇》）天地是包涵元氣的物質實體，萬物就是由物質性的元氣產生的。天地元氣產生萬物，是「自然」、「自生」的，在天地元氣之上，決無一個有意志的造物主。王充這種觀點，正是批判、改造了老子的天道自然無爲的思想，所以他談這些看法「雖違儒家之說」，卻合於「黃老之義」。王充的

學說，吸取了漢代天文學的成果，在蓋天說、宣夜派與渾天派之中，採取宣夜說的觀點，認為天體為元氣構成。他進一步認為，自然界的萬物由於稟受元氣的厚薄精粗不同，因而發生了種類的差別，他說萬物「因氣而生，種類相產」。（《物勢篇》）如像「能飛升之物，生有羽毛之兆。能馳走之物，生有蹄足之形」。（《道虛篇》）

　　王充批判地汲取了先秦以來的唯物主義理論，也汲取了漢代自然科學（天文、醫學等）關於氣的思想，提出了唯物主義的元氣自然論，把中國古代樸素唯物主義的發展，推向了一個較高層次。

　　柳宗元（773—819年），字子厚，河東（山西永濟）人。

　　柳宗元繼承了王充的元氣自然論的傳統，並利用了當時的自然科學成就進一步豐富之。

　　柳宗元的《天說》認為：「渾然而中處者，世謂之元氣。寒而暑者，世謂之陰陽。」他在與屈原《天問》相應的《天對》中說：「龐昧革化，惟元氣存，而何為焉？」「合焉者三，一（元氣）以統同，吁炎吹冷，交錯而功。」他認為元氣、陰陽都是自然現象，和瓜果、草木等具體事物一樣，性質相同，相異的只不過是體積與量上的差異。

　　柳宗元在對天宇、社會的「勢」等方面，還有許多唯物主義的觀點，這裡從略。

　　王安石（1021—1086年），字介甫，江西臨川人，宋哲學家、改革家、文學家。哲學上，他認為道是最高範疇：「道有體有用：體者，元氣之不動，用者，衝氣運行於天地之間。」（《老子注》）道是元氣，天也是元氣，道生萬物就是氣生萬物。所以他說：「生物者，氣也。」（《洪範傳》）

　　王安石在關於世界萬物發生發展的程序上認爲：道（元氣）分化成陰陽，又具體分化爲水火木金土，由此形成萬事萬物。「五行，天之所命萬物者也。」（《洪範傳》）

　　另外，王安石在認識論與辨證思維上，有較深的理解，此亦從略。

　　張載，字子厚，（1020—1077年）陝西西安人。

　　這位關學泰斗提出「太虛即氣」，他針對「理在氣先」的觀點，認爲元氣作爲宇宙萬物的本體，強調客觀世界的物質性，並提出「一物兩體」、「動非自外」的理論。他說：「太虛不能無氣，氣不能不聚而爲萬物，萬物不能不散而爲太虛。」（《正蒙·太和篇》）聚則爲物，散則爲太虛，他認爲即冰之釋於水一樣，因而宇宙萬物的本體只能是物質性的元氣，形態就是無形的太虛之氣。他還認爲，氣無生滅，只有聚散。

　　此外，他把氣的運動（氣化）看作有規律的過程。他還提出「一物兩體」亦有「漸化」與「著變」之別。這裡從略。

　　葉適（1150—1223年）字正則，溫州永嘉人，南宋哲學家。

　　葉適的自然觀，繼承了《周易》、《洪範》的陰陽五行說而又有新的發展，他認爲構成自然界的主要物質形態，是五行與八卦中的諸物質，同時認爲五行、八卦是氣所構成，他說：「夫天地水火雷風山澤，此八物者，氣之所役，陰陽之所分，其始爲造，其卒爲化。」（《葉適集·進卷·易》）

　　葉適肯定客觀世界的物質性，同時又認爲萬物都存在著矛盾的兩個方面，強調「耳目之官」的作用。

　　王夫之（1619—1692年）字而農，湖南衡陽人，明末清初哲學家、思想家。

　　王夫之認爲宇宙是由物質元氣構成的物質實體，他說：「陰

陽二氣充滿太虛，此處更無他物，亦無間隙，天之象，地之形，皆其所範圍也。」（《張子正蒙注‧太和篇》）所以氣無所不包，氣構成自然萬物，萬物皆有生死變化，而氣則不因之而增多或減少。物質的元氣是永恒的。他的元氣不生不滅包含了物質不滅意義。在理與氣關係上，他提出：「理在氣中」，「氣外更無虛托孤立之理」，「將理氣分爲二事，則是氣外有理」。在道與器問題上，他提出「天下惟器」，「無其器，則無其道」，並反對「懸道於器外」。

另外，他的陰陽二氣對立統一的思想，是辨證思想的重要內容。關於形、神、物的認識論，他以爲惟統一才產生知覺和認識。此外，他還提出了社會發展的「勢」等等。王夫之把哲學推向了封建時代的一個高峰。

中國哲學界、思想界，自古而然，十分注重氣的研究，諸如荀子、韓非子、劉禹錫、程顥、程頤、朱熹、陳亮、顏元、戴震、洪秀全、康有爲、譚嗣同、章炳麟，都有卓著的論述。氣在五行、八卦之外，又在五行、八卦之中，氣的理論作爲一種哲學思想，代表了中國東方哲學的一個全新的高度，它由一種實物抽繹成一種概念，因而進入邏輯抽象思維過程。氣的理論，付諸實踐，爲氣功奠定了理論基礎，也有力地推動了氣功的發展，豐富了人體生命科學，因此，它是中華民族珍貴的精神財富，是爲國粹之一。

5.從山水動物植物神話看與五行、八卦相對應的物和氣

中國眾多的神話，滲透了五行、八卦對應的物與氣的意義，其間也反映了其哲學思想。

如三株樹，有學者認爲即珊瑚樹，前後係一音之轉。郭璞注云：「三株所生，赤水之際，翹葉柏竦，美壯（狀）若彗，濯彩丹波，自相霞映。」三株樹生於水中，濯彩丹波，與珊瑚性質相

似，美若彗星，正是眾枝葉屏開之形狀，且為柏竦，果然不謬，又葉翹而不垂，正是珊瑚的寫照。

　　《山海經・海外南經》：「其為樹如有葉，皆為珠，一曰其為樹，若慧。」由於葉如珍，所以《初學記》引文作「三珠樹」，這就更明顯地道出三株樹與珊瑚外部特徵相似。如彗，就是分枝為竹，這又補充了三株樹的外形。

　　郝懿行案云：黃帝遊乎赤水之北，遺其玄珠。此段文字出自《莊子・天地篇》的補文，增加了三株樹神秘而美麗的內涵。他又引用了陶淵明詩句：「燦燦三珠樹，寄生赤水陰」這樣又多了點迷人色彩。

　　三株樹，有人稱為琅玕之類的樹。那麼，按理，它近乎不死之樹，並具有五行中的木的特質；眾人稱之為珊瑚聚成，則具有無生命質變後的土（石）的特質；生於赤水之陰，或深水之底，當然具有水的特質了。如果從八卦角度看，便與風澤水山有著天然的聯繫。

　　三株樹具有動物、植物與礦物的共性。珊蝴蟲為動物類，死後的遺物經過千百年的變異，爾後為礦物，故為珊瑚，它又有樹的形態，故與植物關聯著。

　　由此可見，先民的神話，尤其是動物神話，已開始醞釀五行的基本元素（當然也包括八卦中部分因素），它成了客觀世界的前奏曲。

　　九尾狐：《山海經・大荒東經》：「青丘之國，有狐九尾。」郭璞注云：「太平則出，而為瑞也。《山海經・海外東經》：「青丘國，在其北，其狐四足九尾，一曰朝陽北。」郭氏云：「柏杼子得一九尾狐。」郝懿行按曰：「禹行塗山，乃有白狐九尾造於禹，塗山人歌曰：『綏綏白狐，九尾龐龐。』」然則九尾狐，其

色白也。」

《大荒東經》中，郭氏稱：太平出而瑞，郝氏案云：引《白虎通》云：德至鳥獸，則九尾狐見。又引文云：文王應九尾狐而東國歸周。

郭璞讚云：「青丘奇獸，九尾之狐，有道翔（一作祥）見，出則銜書，作瑞周文，以標靈符。」

九尾狐爲一種靈異動物，它有幾個特徵：一軀四足九尾，色白，具有靈性，爲吉祥之物，被時人視爲靈符。它具有大自然元氣的「一物兩體」特點，是大自然造化的結果，是爲器、爲物、有形，又具有道的靈性，於太平盛世而爲瑞。它已是高等生命物，即氣的凝聚物。聚則實，散則虛，是物質不滅的昇華的再現。其靈性，具有氣的運動變異性，它已由萬物世界原質的元氣，發展而成有機生命體，爾後再由有機生命體異化出其靈性。

神龜：《初學記》卷三十引《禮統》：「神龜之象，上圓法天，下方法地，背上有盤法邱山，玄文交錯以成列宿，五光昭玄錦文，運轉應四時，長尺二寸，明吉凶，不言而信。《山海經·南山經》：「玄龜，其狀如龜，而鳥首、虺尾，其名曰旋龜，其音如判木。佩之不聾，可以爲底。」《說苑·辨物》：「靈龜文五色似玉，背陰向陽，上隆象天，下平法地、盤衍象山，四趾運應四時，文著二十八宿，蛇頭龍翅，左睛象日，右睛象月，千歲之化，下氣上通，能知存亡吉凶之變。」

其龜，爲華夏四靈之一，它的背、趾、頭眼、軀殼，具有金木水火土的基本元素，是爲水陸兩棲動物，也與風、澤、水、山相聯繫，它可爬行於山地，徜徉於澤國，披風沐雨，優哉游哉。是爲物性。或稱之爲靈、玄、神、旋，上隆象天，下平法地，千歲之化，下氣上通，明吉凶，不言而信。其氣通，便是氣態能量

的發散，當然，知吉凶大抵與占卜、裂紋相關了。它把五行與氣有機地組合在一起，使存在與意識（原始、低等）有機媾合。

　　概而要之，五行與氣的理論，在中國神話中得到了多重複方的印證，他們具有互爲淵源，互相充實，共同發展的特點。在這裡，我們看到神話、五行的哲學支柱性與哲學的五行、神話的昇華點。

第五章　神話與人體特異功能
的醫學思考

　　醫學，是一門伴隨人類生存的科學，生老病死，是一個說不盡、道不完的人生母題。醫學，使人健康、長壽，使人擺脫生理上的痛苦折磨的學問。神話、人體特異功能成為醫學的載體之一，反映了人們的評價、認識的程度與層次。

　　人們追求身心解放，首先是身的解放，就是由其必然王國到自然王國。特異功能是對人體構造、功能「冶煉」的結果，它可使自己健康長壽。同時，被開發出來的強大潛能，還能為他人醫病祛疾，這樣就形成了人體特功的醫學價值。有這樣醫學功能者，就被譽為「神醫」。現在，通向特功之道的氣功，一個最顯著的內容，就是可治療疾病，在氣功界，神醫累見不鮮。在神話裏，施術治病更是俯拾皆是，像遺留在民間的「跳大神」，神話中的「儺祀」等，都是祛病健身之列。生命科學，雖然範圍更寬，程度更深，理論性更強，但人的健康、長壽不能不佔一個相當大的比例。

　　在本章節中，我們著重討論與介紹簡單的中醫基礎知識、經絡、祝由與醫療的奇效。從這些內容中，我們看到，神話中間，多有記載，且早有記載，不過人們往往是以為那只是「神話」罷了。在這裏，我們將看到其真面目。

一、中醫學基礎理論撮要

中醫學是中華民族對人類醫學的貢獻，具有極濃厚的民族特徵。中醫近代史上，曾經歷過西醫嚴重的衝擊，但最終還是守住了其陣地。從1856年留學歐洲習醫的黃寬最早學成歸國，到1928年70年間，西醫以其獨特的優勢逐漸取代了中醫，所以1929年國民政府中央衛生委員會第一次會議通過廢止中醫的提案，由於中醫界的一致反對，才在1936年《國醫條例》中正式承認中醫的合法地位。到了今天，我們提倡中西結合，中醫才得到健康發展。

下面擇其要點介紹。

㈠**陰陽學說**：古人認為物質世界是在陰陽兩氣作用的推動下形成、發展、變化的，木、火、土、金、水五種物質是世界的基本元素，五者之間互生互剋，並不斷運動變化。它是天地之道，萬物之網，變化之父母，生殺之本始，神明之府邸。陽是活動、上升、溫熱、明亮等，反之於陰。應用於人體結構，部位：上為陽，下為陰；表裡：表屬陽，裡為陰；氣血：氣為陽，血為陰；臟腑：六腑為陽，五臟為陰。陰陽自身還可細分。陰中有陽，陽中有陰，陰陽之中，又有陰陽。

㈡**五行學說**：五即木火土金水，行即變化運動。它有四大規律：相生：互相孳生，相生有一定規律，是順次孳生，為母子關係。相剋：相互制約、剋服，互相拮抗，也有一定規律，木剋土，土剋水，水剋火，火剋金，金剋木。它們之間又有所勝與所不勝關係。五行生剋關係失去協調發生異變時，會引起反常的發展變化，出現「相乘」和「相侮」的表象。相乘就是乘虛侵襲，意為相剋太過。相侮，就恃悖強凌弱，又稱「反剋」或「反侮」。即被剋方強於剋方，反過來產生對剋方的抑制。

㈢**臟腑學說**：它是討論人體生理功能、病理變化及五臟六腑

與其組織器官互相的學說。五臟指：心肝脾肺腎，六腑指：膽胃大小腸膀胱三焦。五臟有生化和儲藏精氣血津液神的生理功能，氣血精津液是構成人體組織的物質，又是各器官功能的物質基礎。六腑具有受熱、腐熟水穀，轉化和排泄的功能。中醫這些名稱與西醫某些名稱相同，但含義不盡等同。

1.五臟：

⑴心：主血脈，又主神態、開竅於舌，其華在面，還主汗液。

⑵肝：主藏血，主疏泄，主筋，開竅於目，其華在爪。

⑶脾：主運化，昇清，統血，主肌肉及四肢。開竅於口，其華在唇。

⑷肺：開竅於鼻，可呼吸，主一身之氣，主髮、肅降，外合皮毛，通調水道。

⑸腎：主宰生長發育與生殖等，藏精、生髓、主骨，主納氣，主水液，開竅於耳及二陰，其華在髮。

2.六腑：

⑴膽：內藏「精汁」，爲中精之府，主決斷、勇怯。

⑵胃：爲「太倉」，爲後天之本。

⑶小腸：分清泌濁，分送各部位。

⑷大腸：排泄糟粕。

⑸膀胱：主持水液代謝器官之一。

⑹三焦：上、中、下三焦合稱。上焦是指橫膈以上部位，中焦是指橫膈膜到臍部，下焦指臍以下腹部，除此以外，人還有奇恒之腑，即腦髓骨脈膽女子胞等器官。

3.氣血精津液。

⑴氣：古人認爲世界是氣構成的，氣分爲元氣或眞氣，它是先天之精所化生，是人體生命活動的原動力。宗氣：是由

呼入的清氣與脾胃運化而來的水穀之氣合成，聚集於心。
它是推動肺的吸呼和心血運行的動力，聚集於胸。營氣：
由脾胃中的水穀精微化生，是水穀之氣較富有營養的物質。
衛氣：由水穀精氣所化生，它護衛肌表，調節體溫，溫煦
臟腑，潤澤皮毛。

(2)血：由脾胃水穀之精微化生。由心所主持，推動調節儲存
於肝，統攝於脾。它對全身組織器官起營養、滋潤作用，
它還是神態活動的物質基礎。

(3)精：它是構成人體的基本物質，並分先天、後天之精（來
源），或分生殖之精、腑臟之精（功能）。先天之精為生
殖之精，父母所賜；後天之精為維持人體的生長發育。生
命活動的臟腑之精。先後天之精互生而互養。神，先後天
二精相搏而生之神，神是意識、意念等思維活動及其原質，
是臟腑之精氣的外化。神與心關係緊緊相聯。《靈樞・本
神篇》：「隨神往來謂之魂，並精而出入謂之魄……心之
所憶謂之意，意之所存謂之志。」

(4)津液：是體內各種正常水液的總稱。津存於氣血中，液存
於骨節筋膜、顱腔內，同源於水穀所化，主要有滋潤、濡
養作用。

㈣辨證：

1.八網辨證：八網指陰陽、表裡、寒熱與虛實徵候。辨證指
通過四診（望聞問切）取得疾病素材，綜合分析。疾病類
別為陰陽，病變部位深淺為表裡，病變性質為寒熱，機體
對疾病的反應為正、邪之氣，邪氣盛為實證，正氣不足為
虛證。

2.臟腑辨證：它是結合臟腑的生理功能、病理表現，對疾病

　　徵候分析歸納，判斷病情的部位、性質、正邪盛衰的辨證
　　方法，它有肺與大腸疾病辨證、脾與胃疾病辨證、肝與膽
　　疾病辨證、腎與膀胱辨證等。
　3.氣血津液辨證：其辨證，就是分析氣血、津液各個方面的
　　病理變化，從而辨認不同的徵候。它分氣病、血病、氣血
　　同病、津液病的辨證。
㈤**經絡學說**：經絡，是經脈與絡脈的總稱，是人體運行氣血，
　　聯絡臟腑肢節，溝通上下內外，調節體內部分器官組織等
　　的通道。經脈為經絡中的主幹，呈縱行走向，主要有十二
　　經脈，奇經八脈和十二經別之類。絡脈，主要有十五別絡、
　　孫絡、浮絡。是經脈的分枝，分佈於較淺部位，縱橫交錯。
　　腧穴，是臟腑、經絡之氣輸注於體表的部位，它是針灸施
　　術部位，是意守部位，佈氣、接受外氣的部位。
　經絡的內容相當豐富，對氣功鍛練極為重要，有些內容在其
　　他章節將會觸及之，這裏只作點到為止的敘述。

二、傳統中醫與經絡

　　上述醫學理論，主要是為後面的氣功、特異功能治病的說明
作準備，尤其是特異功能的神醫，正在走西、中、神三醫合流的
康莊大道。歷史上，中醫曾與特功施治合流，由於中醫主要靠中
草藥，靠針石之類，而特功神醫在宋元以後，明顯走向明途，成
了宗教的附庸，甚至為其支柱，所以，論述中醫也是為後面的氣
功與特功神醫作理論的張本的。
　㈠**中醫閃光的歷史**
　　中醫，至少經歷了三、四千年的歲月，形成了自己獨特的理
論體系，臨床經驗與實用的效果，成為人們健康與長壽的「福神」。

　　中醫的完整體系，是在秦漢時期建立起來的，歷史上雖然有過神醫扁鵲、秦越人諸輩，更早的有黃帝、神農諸祖，但作爲有完整的理論著述、案例報告等內容，是秦漢及其以後的事。西漢最後寫定的《黃帝內經》（包括素問與靈樞），是我國最早的一部醫書。西漢時還有《難經》一書，用問難之法發明《內經》的本旨。東漢出現了《神農本草經》，這是我國第一部完整的藥物、植物分類學著作。西漢以淳于意最有名，他傳陽慶之方，治病多驗。建安時期張機、華佗是病理、醫術造詣最高者。張機字仲景，撰《傷寒雜病論》，晉王叔和編次其書，析爲《傷寒論》和《金匱要略》二種。張仲景被譽爲醫聖，其著作被視爲醫家的經典。華佗，精於方藥，對針藥不能治的病，先令人喝「麻沸湯」，使之失去知覺，施實手術。他在預防上，倡導「五禽戲」。西晉太醫令王叔和撰《脈經》、梁陶弘景撰《本草集注》等，著錄藥物七百多種。隋巢元方《諸病源候論》五十卷，爲疾病分類、診斷的巨著，隋唐孫思邈的藥物學著作《千金方》三十卷，他被譽爲藥王。唐玄宗時王燾《外臺秘要》四十卷，記錄單方6900多個，唐高宗時蘇敬受命編定《唐本草》，爲世界上由國家編定的第一部藥典，北宋編刻的《政和經史證類本草》，被以後醫藥界沿用五百年之久。宋仁宗初，醫官王惟寫成《銅人腧穴針灸圖經》，同時設計用銅鑄成人體模型，刻劃經穴，標注名稱，這是對醫學的一大貢獻。明後期醫學，以李時珍《本草綱目》五十二卷爲標誌，成爲世界一筆巨大的精神財富。清醫學朝嚴謹科學方向的發展，乾隆時官修《醫宗金鑒》對《傷寒雜病論》進行評實、考定。嘉慶、道光年間，王清任《醫林改錯》著成，他還通過對屍體的精密考察，對人體的構造提出了一些新見解。

㈡中醫深邃精湛的科學價值

中醫對內科（小兒）、外科、眼科、五官科、婦科、皮膚科都有非常科學的論述，積累了豐富的臨床經驗，可以與世界任何一門醫學科學媲美，僅舉經絡說，就足資證明。

經絡包括經脈、絡脈。經脈分為正經十二條：手三陰。手太陰肺經，循行於上肢內側前緣；手厥陰心包經，循行於上肢內側中線；手少陰心經，循行於上肢內側後緣。手三陽。手陽明大腸經，循行於上肢外側前緣；手少陽三焦經，循行於上肢外側中線；手太陽小腸經，循行於上肢外側後緣。足三陰。足太陰脾經，循行於下肢內側前緣；足厥陰肝經，循行於內側中線；足少陰腎經，循行於下肢內側後緣。足三陽。足陽明胃經，循行於下肢外側前緣；足少陽膽經，循行於下肢外側中線；足太陽膀胱經，循行於下肢外側後緣。

奇經八脈：任脈。循行於胸腹正中，上抵頦部。督脈。循行於腰背正中，上至頭面。衝脈。與足少陰腎經並行，上至目下。帶脈。起於腋下，環行腰間一圈，狀如束帶。陰蹻脈。起於足跟內側，隨足少陽腎經上行。陽蹻脈。起於足跟外側，伴足太陽膀胱經上行。陰維脈。與三陰經相聯繫，會於任脈。陽維脈。與三陽經聯繫，會於督脈。

每條經脈，分佈了許多腧穴。如手太陰肺經，要經過的腧穴有：中府穴、雲門穴、俠白穴，尺澤穴，太淵穴、魚際穴、少商穴等。

中醫學的經絡及腧穴理論，是中國醫學界對世界的一大貢獻。由於這種理論的運用與普及，曾在本世紀六、七十年代的「銀針」風靡一時。經絡是人體中看不見、摸不著的，但我們不能主觀地予以否定，「銀針」能在破舊立新的年代立足，可見其科學價值的非凡。現在，我們以之指導氣功與特功，其前景一定是輝煌的，

儘管特功還停留在科學與僞科學的概念之爭上，它將以其實踐，爲自己在科學之林爭得一席之地。氣功中，意守不同的經絡上的不同腧穴，會激發，產生不同的潛能，即人體特異功能。這是已被許多氣功大師證實了與證實著的事實。余純一《針灸指南》：「學習針灸者，必先自願練習靜坐（氣功）功夫，則人身內經脈之流行，及氣化之開闔，始有確實根據，然後循經指穴，心目洞明，否則無法可以證實。」眞乃經驗之談。

我們的先祖，其實早就懂得經絡知識。《海經》有一種神怪人爲「聶耳國」即是。《海外北經》：「聶耳之國在無腸國東，使兩文虎，爲人兩手聶其耳，縣（懸）居海水中，及水所出入奇物。」又，《大荒北經》：「有儋耳之國，任姓，禺號子，食穀。」聶耳民兩手聶（攝）其耳是幹什麼？這，就是經絡按摩。我們知道，腎開竅於耳，腎又爲先天之本，主骨、生髓，華在髮。聶爲古攝字。聶即摺，疊合。疊合是由攝的引持、牽曳意引發而來的。兩手聶其耳，就是用兩手引持、拉扯雙耳。經常引持雙耳，可以強腎健身。眾多氣功功法中，都有拉雙耳一環節（即搓雙耳、意念爲全身按摩，強腎健身）。聶耳國（人）由於常拉扯、揉搓雙耳，所以耳朵特別大，故又稱儋耳國。《淮南子》又稱之爲「耽耳」。儋即耳大而垂，儋即肩擔，古擔字。不管是耳垂還是肩挑，都是說明雙耳特大。郭璞爲《山海經》作注稱：「言耳長，行則以手聶持之也。」

因此，中醫，尤其是中醫經絡學，的確是中華民族對人類的偉大貢獻。

三、中醫與祝由

中醫與祝由有著五千餘年的歷史，它們在上古神話中都有反

映。它們分明以草本、針灸及語言從生理、心理諸方面都予以主動施診，表現了人們要駕馭、制伏病魔的決心與能力，下面就與中醫相關聯的祝由予以介紹。

(一)祝由簡史

人們在遠古時代，就對疾病採用了「祝由」的醫治方法。

《山海經‧大荒北經》：「（魃）所居不雨……（帝）後置之赤水之北……魃時亡之。所欲逐之者，令曰：『神北行！』先除水道，決通溝瀆。」

《說苑‧辨物》：「上古之爲醫者曰苗父，苗父之爲醫也，以菅爲席，以芻爲狗，北面而祝，發十言耳。諸抶而來者，舉而來者，皆平復如故。」

逐魃還不完全是祝由活動，但已是其先聲，以語言與其載體的聲音逐疫或厲鬼。苗父就完全是一位祝由大師了。

到東周秦漢之時，祝由由巫醫混雜而分道揚鑣，形成一門獨立的學科，其時，以《黃帝內經》的出現爲標誌。它以黃帝與岐伯的對話，在《賊風篇》中旗幟鮮明地提出，要有相當的醫學理論的醫家，才可操持祝由之術。

從南北朝劉宋王朝太醫令秦承祖奏准創建醫學教育機構後，隋唐宋元明及清初諸朝，祝由一直被列入我國早期學校式的中醫教育。唐朝主管醫療衛生與醫學教育的太醫署，分之爲醫、針、咒禁、按摩四科，祝由與符禁合爲一科，宋朝熙寧王安石推行新法，設醫爲十三科，把咒禁與金鏃合爲一科，元朝把宋朝中曾合九科擴展爲十三科，其中有祝由、禁科、雜醫科，此時，祝由獨列爲一科。明代符籙被取消，但仍留有祝由科。到了清朝，祝由科從順治年間起，與按摩、針灸、婦科及傷寒科逐漸被取消。到了近現代，中醫一度被西醫衝擊而受挫，爾後，中醫雖已恢復，

但祝由科則被取消了。

由此可見，祝由一直被視爲一學科傳襲下來。

㈡祝由的神話反映

神話中，反映祝由治病驅鬼的文字記載不少，我們僅舉幾例，以便加深對祝由的思考。

《太平御覽》卷八八一引《龍魚河圖》：「東方太山神君，姓圓名常龍，……呼之令人不病。」

《博物誌》卷一《地》：「泰山，一曰天孫，言爲天帝孫也。主召人魂魄。東方萬物始成，知人生命之長短。」

《後漢書・禮儀志》：「先臘一日，曰大儺，謂之逐疫，……中黃門倡，佽子和曰：『……窮奇騰根共食蠱，凡使十二神追惡兇，赫女軀，拉女幹，節解女肉，抽女肺腸，女不急去，後者爲糧。』」

杜佑《通典》：「蚩尤氏帥魑魅與黃帝戰於涿鹿，帝命吹角作龍吟以御之。」

這裡黃帝命吹角作龍吟聲，還不是祝由，但與祝由有某些近似的特徵。但泰山神與祝由更相近了，可主令人不病，主召人魂魄，但也還不是祝由，因爲人尙未出場。而大儺逐疫的唱和之詞，就是一種大型的祝由活動了。

《韓昌黎集》卷二《譴虐鬼》：「醫師加百毒，熏灌無停機。灸師施艾炷，酷若獵火圍。詛師毒口牙、舌作霹靂飛。符師弄刀筆，丹墨交橫輝。」

其中的詛師，則是典型的祝由大師。

以上這些祝由術，或是呈原始態，或是呈變態。他們與巫事緊緊相聯。唐宋以後，巫風漸淡，醫風漸濃。金人張子和《儒門事親・卷三》云：「息城司候，聞父死於賊，乃大悲哭之，便覺

心痛，日增不已，月餘成塊，狀若覆杯，大痛不住，藥皆無功，議用燔針炷艾，病人惡之，乃求於戴人。戴人至，適巫者在其旁，乃學巫者，雜以狂言以謔，病者至是大笑不忍，回，面向壁，一二日，心下結塊皆散。」這樣祝由之術與原始宗教、巫術漸乎脫鈎，並走上了正道。

㈢祝由的療效原理

療效原理，總則爲：正負兩極說。醫學基礎爲生理、心理原則。

祝由術也是一種特異功能，它與符禁術一樣，不過，這裡只討論祝由術。

被施術者爲正極物質，他的正極物質的病變或病灶，向外發射一種負極物質（或稱病理生物場），施術者施以良性意念與語言，這，就是正極精神。正極精神剋負極物質，或衝撞，或誅殺。正極精神依賴於其物質載體——語言，它伴隨著宗氣、元氣，在一種帶有物理意義的力的意念，直撲負極物質。負極物質以氣與場的形態存在，附著於正極物質，邪不敵「正」，兩氣相撞，其病便癒。其法，主要醫治心因疾病稱。早在公元前400多年，希臘醫學家希波克拉底就曾說過：「醫生有兩件東西能治病，一是語言，一是藥物。」由此看來，這還是一個世界話題。難怪明人張介賓在《類經》十二卷《淪治類》中說：「使祝由家能因岐伯之言而推廣其妙，則功無不奏、術無不神，無怪其列入十三科之一，又豈近代惑世誣民者流所可同日語哉。」當然，這種祝由，在古代是要知識與修養很深的人才能操持之，在今天，則是要由具有相當功力，悟性頗強者才能實施之，否則，人人爲祝由師，人人將成爲失敗者。

當然，這種正極精神發射源不是在施術者，如果被施術者的

正極精神處於一種對抗、不信賴的狀態，它的療效必然要受到影響，這就要求甲乙兩生命原質的協調，同頻共振，這也就是今天通行的心理療法。它綜合人的生理、心理、社會因素，以語言爲手段，運用情態制勝的原則，緊扣以言語引起的「萬能的條件反射」，通過祝述病由，實施說理、思緒轉移、暗示等手法，使人的心理恢復平衡。

在這裏，我們看到，施術者的正極精神與被施術者負極物質的碰撞，加上心理療法的被施術者的正極精神的被調整、理順，其療效就能表現出來。

祝就是告，意同咒；由是病之所從出。禱告，祝由就是複雜型的簡單治病術，它有一個前提：心誠則靈。

祝由術並非是萬靈術，它有其長，也有其短，如果是什麼病都可以治好，那還要什麼西、中醫？在醫療臨床史上，曾確有些病是中、西束手無策的，這時，祝由便大顯身手了。在古代，被視爲持有巫術（包括祝由）的巫治病時，還要輔以草藥，其醫是爲「毉」。《山海經·海內西經》：「開明東，有巫彭、巫抵、巫陽、巫履、巫凡、巫相……皆操不死之藥以距之。」故爲醫巫不分。在今天，仍是中西醫幾乎是束手無策的頑疾「癌症」，在不少的人參加氣功學習班後，就不翼而飛了。今日不稱人們不習慣的祝由，而或叫之爲六字訣：呵、呬、呼、唏、噓、吹。或叫六字大明神咒：唵、嘛、呢、吧、咪、吽等。

因此，祝由等內容構架的神醫（在民間頗爲流行）可與西醫、中醫成鼎足之勢，各自發揮其優勢，共同造福芸芸眾生。

四、醫療的奇效

具有人體特功的大師，被人們稱之爲妙手回春，一般病可治，

尤其是疑難雜症也可治。當然，這已不是如前所叙的祝由術了。醫療效果，是人們有目共睹的，全國衆多報刊，諸如《氣功》、《中國氣功科學》、《世界氣功名家》等，都曾予以披露與介紹，甚至政府報刊、廣播、電視都予以報導，同時，全國各地的各家功法的學習班如雨後春筍，或是長期臥床的癱瘓者，或是聾啞人，都熱淚盈眶跪下感謝。

(一)醫療的範圍

　　一般說，其範圍較廣，特殊地觀之，也是不窄狹。不管是少林醫療氣功，振動養生益智功，中國陰陽功，中國天鐘功，中華養生益智功，臨濟氣功，元極功，萬匯歸一功，坤勁內養功等，還是什麼其他功法，都大抵是大同小異，其範圍如次。

　　1.內科方面：

　　(1)呼吸系統：氣管炎，肺病，胸膜炎等。

　　(2)消化系統：慢性淺表性胃炎，胃、十二指腸潰瘍，慢性胃炎，肝炎，肝硬化，膽結石，慢性闌尾炎，腸結核，膽囊炎。

　　(3)神經系統：美尼爾氏綜合症，偏頭痛，腦溢血後遺症，腦血栓性偏癱，半身麻木。

　　(4)循環系統：高血壓，低血壓，心動過速，心動過慢，動脈硬化，半身不遂。

　　(5)內分泌系統：淋巴結炎，甲亢，糖尿病，甲狀腺瘤。

　　(6)泌尿系統：腎小球腎炎，腎盂腎炎，膀胱炎。

　　(7)結締組織疾病：類風濕關節炎，風濕性關節炎。

　　2.外科方面：

　　(1)骨外科：頸椎病，椎脊彎曲，腰椎骨質增生，外傷性脊骨綜合症，腰椎間盤脫出，雙膝關節炎、頸椎骨質增生，

膝關節骨質增生，肩胛骨裂紋骨折。

　　(2)普通外科：足外傷後遺症，腰肌勞損，肩周炎，網球肘，
　　　腱鞘囊腫，臀部腫物，腰扭傷。

3.**五官科方面**：老年白內障，青光眼，遠視，散光，近視，
　弱視，過敏性結膜，乾燥綜合症，復視，外傷性白內障，
　咽炎，喉炎，口腔潰瘍，扁桃體炎，過敏性鼻炎，耳聾等。

4.**婦科方面**：痛經，產後風，月經失調，子宮肌瘤，乳腺增
　生症。

5.**皮膚科方面**：白殿風，雀斑，蕁痲疹。

6.**其他方面**：

　　(1)侏儒病：這是一種無藥可治的病，帶有先天性、遺傳性
　　　的特點，但如果是後天的疾病、營養、生存環境導致的，
　　　氣功則可一試鋒芒。

　　(2)癌症：它是一種氣化物，醫療辦法，就是使氣化物還原。
　　　郭林氣功被譽為癌症剋星，很多患者從這裡獲得新生。

　　(3)驚嚇：小孩受到本身不能承受的驚嚇，輕則夜不安寢，
　　　重則魂飛魄散，乃至死亡。氣功與帶有特殊意義的信息
　　　可治之。其實，此法在民間早有流傳，不過那大抵是屬
　　　禁符範圍。如時或在電桿、牆上貼著：「天皇皇，地皇
　　　皇，我家有個夜哭郎，過路君子念一念，一晚睡到大天
　　　光。」當然，這只是一種最簡單的原始收驚術。小孩大
　　　抵入睡，神魂精魂在體外游蕩。這種精魄神魂，就是一
　　　種物質，即負極物質，戶外行人無意的念與觀看，形成
　　　一種信息合力，驅使他不再亂飄泊，晚上父母的召喚：
　　　「××——，回來！」，白天與黑夜，陰與陽，有意與
　　　無意，個人與群體，綜合成一個力量，將孩子的驚嚇平

息。如果此招不靈，招魂術便要升級了，或請巫師，或
請神靈，但其原理大抵相同。

(4)還有些怪病、邪病，亦可治之。

以上這些，足資說明特功治病的範圍與效果。它之所以稱奇，
是因為中、西醫能治的病，它可以治，有些中、西醫不能治的病，
它也能治好，當然也有中、西醫能治好的病，它也治不好，這樣，
此三者形成互補與三足鼎立的格局。

五、奇效舉例

中國氣功，有文字記載的，有數千家，現已出山的，不到1
％。但就已出山的各家各類各門派的功理、功法看，凡被人們視
為大家的氣功，大都有神奇的醫學效應，令許多患者折腰。這些
氣功有：萬滙歸一功、中國蓮花功、鶴翔莊功、香功、元極功、
中華養生益智功、智能動功、凡騰功、中國快速開智記憶功、明
目功、少林醫學功、少林眞傳護體功、中國陰陽功、少林金剛禪
功、空勁功、金剛內丹功、中國天鐘功、郭林功、中國峨嵋臨濟
功、振動養生益智功等等。還有很多著名的氣功大方之家與流派
沒有提及，這只是代表性地滄海一粟。這部份，我們僅舉幾例大、
小不等氣功，敘說其奇效。

(一)嚴新功

有一個煤氣中毒的患者，醫院開出死亡證明書已經整整六十
八小時。在搶救這個患者時，施術者發現了他仍有人體的光。經
發強功，心臟被啓動了，肺葉也被啓動了，且人體亮度微微增強。
第二天，呼吸每分鐘達到十六次，心臟跳動每分鐘達到五十到六
十次，最後達到七十次，基本正常了。可是，就在將全部要正常
之際，患者出現了內出血，最後死於內出血。其患者雖然死去，

但在兩天內出現了起死回生的奇效，有了這一點，足以使氣功界
榮耀不已。

　　北京手扶拖拉機廠的一位副廠長，1982年右腳髖骨骨折，
骨折處大面積壞死，醫師照片後，斷言手術後不能恢復正常。不
久，給他施術，打來一盆水，放些鹽，讓他洗腳、腿。平時他只
能坐十來分鐘，這次一坐，竟是三個小時，當他知道坐了這麼久
後，自己竟不敢相信驚訝許久。叫他起來走路，立即走了半個小
時。第二天就去上班，至今都沒有復發。

㈡張宏堡功

　　原湖南軍區司令員楊大易，十四歲從軍，戎馬生涯半個世紀。
他七十四歲時，因嚴重的糖尿病、腎病住院，突然右肢偏癱，神
志不清，混合性失語，大小便失禁，輾轉於幾家大醫院，用理療、
針灸、按摩、點穴等方法，不見大起色，在當年老戰友原廣州軍
區政委夫人李梓的介紹下，來到白雲山氣功基地，兩次治療後，
竟能獨立行走五百餘米，全家人驚喜異常，他離別時，爲之題贈
「人類醫學新紀元」。

　　廣西第四十一集團軍軍長郭慶，自1985年右腿膝關節患上
骨髓瘤之後，病情急劇惡化，從積水化膿到無法行走，不能動彈，
上級首長指派到北京301醫院診治，另外，他還四處求醫，不見
好轉，各大醫院會診的結論爲：化膿性骨髓瘤，只能保守療法。
經人介紹，結識了中功弟子劉盛雲，劉氏一發功，他骨節就咚咚
作響，霎時，郭軍長站起來自己獨立行走。五年來，他最多扶物
稍站，軍長夫人，早已熱淚盈眶。不久，又進行了兩次治療，他
完全恢復正常。他向社會各界宣稱：我的後半生將作一名忠實的
特醫衛士。

　　新加坡龍泉寺的現任主持釋廣平大法師，近年來，患了糖尿

病，下肢踝關節骨質增生，不能正常直立行走，四方求醫無明顯效果，他於1990年9月專程前往西安麒麟大廈，由孫錫平主治，孫氏一發功，他奇蹟地從輪椅上站起來，竟當時邁出大廈。他當時激動不已，兩天後，在離別時，他揮毫寫道：「神妙奇功、濟心為懷；善緣廣結，利益群生。」

　㈢郭林功

郭林功以治癌等病稱著。

《氣功》（1994.5）陳家蓮、吳根富《49例癌症患者練功前後血清甲狀腺素變化的觀察》一文，介紹了以郭林氣功治癌的醫療報告：從1991年底到93年初，收住結腸癌、胃癌、肺癌、肝癌等49位患者，平均年齡45歲，指導患者練功，每天早晨在室外練2—3小時，以補瀉方法，大量吸收氧氣，採用松靜站立等方法，站立要求採用三個氣呼吸法，採用三個中丹田開合，採用自然行功姿勢進行練功，其結果，見下表：

	T_3 ng/ml	T_4 ng/dl	rT_3 ng/dl
練功前	0.83±3.4	9.6±2.4	82.6±48.7
練功後	12.6±4.3	13.1±2.6	83.2±47.8
P值	< 0.01	< 0.01	> 0.05

觀察表明：練功後癌症病人血清中甲狀腺較練功前有一定的增高。T_3、T_4值愈低，死亡率愈高，其餘，P值小於0.01，rT_3無統計學意義。

這真是科學上的奇蹟，T_3、T_4值可通過氣功而改變並增加。這種奇蹟，已不是意會與想像，而是科學的數值的顯現，它已不屬於個別偶然現象與單一的信不信的範疇了。

㈣金剛內丹功

《氣功》（1994.7）蕭志才撰文《金剛內丹功治療肝膽結石》稱：他從1987年起患肝、膽結石症，病情反覆發作，多方治療未能根治，痛苦不已，他向上海一位老法師學金剛內丹功，練功五十天。開始吃肥肉、油煎蛋，吃後無明顯不適，爾後到醫院進行B超檢查，肝、膽結石竟然全部消失。

㈤鶴翔莊功

患者齊婧，女，當時5歲，住北京西便門鐵四區49棟17號。她為先天性腦癱（中醫研究院確診），大腦反應遲鈍，弱智，頭部歪斜，全身動作不協調，眼睛斜視，眼球不能隨意轉動，左手大拇指靠向手心伸不開，腳跟不能著地，左足內翻45°，乏力，跟腱短僵硬，膝蓋打彎不靈活，為七個半月早產兒，生下時體重為4.5斤。治療方法：全身主要穴位點穴按摩，足部為主，大椎、合會、承山、解溪、崑崙等，多下功夫，同時向百會發放外氣，並配以功能鍛鍊。經四次治療後，左手大拇指能伸開，握力有些勁了，眼球靈活些了。一個療程後，腳跟能著地，膝蓋打彎自如些了，走路有點勁，斜視好多了，並能合眼了。兩個療程後，脖子明顯直立起來了，腦反應比以前靈敏多了，手臂能上下左右伸直，同正常的手一樣，右腳跟擺正走路（需大人提醒），後又鞏固了一個療程，加強勁能鍛鍊後，能不要大人帶領，自由上四層樓梯，兩個月後，其母反映，仍以氣功治療，孩子變化很大，智力增強，不像以前那樣發呆了，變得聰明活潑，健康多了。

（于冒瓊，女，58歲，原在中國雜技藝術團工作，搞鋼琴專業，現退休。83年學功，為人治病，齊婧為治療之一例。）

由海軍總醫院副院長馮理達，組織青海省醫務界七十多人，在北京西三旗舉辦氣功學習班，邀請宮照慶、張克棟、羅平等負

責教功。學員李××，男，25歲左右，出現特異功能反應，到處採藥吃，好似像「失控」、「出編」。青海省負責學習班的領導不理解說：「從醫學角度看這是精神病。」宮老師向他們解釋說這是氣功態，是要出特異功能的前奏。當天下午，宮老師到他房間，坐在他對面床頭，盤坐合十進入氣功態，問他：「李××，這種狀態需要多少天？」「90天。」「太長了，要減少。」他待了一會說：「減少一天吧！」「不行！往下減──減──減。」從90天慢慢減到9天。「好！就是9天。」宮老師收功了。然後告訴羅平：早上和他一起能練動功就練動功。晚上，宮老師帶他練靜功，到了第九天，全部恢復了正常，並出現了一定的特異功能，不管是什麼藥，用鼻子一嗅，就知道走什麼經，走什麼臟腑，治什麼病等。

趙東祥，男，66歲，現已離休，是年5月開始左眼流淚、眼睛腫脹、眼球突出。5月25日到中日醫院，經CT掃描，確診為「左上頜竇左眼眶內惡性腫瘤」。醫師建議先放射治療，再考慮切除手術。6月初，又到龍潭腫瘤醫院複查，經屠規益副院長（腫瘤專家）診斷，仍主張放射後手術。他不同意手術，決定保守治療。 6月30日又到中日醫院腫瘤科，請張代劍教授治療，他搖了搖頭，說：「晚了。」只建議他去練氣功試試。後來，趙東祥到了地壇開始習練氣功。半個月，即7月15日，到中日醫院檢查，張主任高興地說：病情好多了，血小板由4萬多到19萬。7月25日，病情日見好轉。又經過兩個月的鍛鍊，眼睛明顯好轉，保住了左眼視力，多年的腦病也好了，其他毛病也消除了。

穆祥俊，女，52歲，已退休，有多種疾病。貧血，血色素5.9克；血壓低，99/50；肝大3.5指。肝功能：CPT280，TTT6，澳抗陽性；腰椎4─ 5節間盤脫出。頸椎5─7節間隙狹窄，壓迫

上肢神經及動脈，右半部神經性頭疼，多發性風濕性關節炎，植物神經功能紊亂，面部呈黑色塊斑。曾多年在天壇、人民，北大醫院就醫。但各種病無明顯好轉。她1983年參加西直門鶴翔莊輔導站的學習，十天就出現自發動功，動作頻率快，幅度大，隨後早晚堅持練習，一個半月後，病見好轉，三個月後，肝病痊癒，從1985年至今未去過醫院，其他病都已自癒了。

她不但刻苦練功，還幫助他人練功，並為他人治好了一些疑難病。

㈥田瑞生功

咸陽鐵道基建幹部學院附小教師呂桂如，1990年9月寫信說：在今年八月中旬，我家小貓害了眼病，用藥治眼不見好轉，到8月26日，牠的眼睛睜不開了，不動也不玩。當時，我翻開眼皮一看，牠的眼球不見了，只見深藍色的眼肉。我忽然靈機一動，到高大夫家要了碗信息水，回來給小貓沖洗了幾遍，三個小時後，貓的眼球重新顯出來了，並能睜眼看東西了，並獨自玩了起來。香功信息水不僅能為人治病，而且還能為動物治病。

山東曹縣曹效全來信說：曹縣師範附小83年級學生王立，現年12歲。剛生下，全身便呈霎綠色，像魚鱗塊狀。經全國十幾家大醫院精心診斷、治療，毫無效果。醫師稱之為先天性魚鱗甲頑固症。1991年6月，王立在大人帶領下學習香功，除每天做兩次功外，每晚還接受田老師的信息水，既喝又洗，僅一個月時間就發生了巨變，最後徹底痊癒。

朱榮海，男，現年57歲，西安市藥材公司灞橋中藥零售門市部營業員。1951年復員到地方以後身患27種病症：胃脹、胃疼、鼻炎、神經衰弱、慢性腸炎、慢性闌尾炎、貧血頭暈眼冒金花、肝大、扁桃體炎、肩周炎、坐骨神經疼、夜做噩夢、左肩稍骨增

生、牙周炎、脫髮、脫齒、頸椎增生、頸椎肌肉鈣化、頸椎移45°、膝關節炎、牙質過敏、慢性氣管炎、長年四季感冒、腦供血不足頭暈、頭疼、腰肌勞損、血壓低、右手背腱床囊腫、腰部皮膚紫色癌斑點等急慢性病症。一年四季天天三次服中西藥，針灸、打針、住院等，從未間斷。

　　1990年8月10日開始學練香功，9月13日在西安供電局燈光球場聽田瑞生老師的帶功報告，感到手腳腿麻脹，接著在會場不停地放屁。91年 5月15日，正式參加西安供電局智悟氣功研究會舉辦的香功初級功法學習班，接受田老師的親傳，通過這次學習班，許多病都好了。最後都根除了。去年冬天，整冬沒戴帽子，沒用圍巾，氣管炎沒犯過一次。過去夏天睡覺得蓋被子，今年整個夏天睡覺不用蓋被子。練功一年多來，一片藥都沒吃過。

　　在他的傳授下，灞橋地區有二千多人學習香功了。

第六章　神話與人體特異功能
　　　　的美學思考

　　文藝作品創作方法，大致有兩種走向，一則是對寫人敍事繪
景抒情的客體作如實地再現，一則是冥思怪想。冥思怪想又有兩
個枝丫，一則爲怪想，就是展開想像的翅膀，注入浪漫主義的情
調，一則是冥思。這種冥思，就是一種功能態，它尤其反映在詩
詞曲賦與書法、繪畫中間，特別明顯。這種冥思，既不是邏輯思
維，也不是形象思維，也不是柏拉圖所說的直覺，而是一種由放
鬆後入靜入定產生的感覺，即本我思維，如兒童畫與兒童詩，就
具有這種跡象與特徵。這就是我們美學思考的起點。

一、本我態思維

　　本我態思維是一個新名詞術語，爲了說清一種新的美學思考
的觀點，先要對它進行定義的界說，使之分清與其他思維的異同
性。

㈠心理與心態的出發點之一：本我

　　心理與心態是論述本我思維的前提。我們立足於奧地利弗洛
依德的心理學理論，結合特異功能在美學上的特徵，進行闡述。
　　西格蒙德・弗洛依德是奧地利著名的心理學家，精神分析的
奠基者。他於1856年生於摩拉維亞，大部分時間是在維也納度
過的。1881年獲得醫學博士學位，他的第一部著作是與人合作
而成：《歇斯底里現象的心理機制》，以後發表了《夢的解釋》、

《性慾理論三講》，1906年與人合作，創立了國際精神分析協會。弗洛依德立足性的研究，認為心理現象源於性的理論。以後，還有《圖騰與禁忌》、《精神分析導論》、《超越快樂原則》等。

　　我們站在東方民族獨有文化背景的基點上，對他的性理論為心理之源說，暫持不討論態度，但我們以為，他對人的心理的三個層次的分析，即超我、自我、本我，獨闢蹊徑，卓著慧眼，剖析、理解、悟覺非同尋常，十分深刻。

　　弗洛依德的基本理論是關於人的心理深層結構的理論，是關於人的個性的理論，其中，首先是關於無意識理論。他的人的個性由三個系統組成，即本我、自我與超我。他認為：本我機能是外部或內部刺激的作用下，直接釋放心理能量與降低緊張，並獲得快樂滿足。人的存在，離不開與環境的作用。這種作用使個性的第二個系統，即自我，從本我中分化出來並得到發展。自我具有自我存在本能，它服從於現實原則。個性的第三個系統是超我。超我包括自我理想與良心等，它們為自我確立了好與壞的標準。一個社會的理想和傳統價值觀，就是通過超我傳遞給後代的。形成三個個性系統的能量稱為心理能量，即利比多。自我與超我沒有自己的能源，他們通過認同作用，從本我中本能的對象選擇吸收能量。他的理論是關於無意識的理論。

　　弗洛依德認為：無意識有兩種，一種是潛伏的，一種是被壓抑的。意識層次為：意識、前意識和無意識。相對而言，本我主要是指無意識，當然包括潛伏的與被壓抑的，自我是指意識，本我與自我都範屬於前意識。超我，則是擺脫了意識，它具有社會性的廣泛含義。

　　本我中的潛意識與被壓抑意識，是人的性的本源，潛意識是一種朦朧態，被壓抑意識是一種顯態，它們都是非常珍貴的，也

是一種最忠實、最原本的心理能量。

我們說的特異功能的功能態，尋找的就是這種心理機制。

能較完全釋放這種心態，一則是夢幻中，一則是酒後，一則是輔助手段的催眠（如藥物器械等），一則就是放鬆、入定、入靜（即混混沌沌，道在其中矣）。前三種爲客觀輔助手段，後一種爲主觀自我諧控手段。

以上這些，就是我們探討出發點，即其美學理論機制。

㈡心理、心態的出發點之二：入靜、入定

入靜、入定是習練氣功關鍵一環，尤其是入定，更是要經過有方的訓練。有的氣功門派，爲了使松果體顯現線條、斑紋、圖像、色彩與立體物象，把被訓者關在漆黑的空間，強化訓練之。這種圖像物或圖像類，不是邏輯、形象、直覺等思維產生的，而是通過透視、遙視、預測、追憶而形成的。

這個訓練的強化過程，就是壓抑淺表意識，開發深層意識。這種深層意識，有一部分是從來沒有迸發、萌生過的，帶有人體本能的特質，這種意識，大抵爲人獸同源的本性，曰生存意識，或曰超越意識。有一部分是曾孳生過的、萌發過的意識，但它與社會倫理、道德、規範相抵捂，故被壓抑下去了。這種壓抑，來自兩個途徑，一則是群體社會性不允許使之萌發、孳生，一則是要在其社會生存，要適應其社會，就必須自我戕殺、腰折，強制性的壓抑。這種意識，有衣食男女、兇殘、善良、唯利是圖、大公無私等，其線條色彩都是現實的折射與曲扭。

㈢與其他幾種思維的比較

本我態思維，既然是一種思維，那麼，它就具有思維的特徵、意義與內涵。爲了弄清其實質，我們先看其他幾種思維特點。

邏輯思維，它是以邏輯推理爲前提的一種人的思維形式。邏

輯，一般分爲形式邏輯與辨證邏輯。邏輯的內容，大致包括概念、判斷、推理，它們的內涵與外延都有一定的要求，判斷或是選言，或是或言；推理或是演繹，或是歸納。另外，它們還要遵守許多規律，如同一律、矛盾律、排中律等。

　　形象思維，它是以形象性爲前提的一種思維，它是一種意會地把握的藝術思維。它通過感性認識到理性認識，達到對事物本質的認識與把握，它不脫離具體事物。人們根據觀察體驗分析研究後，通過想像、聯想和幻想，伴著強烈感情色彩，運用集中概括方法，塑造完整而有意義的形象與境地。

　　直覺，就是不憑藉概念、判斷、推理，也不憑藉想像、聯想、幻想，而是息息相通，看一眼，想出一個念頭，就能把握對象的形與質，簡言之，就是整體朦朧地把握得到一種具體而實在的認識。

　　本我態思維，則是一種透視、遙視、預測的直觀與把握，憑藉第七感官，把握事物的一種思維，同時，也絕不是一種幻覺，因爲幻覺不具有絕對的眞實性，而本我態的思維則具有眞實性。同時，它又是一種思維，如預測、追憶，就是蘊含著某種程度的判斷、推斷等。

　　所以，本我態的思維，不同於其他幾種思維，它也不是極少數人才有的，而是通過訓導，可使部分具有特異功能的人所擁有。

　　本我態思維，不是本我思維加功能態思維，而是一種有機的融合。首先，它不是本我思維。因爲本我思維是一種非自覺的能動的感象與思維；其次，也不是一種功能態的思維，因爲功能態的思維是一種純後天的排除先天心理的生理機制的追求，我們把先、後天共同構成的思維狀況稱之爲本我功能態思維，簡稱之爲本我態思維。

　　本我態思維是一種負極精神。首先，它依賴於客體存在，但又不完全依賴它，它具有抽象性、經驗性。其次，它能被認識，但又不能完全被人認識。具有特異功能者可認識之，但是，由於生理構造的差異，部分人對氣的敏感、感受程度不一，如有的人是氣感遲鈍型與不敏感型的，或者是理性程度強，抽象思維強，精神壓抑大，超我、自我幾乎永遠不能戰勝、取代本我者，不能進入放鬆的靜態、定態者，即算是酒醉態，夢幻中有片段、支離破碎的感覺，但因不能進入自覺的體驗與認識，故斥之為胡說、瞎想。又次，它不是處於絕對變化，而是相對變化的，作為一種思維方式，它具有恒定性與相應的不變性、規律性。又次，它不能被人任意宣佈有與無，它不像意念一樣，任人牽制可消滅、可存在，它的存在的客觀性，是不能人為地取消、消滅。

　　本我態思維是負極物質的直接產物，它具有獨特性，它的過渡質為正極精神，歸根究柢，它是正極物質的產物。其中介環節決不可缺少，不然，我們將陷入形而上學的泥淖之中。

二、本我態與文藝

　　本我態在文學藝術作品中，在文藝作品的創作過程中，時或有之。但由於文藝美學思想漸西而東的歷史短暫，中國衆多的文藝作者使用了或參與了其思維方式，但並無理性地將其剔除並歸納出來。今天，我們將其指點，並予以評介，應明瞭這決非是牽強附會，更非是「郎拉配」，而是使之「返璞歸眞」，再現原貌。

㈠本我態與詩歌

　　這裡所說的詩歌，既是一種廣義的詩歌，又是一種狹義的詩歌。廣義的詩歌，主要是指詩詞歌賦、曲劇銘誄等韻文或泛韻文；狹義的詩歌，專指詩詞歌賦。中華民族的文學，幾千年來，形成

了一種具有獨特的審美價值的內容與形式，而無數的文學家，他們大抵那些成功、傳世之傑作，是處於一種功能態思維定勢下完成的，如屈原的楚辭、郭璞的詩、李白的詩、蘇軾的詩詞、司馬相如的漢賦、關漢卿的劇、曲，就是。另外，我們附帶帶一筆，東方朔、王嘉、郭憲、紀筠及吳承恩、蒲松齡等人誌怪、神話小說，大抵亦爲這個範疇。

1.屈原與楚辭

屈原（前335？—前296？），名平，爲與楚國同姓。早年因學問淵博和長於辭令而得到楚懷王信任，官左徒，後因貴族政治集團讒毀被疏遠，後又一度被起用，曾任三閭大夫，爾後，又被貴族政治集團迫害流放鄂渚、溆浦等地，最後投汨羅江，以身殉理想。

屈原的作品，據《漢書·藝文誌》稱爲二十五篇，具體篇目，據王逸《楚辭章句》所述，爲《離騷》、《九歌》（十一篇）、《天問》、《九章》（九篇）、《遠游》、《卜居》、《漁父》。其實，我們贊成把《招魂》視爲屈原的作品，所以總數爲二十六篇。

楚辭是戰國時代以屈原爲代表的楚人創作的詩歌，是一種新詩體。「楚辭」一詞，爲漢成帝時，劉向整理古籍，把屈原、宋玉、景差等人的作品編輯成書，定名爲《楚辭》。楚辭不是賦，當然楚辭開了漢賦先河。楚辭揉合了詩經詩句與楚民歌形式，也揉合了古楚國宗教、神話、壁畫、景觀、風俗、巫歌形成了其大觀，《楚辭》以《離騷》、《九歌》、《天問》與《遠游》爲代表，是屈原以本我態思維方式創作出最光彩的篇什。也正如王逸在《楚辭章句序》中所說：「金相玉質，百世無匹，名垂罔極，永不刊滅。」

2.《離騷》與《遠游》

這兩首詩歌先列出來，主要是在思維方式上，它明顯有別於其他各首詩歌，且有其典型性。

(1)關於《離騷》

此詩人們公認為屈原的代表作，是我國古典型文學中最長且最早留下姓名的浪漫主義詩篇。我們以為，其觀點一般是對的，但它除了浪漫主義色彩外，更融注了本我態思維方式。

全詩主體上分為兩個部分，前一部分是對自己以往歷史的追溯，後一部分則是對未來與理想道路的探索。

第一部分的追溯，寫內美與修能的內容，腦海中則是江離辟芷與秋蘭的畫面，寫歲月流駛之快。本我態是木蘭與宿莽在朝夕的採集，寫培養後秀，出現了栽花種草，寫賢者變質為眾芳蕪穢，寫他的神游——游目，是神觀四荒，其畫面則是「佩繽紛其繁飾兮芳菲菲其彌章！」

這裡的所想、所寫之物之事，與所見之物迥然不同步，二者之間出現了錯位與不對稱性，根源就是本我態的作用。文字上是無章節地跳躍，物象上是春秋、朝夕交替，思路上是浪漫主義的幻想，其實質，是處於一種極度的功能態，是本我的浮光掠影與混沌狀的捕捉其道。

第二部分的探索與追求，則更是本我態較完美的展示。他追求楚王的美政與自己的不屈不撓、堅韌不拔，其景致是：啟的九辯與九歌大羿射狐、駕玉虬、乘鷖鳥，發蒼梧、至懸圃，伴羲和弭節而迫崦嵫，飲馬咸池，讓望舒先驅，飛廉後奔，派鳳凰見雷師，帥雲霓之神來御，令帝閽開天門、濟白水，登閬風，叫豐隆乘雲駕霧尋宓妃之所，從窮石到洧盤，遠望瑤臺等等。這些豐富、生動的神話，都是他「開天目」之所見。

這些神話，是有所本，未必全是天目所見，但神話中的神、人的動態，則只能是天目所見了。理想與美夢，不是坐在稿紙前所能捕捉與純想像的，而應當在夢境中自發地追尋，「夢中尋花」就是最佳註腳。我以為，這是夢中所見之物，是學識與本我態有機結合的幻景。

其內容，如果我們僅視之為想像，只是表現了他對理想追求的迫切，如果視之為在「本我態」思維之所見所聞，那麼更能反映出他對理想的異常迫切，是「上下而求索」的深層次的忠實的寫照。

　　(2)關於《遠游》

這首詩不少學者以為是「仙游」，其實謬矣。一個較簡單的現象便可佐證之：仙是道教的附屬品，道教出現在漢後，「仙游」更是道教所稱，戰國或許有仙的萌芽，但不成氣候，何況戰國與戰國之前並無游仙與游仙詩。故而是應稱之為「本我態」思維創作的篇什。

其詩的主題仍應是「路漫漫其脩迹兮，徐弭節而高厲。」披露遭尤，陳述胸襟，斥責黨小，追述美政。反映這些主題的畫面仍是：命天閽其開關，召豐隆使先民，駕八龍、載雲旗，歷太皓右轉，前飛廉以啟路，風伯、雨師、鳳凰、雷公、炎神、祝融、宓妃、海靈、海若都為我所用，伴我遠遊，最終尋到一個「視倏忽而無見兮，聽惝怳而無聞，超無為以至清兮，與泰神而為鄰」的情境。

這一幅幅畫面，與離騷旨近而意連。它們都是一種本我態捕捉畫面，寫出屈原以脩能與純潔高尚的品格在尋找其理想、希望。

從另一個方面看，它的全過程是在調身、調息、調心，是在完成了他的透視、遙視的特異功能——入靜、入定後打開天目。

他不是在「神游」於遠方，而恰恰是在「內煉」，在展示已開發的潛能。內煉是壓抑、銷毀被黨小、昏君的譖毀與遺棄失落感，疏遠、流放而導致的鬱鬱不得志的痛苦感。其詩展示的是厭倦污穢，嚮往鮮花香草的美德。這裏，其實不僅是展示內煉，還旨在展示內煉的結果，展示一種業已形成的「本我態」思維的走向與攝取的物像。

清朝楚人王夫之在《楚辭通釋》中指出：「所述游仙之說，己盡學元者之奧，後世魏伯陽、張平叔所隱秘傳，以詫妙解者，皆已宣洩無餘。蓋自彭、聃之術興，習爲惝恍之寓言，大率類此，是在求之神意精氣之微，而非服食、燒煉、禱祀及素女淫穢之邪說所可亂。故以魏、張之說釋之，無不吻合，而王逸所云與仙人遊戲者，固未解其說，而徒以其辭耳。」

宋朝朱熹《楚辭集注》也說：「思欲製煉形魂，非空御氣，浮遊八極，後天而終，以盡反復無窮之世變，雖曰寓言，然其所沒王子之詞，苟能充之，實長生久視之要訣也。」

其實，這遠非長生久視之要訣的氣功，而是在更深層意義上展示了一種嶄新思維方式與本我態的美學思想。

以上朱子、王子之說，切中要領，頗具新意，但也不是無故地刻意求新。今天，在特異功能的基礎上，我們得到了更深層次的領悟與啓迪。

所以，詩中的輕舉、托乘、上浮、遙思、惝恍、意荒蕪流盪、神倏、內省、正氣、澹無爲，聞赤松子清塵、承風、登仙。如是有因氣變而遂曾舉，忽神奔而鬼怪，時遙見而精皎皎往來，從王喬戲媮，餐六氣而飲沆瀣，見丹丘有羽人，留不死舊鄉。他還有：質銷鑠以約約兮，神要眇以淫放。

其中的「遙見」就是「天目」中的「遙視」功能。屈原不僅

是一位偉大的文學家，而且是一位神話藝術家，愛國主義詩人，同時，還是一位大氣功師。他上承王子喬，下啓魏伯陽及張伯端的內丹功法，尤其是開「本我態思維」之先河，爲一代宗師，當之無愧。

3.歷代詩歌與「本我態」

歷史上，較自覺與非自覺持「本我態」創作的文學家、詩人，爲數並不少，我們僅舉一些較典型詩人與詩作，一作介紹，如嵇康、郭璞、李白、蘇軾等，其餘幾個散韻文作者稍點到爲止，一筆帶過。

⑴嵇康（223—262），字叔夜，譙郡銍人，竹林七賢之一。博覽群書，精於音樂，尤好老莊之學，深諳養生之道，是一代養生大家。著《養生論》，友人向秀作《難養生論》，嵇康復撰《答難養生論》，向秀被他折服，遂爲莫逆之交。向氏當嵇康死後作《思舊賦》以哀悼之。嵇康主張「呼吸吐納，服食養身，使形神相親、表裏俱濟」，頗得世人讚許。

《贈秀才入軍》是他寫給兄長嵇喜的詩作，爲組詩，共十八首，衆人以爲是想像之作，這大抵不無道理，但其中貫穿什麼審美情趣，是用什麼思維方式捕捉到其物象，卻是一個尚未深究的問題。《其十》：「旨酒盈樽，莫與交觀」、「仰慕同趣，其馨若蘭」，《其九》：「風馳電逝，躡景追飛，凌厲中原，顧盼生姿」，《十四》「目送歸鴻，手揮五絃，俯仰自得，游心太玄」。

嵇康的「旨酒盈樽」，是追求「本我態思維」的輔佐手段，「顧盼」、「目送」是他「遙視」的婉辭，「風馳電逝，躡景追飛」、「游心太玄」，是「本我態」的基本過

程，爲追捕攝取潛意識、壓抑意識變形的物象。通過這一組奇特變幻的鏡頭，寫出了兄弟間的手足之情。

(2)郭璞（276—324），字景純，河東聞喜（山西聞喜）人，博學多才，精於卜筮，被追諡弘農太守。他還有《爾雅注》、《山海經注》、《穆天子傳注》與《楚辭注》等，今存詩二十二首，游仙詩十四首。他的游仙詩上承屈原，下接李太白，是一種神馳與追憶，預測與本我的迸發。《其一》的「托蓬萊」、「抱清波」、「掇丹黃」、「登雲梯」，《其二》的「靈妃顧我笑，粲然啓玉齒」，《其四》的「雖云騰丹溪，雲螭非我駕」、「六龍」、「魯陽」，《其五》與《其六》，猷其寫了他的追仙慕道而捕捉的異景。《其五》「迅足羨遠游」主題體現的審美觀與思維方式，直接承襲了屈原。《其六》我們全詩錄下：「雜縣寓魯門，風暖將爲災。吞舟湧海底，高浪駕蓬萊。神仙排雲出，但見金銀臺。陵陽挹丹溜，容成揮玉杯。姮娥揚妙音，洪崖頷其頤。昇降隨長煙，飄颻戲九垓。奇齡邁五龍，千歲方嬰孩，燕昭無靈氣，漢武非仙才。」奇哉偉矣！千歲之齡方爲嬰兒一般，這種修煉，遠遠超過那種煉得成「白髮童顏」的奇效了，其特異功能不僅僅停留在「功能激發」之上，而是整個心身發了驟變。其靈氣、仙才，可令升降之長煙戲九垓，可令高浪吞舟湧，海底駕蓬萊。其中的神仙、金銀臺、姮嫦、洪崖、五龍非誇張想像得出，不深諳道教養生學說，不曾體驗淺表意識的消釋，深層意識的升騰，是不能寫出如此奇偉的妙語與神境的。

(3)李白（701—762），字太白，祖籍隴西成紀（今甘肅天水）人。早年漫遊，二十五歲出蜀，他詩才橫溢，爲世人

矚目與景仰，被譽為詩仙。他的詩作除了浪漫主義色彩十分濃烈之外，貫穿著強烈的「本我態」美學思想。他交往的朋友很多，除了達官貴人與貧民布衣之外，還有道教的道士，如吳筠就是一個十分講究修身養性的人，並且，他曾在廬山結草堂以修身。

《夢遊天姥吟留別》之夢遊，就是其仙遊的代表作。他在因吳筠推荐被玄宗器重而落荒後，曾一度入名山採仙氣，求仙道，築廬煉丹，難怪當年的賀知章讀了他的詩作後譽之為謫仙。飄飄欲仙，一吟詩、一抒情，就是仙氣瀰漫。其詩在煙濤微茫與雲霓明滅中進入境界，爾後是夢中飛渡，迷花倚石，峰廻路轉後是慄驚之感受。全詩從「雲青青兮欲雨」到「失向來之煙霞」告終，是由入靜、入定而感受到的奇景幻境，尤其是「魂悸」「魄動」更是生動再現了內煉的細節，這是收功時獨有的感受。

《古風》（組詩，五十九首）寫的，中間多次提到習練氣功，產特異功能而見到的景致，其中《十九》首，堪稱最為典型。練功前，是心上蓮花山，此山為千葉蓮花盛產地，服之可成仙。入靜後，是「虛步躡太清」、「飄拂升天行」、「登雲臺」。入定後，是「恍恍與之去，駕鴻凌紫冥」，這正是老子「恍兮忽兮，道在其中」的生動註腳，也是「莊周夢蝶」的複寫與再現，收功後，則是看到另一景象：血塗野草，豺狼冠纓。兩兩相比，產生強烈的藝術效果。

李白還有一些詩，如《日出入行》、《廬山謠寄盧侍御虛舟》等，都是氣功功能態的表現，渲染上一層濃厚的本我態美學思想。

⑷蘇軾（1037—1101），字子瞻，號東坡居士，四川眉山人。他曾從政，幾經起落，坎坷不平。他才氣超群，詩、詞、文、書無不精，給後人留下了十分豐富的精神財富。他一生思想複雜，有儒家積極用世的有為思想，也有佛老無為而治、超然物外、與世無爭的曠達思想。他是一位氣功養生大家，撰有《上張安道養生秘訣》、《胎息法》、《傳其公氣術》、《續養生論》、《大還丹訣》等著述，尤其是發現、發明了「搭鵲橋」一絕招，即「卷舌以舐懸雍」之秘法，為後來養生家不肯輕易傳人的「看家術」。

　　他的許多詩文為「本我態」之作，如《赤壁賦（前、後）》、《唐道人言天目山上俯視雷雨，每大雷電，但聞雲中如嬰兒聲，殊不聞雷震也》、《百步洪》、《水調歌頭·丙辰中秋，歡飲達旦，大醉作此篇，兼懷子由》等。下面僅談《水調歌頭》一詞。

　　這首詞，是大醉後所作，為「本我態」又一傑作。人的淺表意識的隱退，深層意識的釋放，大致有幾種情形：一為氣功態，一為酣夢中，一為酒後大醉中，一為藥物麻醉或中毒。此詞是處於第三種狀態所發洩。活佛濟公不是有通天絕地之本領？他是未絕塵俗的高僧，狂飲爛醉。人在酒後可出功能，就是「本我」的放蕩不羈。醉拳、醉劍不也視之為一個旁證麼？

　　全詞由明月起始，嬋娟告終，中間夾以瓊樓玉宇的宮闕，乘風弄影的醉態，高處不勝寒的感覺，有機地揉合在一起，烘托出一種神奇的意境。全詞以下闋作補注：悲歡離合，陰晴圓缺，自古難全，人生如斯。七情六欲，感時傷懷，躍然紙上，一種特殊的美感流蕩千古，自成絕唱。

⑸其他。葛洪、張華、朱熹、周敦頤、范仲淹等輩，大抵以
　文名世，但他們亦有不少的詩文，再現了養生技藝，養生
　十分在行，甚至造詣頗深。他們的名文也好，專論也好，
　都是自覺與非自覺採用了「本我態」的思維方式，留下了
　內容生動、語言獨特、意旨非同尋常的精神食糧，對我們
　今天的藝術創作不無借鑒意義，這種作品就是非理性、非
　哲理的構架，非感性、非形象的構架，而是介於其審美的
　一種美學兼創作方法的結晶。

㈡本我態與書畫

　　書畫藝術作品，以線條的曲直，色彩的濃淡，運筆的虛實取
勝，它在中國歷史上，留下了一串藝術長廊，其中，不乏以本我
態創作的藝術珍品。《唐朝名畫錄》記載了這樣一則逸事：畫家
吳道子與裴旻將軍及草書大師張旭相遇。裴將軍召吳道子到天宮
寺作畫，裴旻厚贈金帛，吳道子婉言謝絕，只要求一睹將軍的劍
術。裴將軍欣然起舞。吳道子觀其壯氣，奮筆灑脫，俄傾而成，
有若神助。同時張也得其神，拿出了妙手寫成的草書作品。這裏
的壯氣，就是領略的出神入化的氣功態。吳道子與張旭的悟，引
出了神奇的精品，令其作書畫時，有若神助，神，不是作品的神
韻，也不是靈感，而是一種「神通、神變」的力量，也就是一種
「本我態」的再現。

1.繪畫中的「本我態」

　　繪畫，是造型藝術之一，用其特定工具與材料，通過構圖、
設色等表現手段，創作其可視性形象。繪畫是審美的外化形式之
一，其精神產品，是乙體的負極精神對甲體物質的表現與再現。
如果是對甲體負極物質的直觀，也實質上是對甲體正極物質的直
觀。

　　下面，我們舉例說明，來闡釋這種精神與內涵。

　　傅山，清代著名的書畫家。一天，他的一位老友向他索求他最擅長的墨竹畫，他性情孤僻，不喜與人作畫，但這次礙於好友的情面，只好答應下來，但他特地叮囑，照老規矩，作畫時絕不許人在旁窺看。幾天後恰逢中秋。是夜，皓月當空，夜氣清爽，朋友在庭院備下酒菜，請來傅山。傅山來後，吃過一陣酒，當有三分醉意時，便屏退旁人，準備揮毫作畫。傭人退下後，好友好奇，悄悄躲在樹蔭下，想偷看傅山究竟怎樣作畫。一會兒，他只見傅山走到早準備好的紙筆墨的畫桌前，提起筆就往紙上亂畫一通，然後好像在想什麼，站著發痴。突然，發瘋似的手舞足蹈、搖頭晃腦，圍著畫桌狂跑。朋友看到這一切，大吃一驚，趕忙跳出來，攔腰抱住傅山不放。傅山猛然回頭，氣得直跺腳：老弟，我請你們退下，你們反將我抱住，敗了我的畫興！說完將畫紙揉成一團扔掉，氣沖沖不辭而別。傅山走後，朋友將其廢畫拾起來，只見紙上只有大如鍋口的濃墨一團。大概是因為出自名家之手，雖然是廢紙，他仍將其折疊起來，放在畫架上。幾天後的一個天陰月黑的深夜，傅山那朋友的畫房發出轟鳴聲，接著射出一道亮光。他急急起來一看，才發現其聲光是廢畫發出來的。直到這時他才醒悟，傅山的畫是通靈的神畫。至此非常後悔，衝掉了他的畫興，致使他沒有把此畫作完。

　　這裏所謂通靈，就是傅山作畫時將氣韻與神韻的信息注入到畫面之中。這種注入，是他在「本我態」──瘋癲狀中產生的，這種狀態，是一種神氣出竅，注入墨汁之中，揉為一體。我們知道，人體特功的開掘，對長期從事公安、研究工作者、政治家等是一件很難的事，他們長期處於緊張狀態，理性程度很強，邏輯思維壓抑著潛意識、無意識，而「傻乎乎」的人，愣頭愣腦者，

則容易出功能。傅山正是人爲地製造這樣一個氛圍：首先是飲酒，然後是發痴，再然後是瘋癲，這時進入了功能態，他發放的外氣——佈滿信息的元氣，充滿了自身元氣的外氣，注入墨汁中，故幾天後，廢畫「雷鳴電閃」，這便就是作品通靈、通神的箇中原委。也即爲乙體正極物質（人）出神入化，負極精神（通靈），從氣穴冲出，與甲體正極物質融爲一體，從物我兩忘達到「心與物游」的境地。

　　清朝著名畫家之一高其佩，以指畫稱著於時。指畫，起源於唐代，是國畫中的一種，屬傳統繪畫的旁支，指畫眞正開宗立派，成爲一代宗師，始於高其佩。他的畫技，得益於通靈。據他從孫高秉所輯《指頭畫說》稱：他八歲起學畫，十多年之後，恨不能自成一家。一天困倦而入睡，夢見一老人，帶他到一土房子裡，只見四牆都是畫，理法皆具，而房子裡空洞洞的，沒有畫具，不能模仿之，唯有一痰盂，他就以手指蘸著水畫起來。醒後，高氏突然記起在土房子用水寫畫之法，便以指頭蘸墨，模仿了個大致，卻得到一種神韻。以後就不再用筆作畫了。

　　在特異功能中，有一種功能是通靈大法，其人一旦通靈，尤其是與師傅通靈，將終身受益。有人習功時，抓住印堂、百會穴採氣，以期開採「潛能」。高其佩與畫神通靈，正是本我態活躍的最佳機遇。

　　另外，如《神異記》，《唐代名畫記》等書記載的「畫龍點睛」之張僧繇，民間傳說神話故事「神筆馬良」之馬良，都具有神通神變之功能。

　　中功弟子許智，她的畫都是在放鬆狀態下一氣呵成，畫中寓理。其畫面的虛實、線條、色塊、構圖、造型令人耳目一新。或怪誕，或荒謬，或不可思議，其畫無題，更令人遐思，其畫無須

深厚功底，不必師承，更無程式，作起畫是一氣呵成，隨心所欲，甩掉歷史、傳統、風格的羈絆，湧動著生命欲望，向人們展示著靈性與悟性，打禪、童話、幽緲、幻感在無法臨摹的線條與色彩上蕩漾。因此，西安美術學院的一些教授、講師們感慨道：其意境是咱藝術家一生所苦苦追求的。言外之意，其意境被一批無名無望的氣功者領悟、捕捉到了，不可思議。

由鬆入靜，由靜入定，由定生慧，慧即悟性、靈性，即本我態。

這就是繪畫成就的一條捷徑。

2.書法中的本我態

書法與繪畫一樣，都是人的精神產品。書畫同源。書法藝術是亞洲，尤其是中國的特產，可謂為獨步藝林。

成功的書法作品，大抵與氣功不無關係。書法家的功力，不僅在遍讀百家名帖，不僅在於重鑄墨池，不僅在「綠天庵」與「筆冢」為鄰，而更要做到力、氣、神三素俱全：力要力透紙背、入木三分，氣要呼吸吐納、大道自然，神要神形兼備、神在意中。要做到這幾點，殊為不易，所以，要成為一名書法家，不是一件容易的事。「入木三分」這個成語，說來有趣。晉人王羲之由於長期勤奮練字，腕力勁足，氣沉丹田，寫出的字筆力遒勁。一次去看望朋友，恰巧友人不在，於是，他在茶几上寫了幾個字便離開了。後來朋友回家後擦也擦不淨，洗也洗不掉，最後，他乾脆讓木工照木板上的字，拿去雕刻，木工雕刻時發現，木板上三分深的地方還滲有墨迹。以後人們譽王羲之的字為「入木三分」，以形容功夫之深。王羲之的字氣力非凡，不但有力，而且有氣，一股浩然之氣，其氣為靈性，即本我之衍化。

古代有些書法家為了弟子們氣力的培養，借助其他辦法輔佐

之。明朝書法家董其教學生時,必先教以站樁練氣,運用純熟後再授以筆法。蘇軾書法造詣深,別具一格,自成大家,由於他很講究氣功養生,所以楷書精穩,行草奇宕。他作草時曾自叙:「指間有氣縷縷出」。這其實就是一種十足的書法功能態。

《拾遺記・卷三》載:古有浮提國,獻上二個神通善書寫的人,他們忽老忽年輕,隱形後,只見其影子,聽到聲音後,就藏匿起形體。從肘上拿出一個四寸大小的金壺,上有五條龍的標籤,用青泥封好,壺中有墨,像漆一樣濃。灑在地面及石頭上,並成篆隸科斗古文,記載人類開天闢地之事,詮釋老子《道德經》,有十多萬字。鐫寫在玉牒、金繩、玉函之上,白天、晚上不休息,到了形容枯槁境地,到了壺裡的墨汁殆盡,他們二人嘔心瀝血,代以為墨,取腦骨中的髓,以為膏燭。不久,又到了血髓枯竭之際,他們伸手到懷中,取出一個玉管,取出丹藥之屑,塗在身上,骨頭恢復原狀,最後,到了「經成工畢」,兩人不知所往。

這兩位書法家,具有鬼斧神工的魔力,其書法完全是性靈的異化,曠古未有,書法內容與技巧,完全揉合、浸透於鬼神莫測的本我中。

書法家在揮毫時,要講調息、運氣,一氣呵成。其間,懸肘運筆,目光有神,神情專注,靜心沉氣、吸呼徐緩,頗近氣功之法。也只有這樣,才能筆鋒凝煉,具其力度。又因此書法家大抵長壽:鐘繇79歲,衛夫人77歲,歐陽詢 85歲,顏真卿76歲,柳公權87歲,近人沈尹默 88歲,蘇局仙長達110歲。

書法講氣、精、神,與繪畫藝術一樣,共通氣功之法。唐朝草書大家張旭與懷素,被後人稱為「癲張醉素」。張旭作為唐之詩、劍、書三絕之一,他揮毫之前,往往大醉後狂呼疾走,然後落筆,其作品是驚天地、泣鬼神。懷素也是好飲酒,興到運筆,

如驟雨旋飛，飛動圓轉，使筆意縱橫。張旭與懷素的這種神態，就是壓迫超我，屏退自我的主觀努力。酒中的乙醇分子，可使神經處於一種半麻醉狀態，令神經、肌骨處於一種放鬆態，這樣使其功能迸發。前所述傅山作畫原理相同，自此可見，這不是藝壇個別、偶然現象，也決非牽強附會。他們這些草書大師，甩掉歷史、傳統、地域等的桎梏，自由自在地拓展了一種美的境界，在這裡，自我朦朧、超我縹緲，使每筆每畫龍騰虎躍，又不失章法，疏密得宜、分佈錯綜多變、意氣相呼，結構橫直自度，點畫、揮毫、潑墨等表現出了靈動、瀟灑、天眞、純樸、熱烈、流暢、奔放。

如前所述，有些書法家要練氣功，有些雖不練，但凝神屏氣的要求又近似乎在習練氣功，這二者的確相似相通，它們的本我態是負極精神的「直觀」。

3.歌舞中的本我態

歌舞更是人類精神文明的產品，我們的先祖，在人神相混的洪荒歲月，就創作了大量神異的歌舞作品。初民的這些創作，更是在較純的「本我態」思維王國中迸射的姹紫嫣紅的星點。

《山海經・大荒西經》：「開（啓）上三嬪於天，得《九辯》與《九歌》以下。此天穆之野，高二千仞，開（啓）焉得始歌《九招》。」

《山海經・海外西經》：「大樂之野，夏后啓於此舞《九代》，乘兩龍，雲蓋三層，左手操翳，右手操環，佩玉璜。」

夏王啓，是一名歌舞高手，由於歷史的原因，這些文字的記載幾乎淪喪殆盡。現在《楚辭》、《竹書紀年》、《墨子》諸書中，只留有一些迹痕了。

《九辯》、《九歌》乃至《九招》（九韶）是降初民時代的

代表作,是承襲初民混沌律原始思維中「本我態」的結晶,它的情調,通過一系列怪誕畫面與音符組成,尤其是它反映的節奏、旋律並由此直接抒發的主題思想,「下士」是不能理解與接受的,大致只有啓才具有其天賦與能力。

啓不但始歌《九招》,而且在大樂之野舞《九代》,其道具與佈景是兩條龍,濃雲密佈飾以鳥毛與佩以玉器,情調虛無縹緲,器具晶瑩剔透,非通神演員不可當之。

夔是另一位最著名的樂神。

夔,《說文》稱之爲耗鬼。《法苑珠林》稱之爲山精。孔子則說是人。不管怎樣,他的存在是毋庸置疑的,說他是樂神,應更符合眾多經史子集的記載。

《列子・黃帝》:「堯使夔典樂,擊石拊石,百獸率舞;簫韶九成,鳳凰來儀。」

《風俗通義・正失》:「俗說,夔一足而用精專,故能調暢於音樂。」

《山海經・大荒東經》:「其上有獸,狀如牛,蒼身而無角,一足,出入水則必風雨,其光如日月,其聲如雷,其名曰夔。」

夔是具有特異功能的樂神,由於後人的不理解與困惑,他便變成非人非鬼之物了。

他創作的樂曲,「用精專」一,譜的樂曲,合於陰陽,協於四時,調於天人。堯委派他「典樂」,擊石之聲,吹簫之音,可使飛禽走獸陶醉。更神奇的是,他創作、整理、保存的歌曲、音樂有風雨交加、雷電大作、日月爭輝之吉祥之象,烘托了這位方家高手「本我態」生物波場的風貌。

集歌舞於一爐的戲劇表演,更有許多例證,足資說明本我態的率眞。

　　過去戲曲中有關關羽與岳飛的戲，上演是鄭重其事，尤其是
《走麥城》與《風波亭》的上演，要先在後臺擺神案，立上關帝
或岳王的神位，奉上香燭、三牲酒醴，班主虔誠祈禱，持朱筆坐
在案臺旁。如有演員或觀眾撞了「煞氣」，就會當場暈倒，不急
救可能就會斃命，因為關帝與岳王有「煞氣」，急救法很簡單，
就是在患者額上點上一筆，便能逢凶化吉。這裏所謂的「煞氣」，
看似迷信的色彩極濃，其實，正是關、岳二君的負極精神，他們
人生的艱辛坎坷不平與千百年的冤屈，致使其「精氙」滙集，這
是事物的一面；事物的另一面則是：表演者或觀眾處於一種「本
我態」，通過遙視、追憶，與上千年的關、岳二君同呼吸、共命
運，將時空予以壓縮，乃至消除，主客融為一體，當特殊生理器
官捕捉到信息與波後，就承受不起歷史波濤的盪滌與撞擊，或昏
厥，或休克，是為「撞煞氣」。這種演員或觀眾較少，但當然有
過，所以是具有特異功能者必無疑。班主的那枝「朱筆」，已注
入禱告者的負極精神，它之誠之虔，與關帝、岳王在某種層次上
的「通靈」，當它點向患者時，已將此載有信息波讓演員或觀眾
的本我消逝，自我、超我物歸原主，重新理智審視自我、藝術與
歷史，所以能消災弭難。

　　歌舞樂曲等，同樣在具有特異功能者身上，放射出奪目的光
彩，功能態是中介所，它將甲、乙、丙事物予以超常的溝通，直
接再現非常之人感覺器官能捕捉到的信息。所以，我們在「本我
態」思維定勢下，將之從荒誕、迷信、巫術殘餘中解脫出來，使
之放出原有的「異彩」。

　　綜上所述，我們分明見到由「本我態」的思維的作用，而重
新發掘出了原始的同時又是嶄新的審美觀。有了這樣一種審美觀，
我們對歷史上已荒蕪的藝術園地予以重新的審視，對草木爭秀的

藝術作品，通過不同的感受，使之重新獲得解釋，使我們加深新層次的領悟，並對以後的藝術作品，自覺以之爲向導，寫出更新更美的珍品來。

三、通感與特異功能

通感作爲一種寫作手段與修辭方法，在特異功能的視覺圈內，已昇華成一種美學思想。作爲一種創作方法，西方已走在我們的前面。亞里斯多德在《心靈論》裏早已提及「通感」，荷馬史詩採用了這種表達方式，十六、十七世紀浪漫主義詩人的感覺移借方法，就是通感的另一種提法，十九世紀末的象徵主義詩人則大寫特寫之，它幾乎成了象徵主義詩人與詩歌在風格上的標誌，他們還曾在宗教界與教義上尋找理論根據。

在前人已經走過的道路上，我們今天提出「通感」是一種美學思想，就不會以此爲奇了。

「通感」不僅西人採用，我們中華民族也有幾千年的歷史了，不管是在理論上（雖不盡系統），抑或是詩文實踐運用上，都毫無愧色。今人錢鍾書先生《舊文四篇・通感》中，就列出了五十來位作家，六十多則詩詞，近二十篇的文章。在這個基點上，我們說，通感是一種美學思想，更爲順理成章的事了。

㈠通感的特異功能意義

通感是什麼？通感是：人的眼耳鼻舌身的各個器官的領域，可以不分界限，視聽觸嗅味覺之間可以彼此相生，互通有無。

通感不是人的一種幻覺，而是一種眞實的體驗。

文藝作品憑藉眼耳鼻舌身直觀地反映生活，抒發情感，是一種平面的表達方式；如採用通感方式反映生活，抒發情懷，則是一種立體的表達方式。

通感是有其生理科學依據的，這就是人體科學中的特異功能。

《列子・黃帝篇》載：「眼如耳，耳如鼻，鼻如口，無不同也，心凝神釋。」又《仲尼篇》載：「老聃之弟子，有亢倉子者，得聃之道，能以耳視而目聽。」張湛注：「夫形質者，心智之室宇，耳目者，視聽之戶牖。神苟徹焉，則視聽不因戶牖，照察不閡牆壁耳。」

眼睛有耳的功能，當然是聽，耳朵有鼻子功能，就是嗅，鼻子有口舌功能，就是味，且其功能彼此是相同相通的。亢倉子以耳看，以眼聽，就是各種感官相通的一例。張湛注文稱：「神徹——功能態的入定，視看與聽覺，不會由於門窗而受阻，細看不會由於牆壁的遮擋而受影響，這當然就是透視功能。在二十世紀末期的今天，被稱之爲意念耳、意念鼻、意念手、意念身，都是生理潛能被開發的結果，耳朵可以聽字，乃至腋部、掌部、背部等，都有其功能。「聞」字的古今義，從訓詁學的角度來看，就是由於通感而使詞義發生衍變的結果。耳聞，本義爲聽，今義已轉向鼻子聞——嗅的功能，其轉化，特異功能是起了中介的作用。

佛教中的觀（世）音菩薩家喻戶曉。「觀音」一詞，正體現了他的特異功能。觀音由於有「千手千眼」，視覺功能是無與倫比的，每個手掌心有一只眼，這是一只神眼，所以具有千里眼功夫，他連聲音都可看到——其實正是生理、心理上的通感，所以叫觀音。也許，在翻譯上有訛誤，但此一譯名，抓住了事物最根本的、有決定性意義的特徵，這位譯者，是高層次的翻譯家。後人因不明瞭音可觀之道理，便訛變加一「世」字。

《大佛頂首楞嚴經》（卷四三五）：「由是六根互相爲用。阿難，汝豈不知今此會中，阿那律陀無目而見，跋難陀龍無耳而聽，殑伽神女非鼻聞香，驕梵鉢提異舌知味，舜若多神無身覺觸。」

　　六根互用，正是高層次的特異功能，所以此五神（五位具有特異功能者）不因身體殘損而影響感覺客觀世界。

　　因此，通感是人體特異功能正常而平凡的自然現象，我們不必太過於視之神秘。如人類或動物類，就有些神而不神的現象。如蝙蝠，本應是用眼睛看物，但由於長期不使用而退化，以口腔發射超聲波，再以耳朵接收、捕捉之，這可謂靠耳「聽」路。現據云，某西南大森林中，有一族（支）人，全都雙目失明，可快步如飛，一切生活均皆正常，他們也是靠耳「聽」路的。可見，通感是有其生理機制的，絕非空中樓閣，絕非文人學士的想欲非非，而是高層次藝術大師心靈與智慧的結晶。我們只有認識了這點，才算真正認識了通感的原質，也才會承認通感具有普遍的美學意義。

　㈡**散文與通感**

　　這裏所稱散文，是傳統觀念上與韻文相對的散文。散文中的通感，不管是古代還是今天，到處可見。

　　1.**古代散文**

　　劉鶚《老殘游記》是部反映晚清社會現實的小說。

　　劉鶚（1857—1909），丹徒（江蘇省丹徒縣）人，字鐵雲，筆名洪都百煉生。

　　《老殘游記》第二回寫明湖居聽書一段，可謂精彩至極。這裏不管醜男人，也不管黑妞彈奏說書一段，專僅只談白妞，就令人心蕩神搖了。

　　不妨摘抄一段原文。

　　王小玉便啓朱唇，發皓齒，唱了幾句書兒。聲音初不甚大，只覺入耳有說不出的妙境：五臟六腑裏，像熨斗熨過，無一處不服貼，三萬六千個毛孔，像吃了人參果，無一個毛孔不暢快。唱

了十數句之後,漸漸地越唱越高,忽然拔了個尖兒,像一線鋼絲拋入天際,不禁暗暗叫絕。那知他於那極高的地方,尚能迴環轉折;幾轉之後,又高一層,接連有三、四疊,節節高起。恍如由傲來峰西面,攀登泰山的景象:初看傲來峰削壁千仞,以爲上與天通;及至翻到傲來峰頂,才見扇子崖更在傲來峰上;及至翻到扇子崖,又見南天門更在扇子崖上。愈翻愈險,愈險愈奇。

唱到極高的三、四疊後,陡然一落,又極力騁其千廻百折的精神,如一條飛蛇在黃山三十六峰半中腰裡盤旋穿插,頃刻之間,周匝數遍。從此以後,愈唱愈低,愈低愈細,那聲音漸漸的就聽不見了。……忽又揚起,像放那東洋煙火,一個彈子上天,隨化作千百道五色火光,縱橫散亂。這一聲飛起,即有無限聲音俱來並發。那彈弦子的亦全用輪指,忽大忽小,用他那聲音相和相合,有如花塢春曉,百鳥亂鳴。

這裏的通感,是非常典型的。白妞彈奏聲,用臟腑的熨蕩,用人參果的滋潤的觸覺、味覺寫聲音;把唱腔的高亢尖細,轉爲視覺:一線鋼絲拋入天際,鋼絲是硬、韌、細、長,正好與聲音唱腔吻合。把高音的廻環轉折用眼睛的觀看來表達:傲來峰—扇子崖—南天門。一層高一層,越高越險,越險越奇。

高音過後是低音,又憑借於視覺表現:唱腔由高而低、悠長而騁馳,黃山群峰半腰山裏的飛蛇周匝環繞,如餘音繞梁。餘音消失後,又陡地揚起,仍用視覺表示:一個彈子散作五光十色,縱橫天際。當寫到用輪指彈奏的聲音時,轉爲聽覺:百鳥鳴春。

說唱的聲音之美,並無實體形象,全靠聽覺鑒賞,直接描寫是很不容易的,但作者憑藉通感的美學技藝,寫得活靈活現,生機盎然。

2.現代散文

　　朱自清，詩人、散文作家兼名學者。他古典文學的功力，為四十年代台柱之一。他的散文，在二十年代，冠絕一時，蔚為大家。不管是質樸無華的《背影》，還是文采飛揚的《春》等文章，均實為大手筆。

　　下面就《春》談通感。

　　其中的「春花圖」寫桃、杏、梨花，「花裏帶著甜味兒」，花香，是憑藉嗅覺，作者這裏轉借味覺，以口舌體驗春花之香、春花之甜。

　　在「頌春圖」中，寫春天的新的詩意，寫春天新的情蘊，寫春天迷人的色彩，變綜合感覺為單一視覺。

　　「春風圖」裏，風是能憑觸覺體驗到它的存在，這裏，作者調動了嗅覺——聞到泥土氣息與花香，調動味覺——混著青草味兒。

㈢韻文與通感

1.古詩

　　釋澹歸《遍行堂集》卷《南韶雜詩》第 23首：「兩地發鼓鐘，子夜挾一我；眼聲才欲合，耳色忽已破。」

　　這裏的眼聲與耳色，就是通感。當眼看到的聲音才消失，忽而耳朵聽到的色彩擾亂了我的睡意。在佛界的高僧中，他們的特異功能是不同於常人感知器官的功能與次序的。

　　釋蒼雪《南來堂詩集》卷四《雜樹林百八首》的58首：「月下聽寒鐘，鐘邊望明月，是月和鐘聲？是鐘和月色？」月無聲，而可以和鐘聲，當是聽覺功能了，鐘聲無色澤，它卻可以和月色，當是有視覺功能了。鐘聲的音響，一般只能聽，可帶上修飾的「寒」，與味、觸覺相連了。

　　呂岩《百字碑》：「坐聽無弦曲，明通造化機，都來二十句，

端的上天梯。」

　　坐聽無聲之樂，可以通悟萬物造化之理，當然是聽覺功能轉為視覺功能。

2.新詩

　　聞一多《也許》：「……不許陽光撥你的眼簾，／不許清風刷上你的眉，／無論誰都不能驚醒你，／撑一傘松蔭庇護你睡。」「也許你聽這蚯蚓翻泥，／聽這小草的根鬚吸水，／也許你聽這般的音樂，／比那咒罵的人聲更美。」

　　陽光只能普照，這裡撥，是擬人，而清風刷上你的眉毛，風聲是可聽的，刷上眉梢，則轉為視覺了。蚯蚓翻土，也只能看，這裏，轉為聽翻土聲了，變視覺為聽覺。

　　卞之琳《白螺殼》：「空靈的白螺殼，你，／孔眼裏不留纖塵，／漏到了我的手裏，／卻有一千種情感。／白螺殼裏的空靈，／是心靈感應的產物，／卻漏到手掌裏。也是由綜合感覺變為單一的觸覺。

3.詞與其他

　　宋・張先《天僊子》：「沙上並禽池上暝，雲破月來花弄影。重重簾幕密遮燈，風不定，人初靜，明日落紅應滿徑。」雲破月，是風吹雲破，花弄影，是風吹花動，聽風聲是聽覺，這裏一並轉為視覺：雲與花的飄晃，使感官發生移位。

　　歐陽修《採桑子》：「無風水面琉璃滑，不覺船移，微動漣漪，驚起沙禽驚岸飛。」水面無風而無波，是視覺，一轉而為滑，為觸覺，是琉璃一樣滑，可見光潔度之高。

　　王灼《虞美人》：「枝頭便覺層層好，信是花相惱，躺船一醉百分空，拚了如今醉倒鬧香中。」醉是味覺，鬧是聽覺，香是嗅覺，一波三折，宕蕩多姿。

范仲淹《鷓鴣天》：「隨提離火煉明精，汁正如蟬初作聲。溶鉛用釜非池土，冷鉛熱火急熏蒸。」這裏的液態汁，變作「蟬初作聲」，便是視覺轉向聽覺的通感。

曲：張可久《清江引・桐柏山中》：「松風小樓香縹緲，一曲尋仙操。秋風玉兔寒，野樹金猿嘯，白雲半天山月小。」《尋仙操》樂曲，產生三種效果：聽覺，如風吹，視覺，縹緲飛舞，嗅覺，芳香四溢。

喬吉《水仙子・尋梅》：「冷風來何處香？忽相逢縞袂綃裳。酒醒寒驚夢，笛淒春斷腸，淡月昏黃。」梅香伴隨冷風而來，這是嗅覺，作者筆鋒一轉，梅花成了淡妝素衣的美女——「縞袂綃裳」。這裏，已轉爲視覺藝術了。縞袂綃裳是嗅不出的，同時，冷風送香，也是看不見的，這種通感，使其曲子一唱三咏。意蘊雋永，意在言外。

馬致遠《天淨沙・秋思》：「枯藤老樹昏鴉，小橋流水人家，古道西風瘦馬」。這是由九個名詞構成的畫面，它揉視覺、聽覺爲一爐，別開生面，爲千古絕唱。枯藤、老樹、小橋、人家、古道、瘦馬，都是視覺所及，而昏鴉、流水、西風，則是聽覺範疇，詞句之間沒有關聯詞，沒有喻詞，卻是通感巧妙的運用。

賦：杜牧《阿房宮賦》：「歌臺暖響，春光融融，舞殿冷袖，風雨淒淒。」歌有聲響，卻產生了觸覺暖如春光，舞袖冷，如淒風楚雨。這種通感，寫出了秦王的荒淫與奢侈。

元稹《元氏長慶集》卷二七《善歌如貫珠賦》：「吟斷章而離離若間，引妙囀而一一皆圓。」「清而且圓，直而不散，方同累丸之重疊，豈比沉泉之撩亂。」這些善歌、妙囀，字正腔圓，且圓又爲圓珠，字字珠玉，句句清越。清是一種感受。這裏，有聽覺、有視覺。沉泉的撩亂同也爲聽覺，累丸之重疊，當然是視

覺，它們統一於優美的歌曲之中。

　　人的藝術通感，不是藝術家想當然，而是進入其境界的一種感受，它接近於人的神通神變，是其慧覺才能悟到的。在人體身上，有許多潛能，一旦開發，令人瞠目結舌，感覺更是如此。一般芸芸眾生，生理上無殘缺，足以立足於世，不須體驗五眼六神通的潛能，更無從調動與開發之；對於宗教界修行者，少有往來，人們以為是「荒謬」，對於其詩文，以「別一世界」的之筆，「畫地為牢」，對於「等閒之輩」，才以天才、靈感一言以搪塞之。殊不知，進入境界與未「登堂入室」根源之所在。

　　通過以上簡短詩詞曲賦文，可見通感確是俯拾皆是，而且，通感確是一宗美學方法與原則。事實證明，掌握好了通感，可使文章生色，高人一個層次，也能吸引住一批讀者。當然，我們也不能走極端，必須認清與擺正通感的位置，使文藝作品躍上一個新的臺階，並使讀者獲得更新穎的精神食糧。

四、靈感與特異功能

　　靈感，是一種文藝創作過程中的現象。在靈感這個名詞中，感是其中心語素，靈乃修飾性語素，在這個偏正式的合成詞中，我們首先要抓住其一般特徵，即它是一種感觸、感覺，一種思維活動。而靈，則是告訴我們它又區別於一般感覺。這種感覺，是一種超出尋常的思維反映過程，究其實，是人的一種特異功能的再現與顯示。

　　下面，就靈感、靈感與天才及靈感與人的特異功能等幾個問題展開討論。

㈠靈感及靈感的特性

　　靈感是形象思維的表現形式之一，即是形象思維的副產品之

一，它為眾多的文藝工作者，甚至，為自然科學研究與創制打開了一道閘門。

什麼叫靈感？按照柏拉圖的觀點為：神靈憑附到詩人或藝術家身上，使他處在迷狂狀態，並把靈感輸送給他，暗中操縱著他去創作。他說：靈感就像磁石，「凡是高明的詩人，無論在史詩或抒情詩方面，都不是憑技藝來做他們的優美的詩歌，而是因為他們得到靈感，有神力憑附著。」這是第一種解釋，其觀點出自於《伊安》篇——最早的一篇對話中。

靈感的第二種解釋，是不朽的靈魂從前生帶來的回憶。這種觀點是在《斐德若》篇裏提出來的。依柏拉圖這種神秘觀點來看，靈魂依附肉體，靈魂就彷彿蒙上一層煙障，失去了原有真實的本色。一旦靈魂脫離肉體後，它還要飛升到天上神界。飛升的高低，就要看靈魂努力向上的大小及修行的程度，程度深，可達到最高境界，它就能掃擊一切煙塵障物，如其本然地觀照真實本體，達到盡善盡美、永恒的「理式」世界。這樣，它再度依附肉體，投到人世間時，人世事物就使它依稀隱約地回到回憶它未投生人世以前，在最高境界所見到的景象。這就是從摹本回憶到它所根據的藍本（理式），其間，它不但隱約見到「理式」世界美的景象，而且還隱約追憶到生前觀照那美的景象時所引起的高度喜悅，對這理式的影子欣喜若狂，油然而起眷戀、愛慕的情結。這種「迷狂」狀態，其實就是靈感的徵候。

柏拉圖這種學說，貫穿了美學史全過程。新柏拉圖派的普洛丁，結合柏拉圖的靈感說與東方宗教的一些觀點，又把藝術無理性說推向前一步，成為中世紀基督教世界文藝思想中的主要流派。這種觀點，到了康德時代，又有新的發展，康德的美不帶概念的形式主義學說，對其理論起了推波助瀾的作用。爾後德國狂飆突

進的天才說，尼采的「酒神精神說」，柏格森的直覺說和藝術的催眠狀態說，弗洛依德的藝術起源下意識說，克羅齊的直覺表現說以及薩特的存在主義，都是這一學說的演變與發展。

靈感是一種認識方法，或者說是一種反映方式，我們稱之爲悟性，它是一種客觀存在，它與感性及理性是呈三足鼎立的狀態，就如同人的三種思維一樣，人類的思維方式，主要爲邏輯、形象及本我切片思維。

說了以上許多，到底怎樣界定靈感的內涵呢？我們說：靈感是一種氣功功能態外在形式的表現方法之一，它由於身心的調理而產生的非常的感覺。

這個定義，有幾大優勢。

其一，繼承了人類幾千年的優秀審美成果，我們立足於氣功的人體生命科學，正視靈感，肯定靈感。

其二，揚棄了柏拉圖等從神秘的宗教的古典過時因素，將之引渡到科學的軌道。柏拉圖在《伊安》中說：「神對於詩人們像對於占卜家和預言家一樣，奪去他們的平常理智，用他們作代言人，正因爲要使聽衆知道，詩人並非藉自己的力量在無知無覺中說出那些珍貴的詞句，而是由神憑附著來向人說話。」我們在這裏排除了悟性並非是神對於占卜家一樣，而成爲其代言人。恰恰相反，人們在特異功能態中，完全是憑藉自己的力量在無知無覺中說出那些珍貴的詞句，想出那些奇特的境域。

其三，避免了變態宗教剽竊新的科學成果而爲之招魂。特異功能首先是對宗教的一個沉重撞擊，因爲人人都能不同程度地體驗到一定的主觀感受的境地、情趣，於是，宗教便就失去了自己的地盤。

其四，我們認爲人的感覺與反映方式是多元的，一味地強調

理性而否定感性，一味地片面強調悟性而否認理想與感性都是不對的。人的反映方式各有所長，擅長理智的、宜於長短小說（現實類題材）等文學式樣的創作，擅長於悟性的，宜於詩、劇、畫、音樂、書法等（浪漫類題材）的創作，它們各自是不能彼此取代的。

　　我們還可以從靈感定義的界說，引出如下幾點特性。

　　其一，靈感為人感，不是神感，也與神無關，要說神，不過是人的一種精神狀態罷了。靈感不屬於靈學範疇。柏拉圖雖論述了靈魂與肉體的離合，但我們這裏排除這種屬性，同時，我們也不會吻合於陰性負極物質的輪迴觀（雖此課題不曾正面論及），靈感是人的一種在一定時候、一定場合的感受，當然，這種感受是一種主觀感受。

　　人的身體就如一部最精密的生物儀器，也是功能最齊全的裝置，有接收、發射、自動調控、分析處理裝置，人體的接收系統，有一個信號擴大裝置，它的作用類似於半導體收音機的三極管，但其作用是放大無窮倍，只要接收裝置調整好了，便能捕捉所需要的信號並將極微弱的信號放大無數倍，並使之成為很強的功能。人體發射裝置無時無刻不在往外自發地發射生物波。這種波就是一種信息，一種生物全息能信息，它的每個信息元都包含著其全部能量、能力、功能，它通常以生物波、電、磁、光、能、聲等形式存在。在進入功能態後，你究竟與哪個生物全息能信號接通了，是取決於你與哪個生物全息能信號之間的生物波的頻率波長、頻譜是否一致，當然，也取決於功能的量極情形。

　　所以，靈感就是一種生物能的信息。這種信息，就是潛意識、深層意識，就是「元神」，人們通過各種途徑壓抑淺表意識。在深層次意識中，可能由於接受裝置的生物頻率波長、頻譜未能對

準，可能出現怪人、半頭、兇境，但在主觀元神的調劑下，很快可以消失，捕捉到你所需要的蓮花、五彩祥雲、優美的樂句、飄忽的詩意、神奇的動作、怪誕的心態、滑稽的表情。這些靈感，是實實在在的悟性，可宗教界將之神秘化，使之許多不曾體驗，或體驗不到的人以非難與詰責。故今天我們將它納入科學的軌道，使之正本清源。

其二，靈感是非理性的，但不是反理性的，靈感是人類反映事物的方式之一，但不是所有方式的概括與抽象。感性也是非理性的，而靈感卻是悟性的。悟性分爲漸悟與頓悟，悟性或悟性的靈感不等同於直覺，直覺與漸悟相近，但也不是直等的。直覺有一定的過程性、階段性、連續性，而頓悟則呈片段性、非過程性、非階段性、非連續性。另外，漸悟則呈過程性、階段性、連續性。所以，直覺接近漸悟，於是，我們稱功能態爲悟性，而不言直覺。於是，在思維形態上，我們稱之爲本我切片思維。所謂本我，主要是指在漸、頓悟的比例上，頓悟佔主導地位。有些頓悟，是由漸悟而轉變的，有些頓悟，則是直接的領悟的。

由上所述，靈感並不神秘，也並不荒謬，在人體生命科學倡導並研究的今天，靈感走向衆人，即由過去只有少數人才具有或修持而產生，到今天，則由氣功之道達到理想的彼岸。

㈡**靈感與天才**

天才不完全屬於美學範疇，但與之有著千絲萬縷的聯繫，故將此放入這部分討論。

人們常說：天才出自勤奮。或說：天才就是勤奮。這對於鼓勵人們奮發向上、勤奮努力是不錯的，但是，天才與勤奮的聯繫到底還是極少的。

天才，古今聖人都曾予以肯定與讚美。

儒家認爲：生而知之者上也，學而知之者下也，困而不學，民斯爲下矣。

生而知之者，在過去相當一段時間內，認爲是不可能的，其實，它確實存在，這，就是特異功能。這類人是天生具有特異功能，不需修煉，也無需他人點撥。或有遙視功能，或有透視功能，或有內視功能，或有遙聽功能等。

道家認爲：不出戶，知天下；不窺牖，是天道。又認爲：是以聖人不行而知，不見而名，無爲而成。

這裡的聖人，就是天才的代名詞。在古人看來，只有具有天才的人，才能成爲聖人。這種天才，也是不要學習，不要修持，是天生具備了特異功能。

馬克思主義經典作家也承認天才，也不迴避靈魂的探討：「在伊壁鳩魯看來，靈魂是原子的『某種』集合。」這一點洛克也說過（!!!）……這都是些空話……（第488頁）[372—373]《不，這是天才的猜測，是爲科學而不是爲僧侶主義指示途徑的路標。》〈著重號爲引者所加〉（列寧《哲學筆記》第327頁）。

這裏，伊壁鳩魯認爲靈魂是原子，黑格爾卻認爲，此說爲偏見，而列寧認爲是天才地猜測，自古至今，靈魂是一個頗爲敏感的問題。猜測，當然是主觀的判斷，但伊氏視靈魂爲原子運動，卻具有唯物觀的特質，故列寧冠以狀語即天才。天才的頓悟，非常人所能爲，可能至少黑格爾這一代宗師不具有這樣的功能。

天才與靈感，具有先天與後天之區別，但一般說來，他們不是學習的結果。先天具有天才與靈感的人，先天就決定了他們成爲了不起的人，特殊的生理構造與機制，產生特殊的反映世界的器官，由於獲得與產生知識的途徑各異，表現出超過一般人的智慧，或者在政治、軍事、文化藝術等方面出類拔萃。後天的天才，

就是通過獨慎的內心體驗、修煉而成（少數由於生理病變）。這裏的體驗與修煉，絕非一般意義的學習。如佛家弟子打坐之禪功產生質的飛躍，可能產生特異功能。相傳的佛祖開悟，一下就看透了幾十層的天宇殿堂。後天還有種突然的變異，如肝病後，突然開天目，因爲肝開竅於目。或遭電擊、雷轟，出現天才與特異功能的靈感等現象。因此，絕非一般意義的學習。

世界上沒有兩片相同的樹葉，世界上也沒有兩個相同的人，即算單是從生理角度觀之，也是這樣。人如先天不具備天才與靈感，能否所有的人都獲得後天性的天才與靈感呢？這是因人而異的，即算是虔誠修持者，並非人人獲得天才。根據生命科學的理論與經驗來看，人的經絡有極敏感、敏感、不敏感與遲鈍幾個類型（這裏的敏感，是指對氣的敏感程度，絕非智力層次與水平可等同的）。有些人的經絡天生不敏感與遲鈍，其潛能與特功不可能開發，是爲慧根較差，他們修煉到死的這一天，也是不可能讓靈感與天才降臨的（但命根鍛鍊，可強身健體，延年益壽）。這類人幹事業，只能是以勤補拙，以毅力與發憤來取得事業的成功。也因爲這樣，天才與靈感被不曾獲得與體過的人指責、非難與否定。現在，氣功與特異功能，走入千家萬戶，我們期望每一個具有天才素質者不被淹沒，也期望著每一個閃光的靈感火花，映出奪目的光彩。

靈感與天才，也有幾分天然聯繫。法國狂飆運動眾多作家，就體現了這種迹象。

天才與靈感，是一種超乎尋常的、由特殊生理構造而產生特殊心理活動，或由特殊途徑（達到心理活動的途徑）、即內省、體驗而形成。

人是有差異的，這個命題，有很多材料支撐：或高大肥胖，

或矮子瘠瘦。一般說,高大者的力量大於矮小者的力量。能挑七十公斤與五十公斤的擔子,承受的力顯然有量的,當然也有質的差別。在生理內部構造上,當然是有差異,不然怎麼會有大力士與天才的稱呼?其間,或先天發育不全,或後天疾病導致。其神經、細胞、大腦的構造等,這就導致等差性。即算是同等構造者(雙胞胎),也可由於血液、氣質、膽質不同,或精於推理、邏輯、理性較強;或精於情感表述,易於激動,理性較差,而悟性較強。他們在同時進入成年以後,淺表意識過強,深層意識過弱,而在通過一定的途徑達到「道之爲物,唯恍唯惚,惚兮恍兮,其中有象,恍兮惚兮,其中有物,窈兮冥兮,其中有精。」(《老子》21章)「至道之精,窈窈冥冥,至道之極,昏昏默默。」(《莊子‧在宥》)。這裏,當然不同於宗教的「奪去他們的平常理智」,「失去平常理智而陷入迷狂」;也不同於「酒神精神」、「催眠狀態」的感覺(他們雖然也能達到相近的效果),甚至現在的某些毒品,也能致幻而產生相似的感覺,但這些,絕非能等同。因爲這些都基本喪失了理智,而惚恍之中的物與像,是有理性參與的一種表現(儘管十分微弱)。

　　因此,天才如能參與藝術作品的創作之中,其藝術作品更能產生輝煌的色彩,更能流靈出不朽的美學價值。同時,靈感也是這樣,把文藝作品注入新的活力。

㈢靈感與人體特異功能

　　靈感的生理基礎,我們認爲是松果體。特異功能的開發,主要對象之一就是激活松果體。在這一點上說,靈感與特異功能是具有天生的共同點的。

　　松果體的呈像能力、退化視網膜都是與人的理智、理性成反比例的,年齡越小,保存得越多,年齡越大,就消失得越多。

　　在人的幼小的黃金歲月，松果體一般是具有活力的，在古今中外文藝史上，就有無數早慧的神童。生於奧地利維也納的18世紀奇蹟的神童天才莫札特，七、八歲就能演奏、創作不朽的音樂作品。唐朝駱賓王七歲賦詩，且流傳千古。《鵝》：「鵝、鵝、鵝，曲項向天歌，白毛浮綠水，紅掌撥清波。」河北省石家莊市範西路小學生任寰七歲開始寫詩，到十歲時，她的詩作已有一千多首，日記、散文五十萬字。已在全國各報刊上發表詩歌、散文、小說、童話近百篇，還出了本《十歲女孩任寰詩文集》，她寫的詩歌《我的祖國》和《金錢》分別在南斯拉夫兒童詩歌和小學生詩歌比賽中獲獎。

　　這些神童之所以早早顯山露水，是因爲靈感（或天才的萌芽）未被理性扼殺，可貴的童心神奇的靈感，鑄就了他們的藝術篇什。

　　開發人體特異功能，就是開發靈感所賴的生理基礎。靈感不是虛無縹緲的，因此，松果體一旦被開發，近於泯滅的活力又將煥發青春。

　　特異功能包括視、聽、味、嗅、觸覺，在前面的章節中我們討論過，它們在特異功能範疇內是互通的，所以，千里眼、千里耳、功能態的各種感覺可互通，在這裏，神話、特異功能、美學打破種屬關係地融合於一起，使我們在文藝作品的創作中，看到了一道理論曙光。

　　古今中外多少文藝理論家、文藝批評工作者、美學理論家，乃至作家，他們絕大多數人領略、體味、間接猜到了文藝作品的一個至高的、日夜追求的境地即悟覺（包括靈感與天才等內容），他們苦於理論上過於實踐性地突破，使人難以接受；或苦於理性與感性的桎梏，前者傾向於神秘、宗教的色彩，後者傾向於傳統現實主義原則。當然，悟性絕非折衷的產物，也絕非可以代替其

他思維方式，在創作上，我們主張多元論。在世界上，只有猴子，而無草木、岩石，或者只有草木，而無猴子等動物、礦物一樣，都是單調的。

所以，靈感就是人的特異功能之一，我們承認特異功能，就應當承認靈性、靈感，我們在開發、利用特異功能，也就要開發、利用靈感，使文藝作品綻出更迷人的、姹紫嫣紅的色彩。

第七章　神話與人體特異功能 的自然科學思考

　　自然科學，顧名思義，是人類社會的科學，它孕育著人對自然的理解、抽象、規律化的程度。在千百年的神話時代，它留下了特異功能或明或暗、或全面整理、或斑斑點點的投影。我們對之進行研究，可以擴大對神話領域的探索，也可加深對特異功能的了解與領悟。

一、天文宇宙

　　天文宇宙是人們研究的一門渺茫的學問，科技發展到了今天，人們仍感到力不從心。在古代，人們對它的了解、認識、研究，可想其步履艱難，但這一些，阻擋不了人們征服宇宙的雄心壯志，所以留下了一串串優美動人的神話、傳說、故事。

㈠雷神與初民的直觀

　　古代雷神神話較豐富，在神話中佔有重要的一席之地。古人懼雷，然後是敬雷，敬畏參半。雷鳴電閃，伴以濃雲密佈、狂風暴雨。開始，人們對杳深莫測的天宇百思不解，加上日月經天，不可思議，又加上具有恐怖、懲罰特徵的天宇惡象，一部分人對之展開想像，有些人則是在運用尚未完全退化的特異功能，捕捉雲電幻化的形象，即各種氣團交鋒而幻化的形象，也許是宇宙蕩激精氣之靈，確有這樣一個形象——雷神的形象，便被描繪出來。

　　《山海經・海內東經》的描繪是：龍身、人頭、住在雷澤中，

它一槌打著自己的腹部，雷聲大作。這種描寫，與《淮南子》、《楚辭》的描繪相似。龍主司雨水，雷澤或雷淵同爲水域，同時，又爲人頭。可見，雷的形象總是伴著雨水，雷聲爲「轟隆」，轟與豐爲一音之轉，其名一展雷神的聲威。人的特異功能不盡等同，有的看到的或爲猴頭、狗頭、豹尾、鳥翅。因此，它是位極具靈性之物。

還有描繪得更細的：雷如連鼓之形，有大力士的容貌，一手奇鼓，一手持槌，如敲打的樣子。

當然，神話並非全是特異功能的直觀，有些則是附會，如：雷車、童男挽雷車、阿香推雷車、雷神成雷公、雷君另有雷婦，幾千年文化歷史積澱，神話原質或多或少被湮沒了。不過，雷神系統中，雷母倒是一位特殊的形象，她可「兩手運光」（《元史·與服誌》），這當爲勞宮穴發氣的描繪。元史爲蒙古人的歷史，他們作爲游牧文化，文明程度起步晚，野蠻性濃，在他們中間，特異功能者不乏人在。元雜劇中，電母兩手持鏡，同是上段隻言片語的註腳。

雷雨交加，大抵是在夏天。夏季普遍乾旱，正須雨水，所以雷神的形象並不令人憎惡。雷火又具有威嚴的力量，或者把高大的樹木毀掉，或者燃起熊熊大火，乃至把人獸炸死，偶爾把某些惡人炸死，所以，它被附麗出懲惡的功能。民謠稱：要得不信神，雷公打死人。又云：要信神，信雷神，要信藥，信草藥。民間時或有雷公打妖精、怪物的傳說，那已是後話了。總之，雷公具有人形人格、神形神格，更有稟賦天成的自然格。站在今天科學高度發展的角度以觀之，它是天空中正負電的碰撞。持非初民的認識理解觀，它是陰陽相搏而導致激盪的。這種正負電與陰陽二氣，在對於具有慧根的特異功能者，是能通過第七感覺器官，直觀其

凝聚、震盪的外骸形迹的，它，就是神，即雷神。

㈡盤古與天地開闢

宇宙、地球是怎樣形成的？它一直是令人困惑不解的大難題。基督教認爲：是上帝創造了世界。東方民族的中國古代初民，認爲宇宙、地球，認爲江河湖海是自然進化而成的，人化之神創造的，這裏，我們看到宗教與神話的本質區別之一，這也是一點。

盤古神話，在《太平御覽》、《繹史》引文及《述異記》等文獻中均有記載。

遠古時代，天地沒有分開，宇宙是黑混混一團，像個雞蛋，盤古就孕育在這個雞蛋中。經過無數個千萬年，他一邊發育生長，一邊昏睡。一天，突然醒來，眼前一片黑黝黝的，他非常惱怒，抓過一把板斧，用力一砍，一聲巨響，大雞蛋破裂了，四周輕清物上升成了天，濁重物沉下變作地。如是，天地形成了。他擔心天地又會重合，就頂天立地，天地一增長，他也隨著增長，後來，天地大致凝固，他太累了，終於倒下長眠了。臨死的時候，他渾身發生了異變：呼吸的氣流成了風雲，呼聲成了雷聲，雙眼變成日月，四肢與軀體成了四極與大山，血液化作江河，筋絡成了道路，肌肉成了田地，鬚髮成了星斗，膚毛成了草木，牙、骨成了礦藏，汗水成了甘霖。

這是多麼偉大的猜想！這比起後天的天圓地方，比起斷鰲魚四足撐大地四極，不知要科學多少倍。德國的康德與法國的拉普拉斯的「星雲假說」在18世紀才提出。他們以爲：地球是一種「星雲」狀物質凝聚而成，其星雲又是塵埃和氣體質點組成的原始星雲。它當初體積很大，散佈於整個太陽系所佔的空間。星雲中的質點分佈不勻，或密或稀，質點間相互吸引，較大較密的把四周較小較稀的物質吸引過去，逐漸形成中心密實周圍稀疏的緩慢

轉動的龐大的「星雲體」不停運動。以後，這個星雲體中心部分，又通過不斷集結，形成了一個巨大的球體，這便是原始的太陽。與此同時，環繞在原始太陽四周的稀疏質點，由於相應碰撞，便向原始太陽集中，後來凝聚成環繞太陽旋轉的星球，其中包括地球。

　　這裏的星雲團的星雲物質──塵埃和氣體質點就陽清、陰濁；黑混混的一團，大致接近星雲團，板斧一揮，大致是星雲物質內部運動中的突變。陰濁物大抵質量大，凝聚成原始星球。盤古擔心天地重合，便頂天立地，這也就是拉普拉斯所說的吸引力與離心力的矛盾的代名詞，它主要又是自然收縮的力量。至於十萬八千年，不過是概數，不必拘泥於此。

　　我們的先祖如果沒有超常的追憶功能，這麼偉大的命題，誰能想像得出？這不僅是想，而是直觀。不是形容性的描繪，而是客觀地說明。所以，我們可以驕傲稱之爲「盤古追憶說」。

　　這種理論，至今爲止，仍是一個未有定論的科研課題，假說也罷，追憶也罷，都需要明天的科學的裁決。

　　㈢日月神話與天人合一

　　日月，是人類賴以生存的忠實夥伴。「萬物生長靠太陽」，「月有陰晴圓缺」，就是就其關係的寫照。從上古初民時代起，這種情感延續了數千年、上萬年。

　　人們首先關心太陽是怎樣來的。

　　《山海經‧大荒南經》上說：太陽是羲和所生，並生了十個太陽。《山海經》還說：湯谷是太陽洗澡的地方，它伴有扶桑（或扶木）羲和，帶著太陽洗澡。她還駕著三足烏，行駛於長空天宇之際。

　　人們同樣關心月亮的歷史。

《山海經·大荒西經》上說：常羲生了十二個月亮，並伴隨著它時常沐浴，常羲身邊還有望舒與纖阿駕月。

羲和與常羲都是帝俊之妻，從簡陋的文字記載來看，我們已不知道這是同一位人物的兩個名稱，或者是姊妹倆，這不是此處要深究的內容，我們所要討論的，是她倆都是以慈母的身份出現，生育了日月，並伴他們沐浴。

日月沒有母親，但它們有靈性，它們的靈性就是人的靈性的觀照。日月有負極精神，天道恢恢，人也有負極精神，社會性的絕對真理兩者揉為一體，並迸發出活生生的光亮，人有情天亦有情，這是一種天人合一的自然觀。

天人合一的社會觀，是西漢董仲舒提出的，他主張天不變，道亦不變，社會道的準則，後來發展為三綱五常一類了，它與天宇中的日月經天一樣不可更變。這作為一種泛宇宙觀，有可取的一面，但作為社會倫理觀，則凝固、僵死了。

我們主張天人合一的自然觀，今天的科學，主張天地生綜合研究，人是生物體，是具有靈氣與思想的高級生物體，天人合一，容小宇宙於大宇宙之中，變大宇宙為千千萬萬個小宇宙，現在的各家氣功，很多講究，要求開放性地習練，主張天人合一，其間，有些意念與咒語都有「天人合一」之辭。

天人合一在特異功能中，是一個很高的層次，一則，從物我兩有到物我兩忘，這是一種變意守丹田為無意識的過程，一則如道家的丹道周天的習練，要「嬰兒出竅」，然後收迴，如果不是天人合一，則是不可思議的。

日月神話給我們深深的啟迪，令我們深深地反思，它是古人給我們上了一堂生動的補償課。它暗示我們，現在與以後的科學研究，應在聯繫與系統中立足、探索之。

二、地理氣象

地理與氣象同樣與人們生存的關係密切，是人們思考的對象之一。江河湖泊、山谷峽澗、風霜雨雪、雲霞霓虹，不管是在漁獵經濟時代還是農耕經濟時代，乃至今天的高科技時代，都是人們思考與研究的主題之一。

㈠地理神話

這裏，我們將簡要地討論崑崙神話、鐘山神話、巫山神女、宵明、燭光靈、巨靈、海神等山水神話，並從中演繹出對特異功能的思考。

1.崑崙神話：其內容較豐富，有的學者認為崑崙神話為中國兩大神話系統之一。我們姑且擱下不論，主要是務實、具體地討論崑崙神話與特異功能的內容。

關於崑崙山、崑崙墟、帝之下都、山上眾神，《山海經》中的《海內西經》、《大荒西經》及《西山經》篇章中都有敘述。

崑崙的大致方向在西、西北，方圓八百里聳雲摩天，上有把門的開明獸，還有虎身、虎爪，人面九尾，有紋的司山之神為陸吾，山上另有木禾、九井，木禾長九尋，井大有五圍。

崑崙山是神山，是眾神居住的地方。它滙聚了一種神的煙嵐，所以神聖異常。

在歐洲古希臘神話中，神山為阿爾卑斯山，宙斯為眾神之首，盤據高山之巔。

兩山相比，我們可引起許多遐想。古希臘是一個城邦，位於歐洲南部，包括希臘半島和附近的一些島嶼。它近海而多山，群山把各地分割成無數小塊，內陸交通阻塞。它的地理位置使它易於和古代東方文明接近。南可達克里特島與埃及，東可抵巴比倫。

古希臘包括很多奴隸城邦：雅典、斯巴達以及自身的誕生地克里特島。到了荷馬時代之後，希臘以一城市爲中心，建立起奴隸制國家。這些小國寡民，當時在只有幾萬平方公里的希臘半島上，就遍佈著二百多個希臘城邦，且大抵近海濱，重要城邦有：中希臘的雅典、南希臘的科林斯和斯巴達，小亞細亞的米利都等。且各自獨立自主。有時也結成集團，奉強者爲盟主，但相互競爭，戰爭頻繁。前五世紀的希臘和波斯戰爭，歷時五十年之久，最後言和，但雅典霸權自此確立，爾後，由於斯巴達爭霸主，爆發了著名的伯羅奔尼撒戰爭。後斯巴達雖取得了霸權，但促使了希臘奴隸制城邦走向衰落。

　　希臘神話就是以此爲主要背景，並在此前前後後被創造出來。他們的民族政治力量不是十分強大，政治上的城邦與民主政治，使人們希望有一個集中、強大的神祇力量，來完成霸權的統一。這樣，希臘神話就形成了一個完整系統的以宙斯爲代表的神話世界。

　　中國經歷了領土寬泛，國家權力集中，政治上專權，歷史悠久的夏、商王朝。領土的統一，王權的強大、集中，人們沒有自由、民主、平等，更沒有立法、共和政體，也沒有一年一任的執政官、貴族、長老會議、人民大會、四百人會議、陪審法庭等等，人們渴望生存的自由，人們渴求理想，這，則通過神話曲折地反映出來。我們說，中國今天的神話支離破碎，不成體系，沒有詳細而恢宏的佳構，主要是古籍保留不善（如「焚書」），神話歷史化（如「黃帝四面」），加上黃河兩岸大自然恩賜不豐，人們不重玄想，歷代統治者及文化巨人對神的輕視。這些大抵不錯，然而，更重要的原因是人民需要人權、平等、自由，反對獨裁、王權、霸道，不需要與之相反的神話。如果說，神話不歷史化，

保留又完整，人們重玄想，大自然恩賜又豐，中國的神話，我以為也不會如希臘神話一樣，有一個完整的神系，有一部完整的《神譜》。這一切，是由於神話形成、定型時的社會、政治、經濟、歷史、地理決定的中國神話沒有如此的體系與完整的神話，不僅不必遺憾，反而應當高興、自豪。中國神話主要是原始社會、奴隸社會的產物，而希臘神話則主要是奴隸社會的產物。它是人類童年的傑作，中國神話是人類嬰兒、幼年、少年的珍品，並是成熟與理智的折射。這裏，我們便非旨在否認希臘神話，而是在肯定全人類神話的價值（這裏暫未論及古埃及、古印度、古巴比倫神話）。

　　人類的這種理想的折射，與特異功能可有聯繫？回答是肯定的。

　　特異功能的主旨是企望人間是仙境，主張人人都獲得極大的身心解放，去普渡眾生擺脫苦海。人的解放，在特異功能的層次上，除了身體上出現特殊現象外，更主要地是心靈獲得極大的自由。萬般神通皆小術，主要地是要在靈與肉的碰撞上獲得認識上的昇華，具有其心態者，還包括生理上的特異現象，才是真正具有慧力、靈力、法力的人。

　　崑崙神話，並沒有一個龐大而完整的神系，只有自由快樂的眾神（如《山海經‧海內北經》蟜），雖為帝（神之帝）之下都，也只介紹有陸吾與開明獸等，山神陸吾，由管崑崙山神漸漸發展為司理天下之神，主宰天帝苑圃的時節之神，但仍沒有演變成宙斯類主神。天帝之神出現過幾次，線條模糊、朦朧，也沒有宙斯一樣的神權與威儀。

　　《吳越春秋》、《初學記》、《楚辭》及注、《博物誌》、《拾遺記》、《淮南子》等書，都有關於崑崙的記載，但大抵都

沒有超出《山海經》這個範圍，充其量為其補充而已。

　　2.鐘山神話。鐘山神原名燭龍。鐘山並非今天的江南的鐘山，而是極北方的崇山峻嶺。《山海經・海外北經》與《大荒北經》作過記載：睜眼看則是白天，閉上眼為夜晚，吹口氣就是冬天呼嘯的冷風，吐口氣就夏天為習習暖風，不需要吃喝休息，長足千里，形狀是人而蛇身，呈紅色。眼睛是直直的像條直縫，時而興風作雨。

　　鐘山的形象，根據人們的研究，是北極光，當為不誤。

　　鐘山神吐納氣流，判分陰陽，這是它含燭而照天下的最大的特點，它與氣功修煉的吐納氣息、合於陰陽非常接近。人們只有合於陰陽，才能把握陰陽；只有把握陰陽，才能開掘潛伏的功能，一展特異功能，體現人的超本質力量，實現身體生理性的異化。

　　陰陽互根，法於陰陽，孤陰不生，獨陽不長，陰消陽長，陰陽交替。老莊陰陽觀、陰陽五行觀、黃帝內經陰陽觀、道教陰陽觀等，都統屬於正負兩極說理論框架之下。

　　愛因斯坦的相對論，提出了新時空效應理論，他提出物體隨著速度的加快，體積變小，速度愈快，體積愈小，小到什麼程度？它可小到人的肉眼看不到，這種速度是超光速的。我們一般常說，在宇宙中，沒有超光速的，但實際上，是有超光速的物體，負極物質，就可超光速，如思維波、意念波。而且可能還有超超光速。我們說，飛碟是一大謎，多少人可以而且曾經看到，但瞬間就無影無蹤，是怪物還是超光速？我們大膽提出飛碟是超光速的。儘管超光速在今天的科學領域沒有突破與證實，但我們提出這一大假說，這，本身就是超光速的。有人把它視為現代神話，而現代神話只不過是未被科學論證而已。

　　在特異功能中，有搬運術，有穿牆術，怎麼搬運？怎麼穿牆？

這就是特異功能者把握陰陽、把握正極物質與負極物質的相互關係，發揮令人不可思議的強能意識，實現特異功能的展示。

北極光是由於地球軸心的傾斜，在自轉與公轉中接受陽光多少而形成的。這在古人看來，是不可理解的，北極圈一黑就是幾個月，一晴（白），也就是幾個月。這種陰陽，有悖於常人見到的物象，當然只有歸結於陰陽的把握及陰陽把握者燭龍了。

燭龍在《天間》、《莊子‧天運》、《癸巳存稿》中提及，說明古人對此是十分關注的。好奇感在不可理解中的文字裏予以記載，古人涉足之廣，也是令人嘆爲觀止的。

3.巫山神話。巫山神女居巫山，巫山神女自然爲山神。

《山海經‧中山經》與《太平廣記》引《集仙錄‧雲華夫人》等有不少記載。

神女叫瑤姬，是天帝的女兒，沒有出嫁就死了，封在巫山的南面，她死的地方叫姑媱山，她的屍體叫女屍，後化作了瑤草。瑤草非同尋常，是爲神草。

巫山非常高大，上摩蒼天，下至深淵，雲彩繚繞，遮天蔽日，風雨飄飄，四處瀰漫。媱姬在崇山上，一會兒就化作了石頭，有時迅速飛騰，散開爲輕雲，有時聚集在一起，變爲晚上的雨露，早早晚晚，都在陽臺下面。

「旦爲朝雲，暮爲行雨」，是巫山最大的特點，這是一處十分幽靜的場所，又是一幅十分迷人的畫面。

在眾多的氣功報告會組場音樂中，尤其是眾多的帶功磁帶中，那樂曲是一幅幅流動的建築體，它將人們帶入一個鳥語花香、春光明媚、環境優雅、景色宜人的仙境，組場中，我們透過樂曲看到東海日出、它噴灑著金色的光芒，撥開茫茫雲海，帶著光與熱，冉冉升起，也彷彿看到一片片寧靜的林子，草木崢嶸，萬物生輝、

芳香四溢，在流駛著斑斑點點的翡翠的色素，伴著一個個幽雅的音符，蕩漾著淙淙山泉，盪擊著晶瑩的靈石，品嘗著靈芝的枝葉，滿飲一盞盞瓊漿玉液。

有些氣功習煉，遠隔草園、花園、公園，只好購進一幅幅畫有黃山虬松、泰山日出、華山溝壑、衡山雲海的人工畫屏，使人心曠神怡、潛心入靜、尋求超脫、飄逸感。這是人工製造的氛圍，是開放型、群眾性的，人們每天忙於工作，是入世修持。他們沒有條件像道士、和尚、尼姑在深山老林、廟宇道觀練功。天下名山僧佔多。所以，這種人工製造的環境，也可以，只好權且「畫餅充飢」，「以假亂真」。

這種心情愉悅，可以餵功、帶功、長功，是練功不可缺少的輔助手段。

我們在沒有這種輔助手段時，練功前調心，雙目微閉，將天宇極遠的大自然各種聲響盡收耳底，也是這種功效，這樣便於探氣、練樁，以補體內的真陽之氣。

我們推測，媱姬是一位導引探氣養生的大家，她年少而死，只是陰陽正負兩極物質的轉變，她迷戀於巫山迷人旖旎的風光。巫山神女，就是一位巫女，就是一位具有特異功能的女性，她的神女本領，被省略號所代替。然而，我們根據巫山的特性大膽進行推斷，不是毫無根據的。

神女身體化為石頭，精魂化為媚草——瑤草，也就是靈芝草。她是一位修煉專注的金童玉女，死後的負極精神，還能投入瑞草的懷抱造福於人。

4. **宵明、燭光、巨靈神話**。這三位神都是黃河之水神。

先看前面兩位神。《山海經‧海內北經》說：舜的妻子登比氏生下了宵明、燭光。他們住在黃河邊的澤國水域中，這兩位神

的靈光能夠照亮成十上百里的地方。

　　宵明與燭光，顧名思義，是黃河邊夜晚之神，兩位神靈在一起，使宵明的光明點上千萬支蠟燭，眞是光明的神使。

　　這是一組具有特異功能的神靈，他們的生理素質超乎尋常。

　　我們知道，萬物有光，礦物、植物、動物，其中包括人，在其正極物周圍，不時發散著一種生物場或後光，健康者發射的是銀白色的光芒，行將就木者發射的是灰、黑之光，修煉層次較高者，呈黃、紅光，再上推爲綠、藍、紫等光。宵明與燭光，當是橙黃色的光。

　　我們已知道劉邦頭頂時常有五彩之雲，我們又知道，黃帝頭頂也有五色雲氣，並創製華蓋。其華蓋用途大致有二：(1)黃帝的雲氣不可能時時放出，不少的時間是處於收勢，平時爲了顯示自己超群的稟賦，故模仿雲氣製華蓋。(2)可能是爲了掩飾自己頭上的雲氣，以掩飾其雲氣。但有一點應是可以肯定，後來的皇帝時佩華蓋，是爲了顯示天子的尊嚴，以表明天子是具有某種特異功能。事實上，子襲父位，不一定具有特殊的稟賦。

　　宵明、燭光雖不一定具有五環、七彩，但他們發射的光，可照耀百十里，已經屬神通廣大了。

　　下面再看巨靈贔屭神。

　　他神通也不小。《文選・西京賦》說：高高的山崖用手掌劈，路程遙遠的峰巒用腳踩。開掘出彎曲的黃河流道。《搜神記》（一三卷）說太、少華二山，本來是連在一起的一座高山，因爲它擋住了黃河的流向，巨靈神用掌劈高崖用腳踏山谷，一分爲二，使黃河能暢通無阻。現在，手、足三迹仍留在山上。

　　這也是一種功能外化。

　　街頭巷尾的民間硬氣功，有以掌斷磚傳統保留節目。在特異

功能中，有指碾碗茬、鐵指鑽磚、意水斷磚。以肉體之指、掌，
穿斷結構堅固的燒結磚。其力量、速度是非凡的，當然其中摻入
了意念。冰凍三尺，非一日之寒，臺上一眼，臺下十年。能量需
要聚集、訓練。

巨靈之神，當然首先是力氣之巨大，其次是靈性、靈力高人
一籌，不然哪有如此功力。

我們的先祖不乏特異功能人才，也不乏有關特異功能文字記
載，所以，到今天我們仍能領略前人力之勇、性之靈。

5.海神

浩緲大海，氣勢雄渾、胸襟開闊，無風要起三尺浪，有風要
湧百丈高。

中國古代初民，認定中央是陸地，四周是海洋（不能詳知足
迹涉及西亞否？），南海、東海與北冰洋已盡收視網中。有海就
有海神。海神爲：禺虢、禺強、不延胡余、弇茲與海若。

《山海經》中的《大荒東經》、《海外北經》曾予以記載。
共同特徵是珥兩蛇，踐兩蛇，人面，另外，或爲鳥身。各種蛇，
或爲黃、青、赤色，如《大荒東經》：「東海之諸中，有神，人
面、鳥身、珥兩黃蛇，名曰禺虢。黃帝生禺虢，禺虢生禺京，禺
京處北海，禺虢處東海，是爲海神。」

這種海神，不像龍王居水域，而是居在小島上。他們珥蛇、
踐蛇，顯示了其超人本領。把蛇當耳環，作裝飾品。今天的非洲，
仍有不少的婦女保留了這種奇異的裝飾。而且有趣的是，掛在耳
垂下當耳環的蛇、活生生的，不停地曲扭、蠕動。這是人類征服
大自然的一種遺風。猛獸是人類生存的一大威脅，其中的蛇繁殖
快，數量多，或毒蛇，或巨蟒。在母系氏族時代，英勇屬於智慧
和力量兼而有之者。後來，人們以之爲裝飾物，當然是一種顯示

與炫耀了。要征服蛇，非有特異功能不可。現在，民間耍雜仍有玩蛇的項目。或者活吞蛇，或者以蛇纏身纏項。現在看來，捉蛇、玩蛇不少人都會，尤其現在的養蛇專業戶。但是，幾千年前，就非同小可了，蛇是勇敢、才能的符號。

也許會有人懷疑，海神並不盡皆有特異功能，那麼，我們可看看《山海經》插圖（古圖已失，參看明朝王崇慶，清朝汪紱、吳任巨等注釋於書的補圖）。不延胡余飄於海面，周身發散著雲氣，這雲氣，決不是天外雲霞，而是一種生物場。耳足各兩條蛇，飄忽於大海之上。禺強大致相當，稍有區別的是，他乘坐一條巨龍，四周瀰漫著雲氣。

至於海若的吐納之氣，可逐鬼氣，更顯示其威力無比。

㈡氣象神話

氣象的內容較廣：風霜雨雪，朝暉夕陰等，它反映了人類生活面較開闊，這裏，僅只就風神與霜雪之神略作敍述。

1.風神

風是宇宙間自然現象，它也是一種力量。風是每天走入千家萬戶，描繪的詞語較多：風調雨順，風雨同舟，風起雲湧，和風細雨等。

我們的先祖是怎樣認識風的呢？

《山海經》中的《海內北經》、《西山經》與《淮南子·地形訓》等，記敍了一位風神，它叫窮奇，是廣莫風所生，像虎，有羽翼，吃人從頭開始，人們被吃的是披頭散髮。總之，他外形醜陋，妖邪遇到它聞風喪膽，所以人們又稱之為天狗。

《楚辭》、《元史·輿服志》等記敍了另一位風神，它叫風伯。它與窮奇不同，而是專在天上。飛廉風神，神奇之鳥，頭如雀，有角，有豹子一樣的紋理、朱髮，背著一個風袋，站在雲氣

中，能夠招致風的來去。

風是氣流動的結果，氣，是一種變幻無窮的動態物體。印度哲學家認爲：世界是由地、水、火、風組成。中國哲學家們曾把風看作世界的本源之一。《易》中觀物取象，把世界的本源歸納爲：天（乾）地（坤）雷（震）火（離）風（巽）水（坎）山（艮）。都是東方民族，同在亞洲，甚至毗鄰，相當接近。

氣在人類思想史上，是視之爲大自然的物質形態，其實是一種極精細的原始物質。從荀子、韓非子到《黃帝內經》等，人們的認識向前跨了一大步。人的生存離不開氣，加上醫學的從深發展，「氣功」這門學問的雛形就奠定下來了。不管是導引、服食的養生，還是後來的內丹、結丹之氣，使人類的認識的玄思冥想，有了依託之「陣營」。

所以，風神啓發了人們的氣功思考，氣功又把風神從遠古的天上，引渡到了人間，風與氣功有機組合起來了。

2.霜雪之神

霜雪神話保存的不太多，但引人入勝，它反映了人們與寒冷作鬥爭的史實，也反映了人們想像篇章。

《淮南子·天文訓》說：到了秋季九月時，青女就出來，降下了霜雪。

《太平廣記》引《玄怪錄·蕭志忠》稱：滕六這位雪神是主司降雪。

青女之神是很美的。《山海經·中山經》說：小要（青要）牙齒潔白，戴著精美的耳環，碰起來像玉。

霜雪晶瑩潔白透亮，給人許多美好的遐想，故是迷人。古往今來，多少文人騷客，爲之吟詠，它雖然帶來寒冷，但可以凍死蟲豸。霜降後，能使秋果甘甜，瑞雪後，可兆來年豐產。霜雪體

現了陰柔之美，與《老子》貴陰是一脈相承的。陰與陽，不管是
陰盛陽衰，還是陽盛陰衰，兩者是相輔相成的。

　　霜雪之神是以柔剋剛的藝術延伸，是理性的外化，是一種民
族精神支柱。它為特異功能造就一種氛圍，一種境界。

三、原始自然科學：生存與生產

　　原始科學，為科學的雛形，它是在人類的生存與生產鬥爭中
體現出來的，這些文化的歸納，是初民文明的再現。這部分我們
擬從火的使用、馴服動物、拓展農業、手工業製作及化學釀造業、
數學丈量土地等方面入手、展示人類特異功能以及與其緊密相依
存的人的超級潛能。

㈠火的利用與掌握

　　人與動物迥然不同。動物僅僅利用外部自然，單純地以自己
的存在來使自然界改變；而人則通過他所作出的改變來使自然界
為自己的目的服務，來支配自然界。這便是人同其他動物的最後
的本質的區別，而造成這一區別的還是勞動。世界各地的原始人
能製造工具並開始利用火，這就表現了人的主動地位。火的使用，
更使人在向自然界鬥爭中，得到了一個強有力的武器。北京人用
火取暖、烤燒食物、防禦、捕獲野獸。北京人的周口店洞穴的很
厚一層灰燼，就是歷史的證明。另有被火燒過的土塊、石塊和獸
骨，進一步說明祖先北京人，已熟練掌握了火的性能，發揮它們
的功用。

　　我們知道，中國「五行」說中，火為重要的一行。八卦中的
火（離、☲），被視為世界更多東西的根源：古希臘哲學家赫拉
克利特認為火是萬物之源，世界是按照規律熄滅著永恆的活火。
印度哲學家也視火為世界本源之一。

火是世界文明的共同話題。中國神話也與之同步，不曾半點遜色。從《左傳》（哀公九年）、《管子‧輕重篇》、《論衡‧祭意篇》、《路史‧後紀三》等章節中，可信手拈來。

炎帝是火神、炎帝的誕生、鑽燧生火，他死後成了灶神。人們用火燒烤、煮熟食物。炎帝的頭部是尖尖的。他的名字為炎，炎帝之炎，正是火光沖天的會意字。

比炎帝更早的是祝融，他也是灶神。《山海經‧海外南經》說他是人面獸身、乘兩條龍。他代表古代人民掌火，歷史上被視為三皇之一，功勞卓著。他還曾助湯伐桀。「天命融隆火於夏之城間西北隅，遂剋之。」（《墨子‧非攻下》）

炎帝之後，則是吳回，即回祿火神。《山海經‧大荒西經》云：吳回是火災惡神。

宇宙間大道自然，萬滙歸宗，物體的火化過程，就是固定態轉為氣化態物的過程，火就是轉化臨界體。輕度轉化，就是自然本態物轉化為熟物，或使其液體沸騰。重度轉化，就是化之為灰燼，或氣體升到空中消失。

氣功中講究火與火候。火又是人類認識外物而轉化為對自身的體驗的中介物，如冶煉與煉丹。

煉外丹，是方士們、道徒們為追求長生不死的事業，他們企圖從丹砂中提煉出丹藥與金銀，有幸是他們從中了解到了汞、鉛、硫磺等樂物。《道藏》可說是一部煉丹之書。煉丹是十分講究原材料、火候、成色。煉外丹最終失敗了，但在小農經濟的時代，採用規模較小的鼎器，一人或幾人合夥小打小鬧。深山老林僻靜的處去，卻開導了一場原始的化學革命。南懷瑾先生曾多次明確宣稱：化學的確源於中國的煉丹術。

外丹不成轉向內丹，又導致了一場人體生命科學的革命。

　　煉內丹的火候更十分重要，幾千年來，導引養生與氣功習練，是傳藥不傳火。

　　人要具有特異功能，要成為神醫，腹內要產藥，就是要結丹，此丹，尤如核反應堆，它具有極大的潛能。當子午流注、法輪常轉時，會導致體內眞氣充盈，到了一定的時候，會產生活子時，生理上的反映是陽物舉起，乃至有濕潤狀。採藥後，趕緊烹煉之，煉氣時，又有文火、武火之分。文武之道，一張一弛，動靜相宜，文武結合，就能產生奇效。在氣功界，對火候的認識，更有甚者，又分之爲：一是先天元神靈光之火，一是眞意心機之火，一是眞息運動之火。煉丹時，採用不同的氣息變化，配合元神之光，用眞意作指揮，煉精化炁而成丹。

　　我們從這裡看到，人類對火的認識，到了一個怎樣的程度與層次啊！難怪古人對火神是如此地崇尙，這絕非是上古，中古、近古亦然（如灶神相對晚於原始火神）。

　　今天，我們從特異功能的角度，反思火神的意義（包括火），它已越過物理、化學意義上的一般之火了，而是達到了生理學、人體生命科學的境地了。

㈡馴化動物

　　人類社會進化到新石器時代中期，生產力大大提高，先是漁獵業達到比較繁華的階段，不久，人們開始馴化部分禽獸了。一部分成了家禽、家畜，一部分用之於生產、生活，如馴豬、馴雞、馴象、馴牛等。神話中保存了一些內容。

　　先看馴象神話。

　　舜，是一位獵人兼馴化能手。他姓虞，大致封地是掌管獵物之官。《山海經》、《尙書·舜典》、《楚辭·天問》、《帝王世紀》、《孟子·萬章》、《史記·五帝本紀》、《列女傳》等，

都有過較詳的記載：他在大山中，狂風暴雨也不迷路，他的品德足以馴象，他安葬在蒼梧，象為他耕耘。

在遠古，黃河流域一帶曾有過大量的象，由於氣候等原因的變化，象退居泰國等地的南亞了。舜原來就是蕣草，即大象所食之菖蓂之草。《列女傳》等把舜與象都歷史化了，物亦人化了，從中可見馴象之難：治廩就是修柵馴象的投影，象下土實井就是舜掘陷阱捕象的投影，舜令樂神製樂器、修樂曲、自己譜古樂、創製《南風歌》，是以歌舞馴化大象的投影。

再看馴牛神話。

王亥服牛，在《山海經・大荒東經》、《世本》中有反映：他兩手操鳥，正吃鳥頭，他為有易、河伯仆牛，後被有易殺掉。

馴服鳥類神話。

伯益是馴鳥大家。《史記・秦本紀》、《淮南子・本經訓》、《漢書・地理志》、《尚書・堯典》都有反映。他調馴鳥獸，鳥獸多被馴服，掌管畜獸，畜獸繁殖快，他還能聽懂鳥叫的意思。

主管禽獸神話。

《山海經・西山經》載：在上帝的牧場，由英招主管，他的裝束，反映了他管轄的對象：馬、虎、鳥等物，他常到天下各地去視察，他有一種特別的叫聲——榴！

在大千世界中，人與動物的關係，應當說是最為親近。我們在漫長的歲月中，提倡人性。孟子說過：性本善（人性）。科學發展到今天，我們應該倡物性。物，主要是動物。「物性看似為一個新名詞，其實，我們早就倡導了。世界各國，包括中國在內，不是從立法角度制定了眾多的野生動物保護法、珍稀動物保護法嗎？像熊貓、獼猴，銀杏、水杉等都受法律的保護。當然，今人的立足點是保護生態環境，並非完全是從情感角度普及與強調之。

但不管主觀的動機如何，它至少已有這種客觀效果：講物性。過去宗教界講慈愛之心，到現在，非宗教界的芸芸眾生及一些有高深功夫的人不吃葷（豬、牛、狗、雞、鴨、鵝）。爲什麼不吃？一則是有慈愛之心，一則到了較高層次，身體不需要了，他們對動物信號敏感，一吃就覺得難受。動物臨死前（牛、羊、狗、猴等）的信號反應在他的身上，所以不能吃，這些有特異功能的人，不僅不容許一般人對他的干擾，而且也不容許受到動物的干擾。動物信號雖不與人通話，但是牠與人有一定的聯繫。你在牠生前對牠友善，牠很可能在信號上反映出來。如「狗不壓家貧」，家養的狗是趕不出、打不走了。牠具有這種天然樸素的感情。又如牛羊，屠夫要殺牠，可能會跪下，還會落淚、鳴悲。這些感情是天生的？不，虎豹豺狼就沒有，它是經過舜、王亥、伯益、英招以及千千萬萬不曾留下姓名者，經過千萬年的馴化、餵養而形成的。所以，動物早就與相識者及不相識者的信息相通了，拔高點說，是通靈了，我們不可等閒視之。

㈢農業神話

農耕經濟時代，自然崇奉農業之神。「民以食爲天」。神農與后稷如是就顯得特別顯赫，關於他們的神話也就特別豐富、飽滿。歷史上，與農業緊密聯繫，其主要植物爲：稻穀、粟米、高粱、玉米及眾多的菜蔬，它們身上，寄寓著人們美好的企望與感情。

1.神農

記錄神農神話的典籍，說是汗牛充棟，大致不會太過分。如《淮南子》、《藝文類聚》引文、《拾遺記》、《列子》、《水經注》、《論衡》、《繹史》、《路史》等。

神農住在姜水，長在姜水，並以姜作姓。他長得頭像牛。有

意思的是，她的母親女登在華陽游玩，與神相交，後來生下了他。開始，人們都是吃飛禽走獸的肉，但這些東西有限，便就尋找可吃的植物類，如吃百草的果實，採樹木的果實，但是，時常誤食而使人喪生，他——神農多次差點中毒而身亡。於是，神農就教人們播種五穀，耕作田地。當時相傳，是一隻丹雀銜了株「九穗禾」，掉到地下，他拾取來讓人們種植於田地中。

人類開始有意識人為地種植穀物，與游獵時代的捕魚打獵比，生活穩定多了，也比半游獵、半農業社會的採摘果實穩定多了，它體現了人類不完全被動地依賴大自然恩賜的積極意義，也表現了人類向大自然挑戰的主題思想。

由於要種植穀物，導致了一系列農耕農作的具體要求：分地之利、相土地、輮木成耒、煮馬尿治蟲、冶斤斧為銅鑄，還要正節氣、審寒暑、定日曆、開渠掘井等，另外，神農擴大種植範圍、教桑麻，為布帛等。

所以，姜氏農冠以「神」，毫不誇張，永久受到後人的紀念。

2.后稷

后稷神話，典籍的記載頗多，諸如《山海經・海內經》、《尚書・呂刑》、《詩・大雅》、《淮南子・人間訓》，另有《孟子》、《史記》、《漢書》等。

這位百穀之神，是帝俊的兒子，因為天神認為稷非常神異，所以賜給他良種嘉穀，他居住在大澤那個地方。另外還有一種說法，他是姜嫄的兒子，他又是帝俊的後裔。說他是姜嫄的兒子，應是較合理的，那時，野外沒有修整田地，人們的食物不足，他就教人們開荒墾地，鑴除野草，施肥上種，開掘田溝，他還製造了一些農作生產工具，為了眾人種好五穀，他多次過家門而不入。他劃定疆界，以分出宜於耕種的土地，開墾田土，種植桑麻，播

殖五穀，使人們安居樂業。他示範種植的大豆，飽滿結實，小米
苞穗沉甸甸地，麻麥生機盎然，瓜果纍纍，他還種植菜蔬。管理
上還很有一套：拔草、澆水、施肥，非常得體。其實，稷就是黍、
粟一類的小米，穀稱糜子。最後，因爲播種百穀而辛勞過度，死
在山野之上。現在，人們依舊視之爲穀神，與土地之神「社」一
起合稱社稷，以指國家。以農業立國，當然最大之事莫過於「社
稷」了。

　　「稷」爲周人所奉的農神，大抵神農就爲周人以外民族（包
括南蠻楚越等地）所奉農神。

　　另外的柱及叔均，皆爲神農，他們教人百穀百蔬，並作牛耕，
也被人們紀念，這裏不作詳論了。

　　神農與后稷，是千千萬萬發現穀物、留心良種、著意種植的
典型之一，其典型的最大特徵之一，是具有特異功能。神農得到
的「九穗禾」及天帝賜予的「良種嘉穀」，除了成千上萬年的自
然進化過程——劣汰優勝及人爲的選種因素以外，就是對它們施
以良好的意念，發散著良性外氣。因此，人們紛紛觀光，向他學
習，奉之爲「田祖」。穀粒大、畝產多，收成好，人們大致解決
了飢飽問題。

　　今天的氣功實驗證明，經過發放外氣處理的植物，比沒有經
過外氣處理的植物顯然不同。四川大學720所莫尙武等潛心研究
了氣功外氣對側耳、香菇、金針菇和金耳等品種的菌絲生產情形
與影響程度。結果表明，外氣對香菇、金耳菌絲生長有促進作用，
這就爲克服香菇等菌抗逆性弱，菌絲生長慢，容易感染的栽培困
難提供了一條新途徑。是爲其一。其二，外氣對提高香菇出菇率
有一定作用，用氣功直接處理，袋料菌絲能增產10—29％，與
國外有關研究的結果相似。其三，不同的氣功師因功力、功能與

功法不盡相同，其增產的效益有高有低。其四，經氣功處理的鳳尾菇，出現比對照大一倍多的一株菇，菌蓋最大直徑為25公分，菌柄粗4公分，總重 124克。另外，還有兩株的菌蓋發生顯著變化。對照組則均無如此變異。

我們說，眾神農獨有嘉種良穀，是經過他們的氣功氣化後形成的，不管其氣化是有意與無意、盲目與自覺的。當然，氣功只能起到一定的、相對的作用，並不能坐在家裏，用特異功能處理播種與收穫的全過程。正因為這樣，才會有下種、施肥、除草、澆灌、收割、留種等生產過程及要素。正又是這樣，我們才相信諸神農並非是「神」，而是具有特異功能的人。今人的氣功對菌類有影響，如同古代的氣功對穀物同樣有良好影響一樣，其理相同。

由於人們受眾神農的影響與幫助，所以人們感激他們、崇敬他們。《山海經・海內經》就有過人們懷念后稷的紀錄：「西南黑水之間，有都廣之野，后稷葬焉。爰有膏菽、膏稻、膏黍，百穀自生，冬夏播琴。鸞鳥自歌，鳳鳥自舞，靈壽實華……」。

夠了，用不著我們更多地敘述了，應可相信其神話人物「神」在什麼地方。

㈣與手工業製作相關的神話

手工業製作品，從漁獵經濟到準農耕經濟乃至到降農耕經濟，一以貫之，甚至可以推及更早的石器打製，骨器的磨製。當然，在這裏從略了。我們著眼於古代文明，因此選取弓箭製作、網罟製作、車船製作、衣服製作等手工業神話，並以此來觀照特異功能。

1.弓箭製作

弓箭之神，在神話簡介中，簡介了般、揮、夷牟、浮游作弓

矢，除了他們以外，還有大羿作弓，逢蒙作射，倕作弓，推亡作天弓，另還有遠望、續長之神等。這裏，我們著重討論大羿與逢蒙作弓箭之內容。

⑴羿神話

弓箭之神羿，在《山海經》、《楚辭》、《淮南子》等諸子著作中，有大量的記載。下面綜合以敘述之。

羿創造了弓，他非常善射。開弓之前，先調好弓箭，仔細審察射物的高低位置，並加以校定，且是神速，所以百發百中。鳥從高空掠過，要射左眼，絕不會射右眼。他射殺過風伯、河伯、九嬰，更爲神奇的是，堯時十日並出，羿受命於危難之際，一連射下九個太陽，殺死了九隻日中鳥。他的弓箭是彤弓素箭，是帝俊賜給的，他死後，成了「宗佈神」。

⑵逢蒙神話

如果說羿發明創製了弓，那麼逢蒙則發明歸納出射箭方法。《說苑・談叢》、《離騷》注文、《孟子・離婁下》等都曾作過記敘：他是天下最擅於射箭的人，他一摸弓，虎豹嚇得直叫起來，還曾射殺曾以之爲師而後來荒淫的后羿。逢蒙一作蠭門，蠭與蒙（又作蠓）都是善飛的蟲，由於善飛，所以也擅於射殺飛禽、蟲。當然，這可能是以某種蟲作圖騰的氏族。

⑶羿與逢蒙

其神話，一則創製了生活、生存的重要工具弓箭，一則更多地寫出了他們的英雄業績。弗・恩格斯《家庭、私有制和國家的起源》：「弓、弦、箭已經是很複雜的工具，發明這些工具需要長期積累的經驗和較發達的智力，因而也要同時熟悉其他許多發明。」「弓箭對於蒙昧時代，正如鐵劍對於野蠻時代和火器對於文明時代一樣，乃是決定性的武器。」

　　弓箭的發明，是物理學上力學的第一次偉大的革命。箭要堅硬、弦要有韌性、強度與彈力。弓既要有韌性、彈性，更要有張力，具有一定的硬度。它是弧形與直線的綜合運用，箭上乃要安裝矢鏃，甚至塗有烈性藥物。射箭要講究臂力，更要講究準確度，如百步穿楊。不經過訓練、學習，是不能成爲射箭大師的。所以，它確是長期積累了、滙集了人們豐富經驗、它的出現，具有劃時代的意義。

　　人類衆多的發明創造，科學技術的發現與運用，竟有不少被應用於軍事。弓箭就是這樣。特異功能也有這種迹象。據《華盛頓郵報》披露：1973年，美國中央情報局曾讓兩名具有特異功能的人進行「千里眼」觀測實驗。實驗中，兩人用特異千里眼準確描繪出正在遙遠的印度洋加爾西西島美軍秘密興建的軍事基地情況。接著又對隱蔽在烏拉爾山前蘇軍導彈基地進行「窺視」。結果表明，通過千里眼得到的情報，比美國間諜衛星拍攝的照片更詳細。

　　人類發明弓箭後的昨天，可能是我們肯定人體特異功能的明天。發明弓箭與認定特異功能，在這方面是相通的，但願特功造福於人類，避免人類重蹈歷史上戰爭覆轍的悲劇，特別是讓人明白：世界東方，尤其是中華民族在氣功中講究德——功德、慈愛、光明、品行、爲善，使人在心、性、行以德爲尚、助人好施、心胸坦蕩，做一個高尚、純粹、脫離低極趣味的人，行上士修道之法，度人度己，自覺覺他，毫不利己，專門利人，爲時代、爲民族、爲人民多做慈、善之事。

　　神話中，弓箭的發明者羿後來與洛神相戀，與河伯爭風，與妻子嫦娥鬧分離，淫遊俠畋射殺封狐，不修民事，棄賢者而用寒泿等人，最後被逢蒙以桃棒作箭殺死。

　　所以，這則神話與人的特異功能，給我們提供了一個教益，萬事以德爲本，方是大道。弓箭、戰馬、槍炮、飛機、坦克、原子彈曾把人推入苦海。特異功能，以此爲誡。善哉！

　　2.其他製作

　　手工業製作，除弓箭以外，尚有漁網製作、車船製作、衣裳製作與房屋製作。這裡，其始作者，均被後人視之爲神，諸如製漁網的芒神話、蛛蚤神話，製舟船的番禺神話、虞姁神話，製車的奚仲神話，製衣裳的嫘祖神話，製房屋的高元神話等。他（她）們以其獨特的聰穎，特異的功能，爲後人提供了生存、生活的極大便利。爲了論述的集中，我們只論及車神與衣裳之神。

　　　(1)車輛之神

　　車輛的發明創造，是人類生產力解放的重大標誌之一。遠古初民，搬運物體，靠手提、肩挑、人揹，車輛的出現，極大地緩解了人們的勞動強度，也極大地提高了勞動效率，故其是人類發展史上的一件大事。車輛的誕生於世，在當時與後人看來，其發明創造者，是與衆不同，故被視爲車神。中國的神話中，其車神有奚仲等。

　　奚仲的神話傳說不少，在《山海經・海內經》、《呂氏春秋・審分覽》、《荀子・解蔽》、《管子・形勢解》、《新語・道基》、《論衡・感類》及《太平御覽》、《太平廣記》等書中，皆有記載。

　　奚仲，有感於飛蓬而發明了車。車的主要部件是車輪，車輪利用滾動原理，在省力上，是大大優於挑、提、揹等手工勞作，可以說它是後來機車製作的先聲。《後漢書・輿服誌上》：「上古聖人，見轉蓬始知爲輪，輪行可載，因物知生，復爲之輿。」發明車輛，並非一想而成的，個中要經過多次試用、調整的。傳

說徐州之東，接近沂河處，有一條溝叫「盤車」，相傳是奚仲試車之處。《管子》稱：「巧者，奚仲之所以爲器也。」「奚仲之爲車器，方圓曲直，皆中規矩鈎繩，故機旋相得，用之牢利，成器堅固。」奚仲撓曲爲輪，因直爲轅，駕馬服牛，以代人力，故爲車正。奚仲不但發明了車，使駕車又提高了一個擋次，即以牛馬駕車。

奚仲是薛人，即爲薛人族氏。薛爲平地，是不如山區、丘陵那樣，有造車的地理基礎，《世本》載：「薛氏，夏奚仲封薛。國有薛侯，其後爲氏。」《左傳·定公元年》：「薛之皇祖奚仲居薛。」看來，奚仲爲薛人是可信的。《山海經》稱：「奚仲生吉光，吉光是以木爲車。」由此可見，奚仲不僅是造車的優秀代表，而且父傳子業，使車輿日臻完善、精美。

由於奚仲的豐功偉績，爾後出現了奚公山、奚仲山、奚仲亭、奚仲冢，而且，百姓視之如神靈。

奚仲，看似是一個普通的發明創造者，其實，他也是一個具有一定特異功能的人。他有「感」於飛蓬，其感，正是一種本我態的「靈感」，它是一種正極精神「有感」於正極物質——飛蓬而迸濺的智慧之火花，其蓬與輪，等同於圓的形狀，吻合於陰陽太極圖，也吻合於古人天圓地方——天是圓的，達到了一種天人合一契合同一性，故而在發明創造史上流芳百世，受到後世的敬仰與尊重。

(2)衣裳之神

衣食住行，是人類生存的四種基本方式，其「衣」，居於首位，可見其意義重大。

衣裳之神，在中國神話史上，由衣服製作原料的演變，出現了麻織衣裳——絲織衣裳的衣裳神系，故而別具一格。

　　首先，是麻織衣裳之神。遠古時代，人們在冬天，從燒柴烤火的桎梏中解放出來，用捕得的野獸之皮，遮蓋在身上，以保其暖，這樣，原始人在隆冬，可人離開洞穴火堆，外出捕魚、捕獵，這樣擴大了原始生產的時間域限，豐富了生活資料。但鑒於人們捕獵野獸、革皮成衣的局限，於是產生了麻織衣裳之神。《淮南子・氾論訓》：「伯余之初作衣也，緂麻索縷，手經指掛，其成猶網羅。」《世本》：「胡曹作衣。」這裡的伯余與胡曹製作的衣服，已經是較好的衣服了。「伯余製衣服」，「緂麻索縷」，是經績麻織布而成衣的，其工作繁雜，工藝繁多，是不難想像的。而「胡曹」之曹，楚人稱之爲「布」。《淮南子・說林訓》（高注）：「楚人名布爲曹，今俗間以始織布繫著其旁，謂之曹布。」另，據古文獻載：胡曹作冕，胡曹作袞服九章。可見，胡曹也是織布、成衣師，而且是技藝頗高的成衣師。

　　其次，是嫘祖與蠶叢氏。《通鑑外紀・卷一》：「西陵氏之女嫘祖，爲黃帝元妃，始教民育蠶，治絲繭以供衣服，後世祀爲先蠶。」嫘祖爲西陵氏之女，嫘，即「纍」，爲繩索，原爲其絲或一束束的絲線。嫘祖，即抽絲紡線，織布縫衣之祖。

　　蠶叢氏「教人養蠶」。養蠶以抽絲、織布、成衣。

　　蠶神話，是中國獨有的神話，中國的蠶絲，在世界絲織品中，爲絕無僅有的。中國的蠶與蠶絲，通過朝鮮、日本、印度與絲綢之路，才予以外傳。當初，婦女採野蠶絲爲衣料，但由於採絲量少，爾後捉來樹上的天蠶，予以人工餵養，同時注意培植桑樹，以求良種，故以後蠶仔繁多，蠶繭豐產，使其絲織品爲人們更好的御寒。

　　養蠶、抽繭、紡絲，當然絕非西陵氏之女嫘祖與蠶叢氏，如「商弦絕蠶合絲」，採桑葉餵蠶的有「歐絲之野」的「女子」，

有「帝女」、「馬頭娘」、「寓氏公主」（分別見《山海經》的〈海外北經〉、《中山經》、《荀子·蠶賦》、《後漢書·禮儀誌》），並由他（她）們構架衣裳之神系列。其神話雖多是片斷，但歷史長河的孑遺，掩飾不住原本的神話面貌。

衣裳之神話，大致反映了中華民族衣服產生與演變的輪廓，衣裳之神，是人們的健身之神、護眞氣之神。衣裳的實用價值，首先是御寒，然後才是審美。華夏民族，居住在北半球的亞熱帶與溫帶，雖氣溫宜人，四季分明，但在冬天與寒冷奮鬥，則是一個重要的議題。在宇宙中，陰陽二氣互爲消長，冬天是陰盛陽衰，陰氣凌人。人體的恆溫是37℃。冬天的寒氣，嚴峻地破壞了人體周身的恆溫氣場。其氣場，便是一種物質，其物雖然有一定的固著性，但在陰氣的侵蝕下，也無法匹敵，這樣，衣服的誕生，爲人的陰陽平衡，增加了一道護身符，它可讓人身內的眞氣、元氣有機地保存，所以，這就是衣裳的保健作用。我們說，保健作用只是適用主義層次的功利含義，而平衡陰陽則是一種透視宇宙的措施。其衣裳之神，通過第三隻眼，能看清附著在人體身上陰陽分離層，其衣裳則是可以其薄度間架於陰陽層之間，它可使陰氣不繼續內滲，也可使陽氣不無遮掩的外洩，這樣，保持陰陽互根，致使陰陽和諧相處，在其允許的範疇內，使陰陽在一個統一體中和平共處。伯余、胡曹、嫘祖、蠶叢氏等，正是具有這樣的本領，故而被尊爲衣裳之神，我們以爲，這也是順理成章的事。他（她）們將棉麻之絲轉化爲蛛蠶之絲，其衣裳之神，自然躍上一個歷史的新臺階。可見，衣裳之神的形象，是多麼光彩奪目。

㈤化學製造業

化學製造，包括釀酒業、燒製陶器業、製銅業。這些行業，都需要燒製。由於火的作用，加上溫度、時限，發生化學反應。

這裡，主要討論儀狄、少康製酒、堯及昆吾作陶、蓐收製銅神話。

1.儀狄、少康製酒

製酒神話，《呂氏春秋·審分鹽·勿躬》、《世本》中有反映：上帝的女兒要儀狄創製了酒，並變出了各種味道。少康用帶黏性的穀物釀製了酒。《說文》：少康即杜康。在今天，酒桌上流行著曹孟德名句：「何以解憂？唯有杜康」。

2.昆吾製陶

《世本》：昆吾作陶，昆吾氏作瓦，開始用以代替茅草蓋屋。

3.蓐收製銅

《山海經·西山經》注文：「蓐收」是銅神，他長著人的面孔，老虎爪子，白色尾巴，手裏拿著大斧頭。

《拾遺記》（卷一）：蓐收屬少皞族，曾以弓顯名於世，亦號金天氏，亦即金窮氏，是以銅德王天下。

4.釀酒，已有幾千年的歷史。開始，可能也是以穀物釀酒。

這種釀製過程，最初或許是由老天無意把穀物打濕，導致穀物發酵（當然，其穀被打濕，是由於人們尚無管理、收藏經驗）。發酵後又無人及時發現，致使固體的穀物變成半固體、半液體物質，人們可能覺得可惜，用舌頭舔之，味道新穎，且無毒性。這樣，酒的發現專利，就屬於收藏經驗少，既珍惜糧食又敢冒險者。後來，可能隨著生產力的提高，糧食產品出現了剩餘，或者氏族首領、酋長等，倡議改善生活，人工開始釀酒。因為非人工的釀酒數量有限，再則在穀倉、地下不乾淨。這樣，釀酒業誕生了。或許，經過不知多少人的試釀，有成功的，有失敗的，而且失敗多於成功的次數。在這樣的歷史背景下，儀狄、少康是歷史格外垂青的神話人物。所以，他們能夠流芳百世，名垂青史。

製陶，也可能有如同釀酒一樣的偶合始作性。可能是自然雷

火或人工保火不善而導致火災，使樹林、房子（洞穴與半洞穴）失火，心細的人可能觀察到，經過火燒的泥土、泥坯格外堅固，乃至有光澤，善於聯想的人可能突發奇想，如果生活用品的器物用泥土做成，經過燒製，是否也可以堅牢結實而又有光澤呢？想像是創造的先導，經過無數次的實驗，人們終於製成了陶瓷器皿。著名世界的中國陶瓷大致就這樣誕生了。人們因而進一步聯想將茅草換成瓦片，改造「安居工程」。這樣，瓦便也就來到了人間。昆吾就這樣永載史冊了。

製銅，工藝更複雜了。當然，它的出現與發明，也是與生活的有心人緊密相連。或許是地震，噴出了岩漿，光澤格外奪目，而且異常堅固，或者有幾塊銅礦石被燒熔成銅坯。由它疊成的灶膛使人無法摧毀，這樣，隨著生產力進一步提高，手工業製作的發展，製銅業誕生了。歷史上的合金青銅器，就有不少的遺留物——歷史文物。如司母戊鼎便是傑作之一。製銅與製鐵一樣，都是冶煉業，是人類誕生很久以後的事了。它是文明時代的產物，它與弓箭、蒸氣機一樣，推動了人類文明的進程。

酒、陶瓷與銅的製作，都要經歷一系列的化學變化，酒分子的稀濃、燒陶的火色與二氧化碳的多少、製銅的溫度與催化劑，包孕著一系列複雜的化學成分的更變，這是一場原始的化學革命。

在這裏，我們要補充，尤其是要強調的，儀狄、少康、昆吾、蓐收當是一些具有特異功能的人。因爲特異功能可導致化學反應，改變分子式。今天，眾多的氣功大師，已作了令人嘆服科研嘗試，亦可佐證之。

如對水發功，有人選用了「激光拉曼譜儀」，對水進行測試，爲了排除地區差異，選用蒸餾水，在嚴密科學的測試環境中，對水發功產生一系列的變化。發功的方式，或劍指，或勞宮，或近，

或遠，時間三至十分鐘，共測十七人二十三人次。其測量中，拉曼譜都發生了改變。

近幾年來，江蘇鹽城師專化學系呂文林、天津南開大學化學系孟繼本對氣功化學開展了共同研究，他們設計選擇了「化學振盪反應」，結果非常理想。反應爲：曲線一律變爲直線，規則曲線全部消失。

在眾多的氣功流派中，有的可使香煙變淡變濃，使酒分子增多減少，以改變酒的度數。功力高的人，可使烈酒在不太長的時間內變爲純水。

因此，我們說，以上那些冶煉、釀造者們，除開掌握了一系列化學變化規律外，他們本身還具有特異功能，因爲歷史證明它們並不是發明家，而是一位發明神話人物，神就「神」在「特異」二字上。

㈥數學之神

人類從數物計數、扳指計數到結繩記數，經歷了漫長的歲月。中國神話的數學之神，側面反映了這一歷史進程。

數學之神，在《山海經‧海外東經》、《淮南子‧地形訓》及《世本》中有記載。

第一位數學之神是豎亥。他受命於天帝，從東到西量出的距離是五億十萬九千八百步（古人一步爲今人之兩步），從北到南是二億三萬三千五百里七十五步（精確到個位了）。他右手拿著籌計數，左手指出青丘北面。

第二個神是太章。他受命於禹，從東到西的距離是二億三萬三千五百里七十五步。

第三位神是隸首。他創造了數學。

古人數數，大抵先是從獵物開始。一、二、三，古字從「弋」，

寫作弋、弎、弍。隸，《廣韻》說是獸類；亥，同垓。《說文》，
「垓，兼該八極之地也。」丈量土地，其神（或人）便以亥（垓）
命名。郭璞說豎亥是「健行人」。由於健行，才能丈量大地，他
便是丈量（計算）土地之神了。豎亥使用的計算工具是籌。籌是
一種算籌，可擺縱橫兩種，它有複雜的九種擺法，構成九個數字。

　　數字是平淡的，又是神奇的。洛書、河圖的出現，導致了數
的研究向縱深領域發展。數是神奇，即為怪譎，每個人都是有一
定的數字密碼的。淮南公主路過一處，見到八位練功人，問起他
們的名字，說的全是數字（或諧音）。他們分別叫：文武（五）
常，武起（七）得，灸三田，林九厚，支百蔭，壽千年，葉萬青
等（另有一人叫林脊峰）。他們說的數字，是一套功法：文五常：
文：文火；五：自然順數。武起得：武：武火一起練。灸三田：
要灸練上、中、下三個丹田。林脊峰：林：指山；夾脊：夾脊背
後有雙關，過雙關要經常練。林九厚：九（酒源是流水處，練功
人要發出特殊聲音）如像壺裏的水燒開的聲音。支百蔭：練到一
定時候，身子像柳樹枝一樣健康，可活到一百歲。壽千年：可活
一千年，功深可長壽。再長的壽叫葉萬青。這是數的學問。氣功
中的數字，數學、醫學界以後可能研究出來。

　　有些功，是用數字練功，有密碼，其數字讀（念）出後，內
臟腑臟將受到震動而健身。

　　氣功是講究術數的，如用於佈陣，即是也。《黃帝內經》說：
合於術數，即是例證。在一到九中，一二是平平之數，三是三才
之數，重天地人三才，四是不吉利之數，五是利數，六是順數
（今天還說六六大順），七是吉數，八是卦數、定數、完成之數
（今天仍尚八八大發），九是變數，十是吉數、大成之數。

　　豎亥、太章、隸首，這些數神，本身含有數的密碼，這些密

碼，通過思維傳感特異功能，悟出地球的（天圓地方）長與寬（
經與緯）。由於足的長短、長度單位等原因，數字看似頗粗糙，
不精確，但在當時，已是很神奇的了。

　　眞正憑藉雙足測量大地，在當時是不可能的，沒有特異功能
的追測，其數字是不可能這樣精細到個位的（地球是東西寬而南
北窄）。數神足量的距離，與今天並非是相去十萬八千里，恰恰
相反，是比較接近的，可見，數學之神以神譽之，當之無愧，也
恰如其份。

第八章　神話與人體特異功能的社會科學思考

　　社會科學是一個較廣泛的概念，它相對遠離於生產、生活的範圍，與社會、民族的上層建築相關聯，或者說與其某些內容相重合。這裏，我們針對政治謀略、倫理、道德、軍事、語言文字、符號與宗教等內容進行討論。其中，哲學、美學藝術在前面另已單獨列章論述，這裏不再重複。以上這些內容，分別與神話及人體特異功交叉交織著，因此，我們仍採用綜合論述的方法，從中引出我們思考的觀點。

一、神話與特異功能的謀略

　　謀略，包括政治謀略與一般的機智性謀略。這些謀略，是出現在人類文明程度頗高的社會與時代，故其神話素材，爲降神話素材，它仍是人類聰明與才智的反映，又是人類特異功能的展示。這在諸葛亮身上與《聊齋》的部分章節中，都有較集中、典型的反映。

(一)諸葛亮「祭東風」。

　　諸葛亮，作爲民間傳說、歷史小說、歷史著作中，千百年來，成了智慧的代名詞，俗語云：三個臭皮匠，抵得上一個諸葛亮，便是證明。

　　歷史小說《三國演義》，是羅貫中寫的一部作品。歷史小說，不同於一般小說，它的前提是歷史。所謂歷史，就是時代的消逝

與完成史，它的最大的生命力就是眞實。從這個意義上說，神話的眞實性還須探討的話，那麼，歷史與歷史小說更接近於生活的原質，因而，人的生命科學的價值，更有直觀性，更具說服力。

由於《三國演義》被清初毛宗崗父子修訂與評點，採用了朱熹在《通鑑綱目》關於蜀漢爲正統的觀點，因此，劉備與諸葛亮成爲典型的正統人物。劉備政治集團中的諸葛亮，成了婦孺皆知的人物了。

諸葛亮是一位歷史人物，更是一位具有神奇特色的人物，他的謀略，說是「前不見古人」當爲不過。他不僅上知天文，下識地理，中得人和，而且他具有非凡的「特異功能」，所以能出奇制勝，屢建奇功。歷史雖向後人表明：三國最後「一統司馬懿」，但在人們心中，眞正的勝利，不是曹魏，不是孫吳，也不是司馬晉王朝，而是蜀漢。

諸葛亮創造的奇蹟，數不勝數，如「空城計」「八陣圖」、「木牛流馬」、「火燒赤壁」、「孔明借箭」、「隆中定三分天下」等。更爲神奇的，帶有更濃神秘色彩的，是諸葛亮「七星祭東風」、「班師祭瀘水」、「五丈原禳星」、「定君山顯聖」等。介於降歷史、降神話內容，所以，魯迅先生在《中國小說史略》說：「狀諸葛之多智而近妖」。眞是一語中的。其實，這種「近妖」，正是諸葛亮與衆不同之處，正是具有特異功能的表現。下面具體研究諸葛亮「妖」性的特異功能。

《三國演義》第四十九回《七星壇諸葛祭風・三江口周瑜縱火》，祭風內容簡述如次：在赤壁，曹軍號百萬之衆，欲下江南，周瑜見曹軍中龐統連環計，群船連片，正尋破曹之策，忽見曹軍一黃旗被風吹折，周瑜大笑後，口吐鮮血。原來周瑜想用火攻曹軍，以燒連環船。見風吹折了黃旗，由此想起「欠東風」，故是

爲得其心病。諸葛亮通過魯肅的關係，得到給周瑜治「病」的機會。一見面，諸葛亮就一語道破機關：「天有不測之風雲。」並開具十六字診斷書，周瑜大驚。孔明說：自己學過奇門遁甲天書，可以呼風喚雨。只須築一七星壇，便可借來三天三夜東南風。築壇畢，諸葛亮沐浴齋戒，身披道袍，跣足散髮，前來祭風。焚香於爐，注水於盂，仰天暗祝。是日，夜色清明，將近三更時分，忽聽風聲響起，旗旛轉動，竟飄西北，霎時間，東南風大作。

這段材料，我們看到，赤壁之戰是決定吳蜀兩國的前途與命運的戰鬥，所以，吳蜀是一損俱損，唇亡齒寒。在這關鍵時刻，諸葛亮的才智、功能得到了極大的展示。抗曹當時主要力量是東吳，但如這場東南風沒起，也是不能勝利的。故此，諸葛亮在其中扮演了舉足輕重的角色。

諸葛亮曾遇異人，學得秘不授人的奇門遁甲術。呼風喚雨的功能，在肉眼、天眼、慧眼、法眼與佛眼功中，屬法眼功的層次。這是非同小可的層次了。諸葛亮一日上壇、下壇各三次，爾後是「仰天暗祝」。此條詞語注解爲：從天人感應思想派生出來的巫術。其術，就是特異功能施展之辦法。「祝」是特異功能的手段之一。

這場風，絕非是諸葛亮諳熟天文而得出有這樣一場關係到吳蜀命運的大風，他祭風之前，曾對魯肅說：「倘亮所祈無應，不可有怪。」另外，在第四十八回《宴長江曹操賦詩·鎖戰船北軍用武》中，曾有伏筆。當曹操按龐統鐵索連舟的辦法後，程昱、荀攸提出其弊是怕火攻，曹操說：「凡用火攻，必藉風力。方今隆冬之際，但有西北風，安有東風南風邪？吾居西北之上，彼兵皆在南岸，彼若用火，是燒自己之兵也，吾何懼哉？若是十月小春之時，吾早已提備矣。」曹操這段話，一則說明他諳熟兵法、

天文、地理，體現了其雄才大略，絕非等閒之輩，一則說明孔明所祭之風，絕非天助吳蜀，而是呼風喚雨術實屬過人。周瑜在事後說：「此人有奪天地造化之法，鬼神不測之術」，是恰到好處的評價。

因此，諸葛亮在七星壇祭東南風，正是神話與特異功能、政治謀略的反映，也是政治謀略中神話與特異功能相組合的再現。歷史上不是也曾有過風雲人物向高僧、道士討教過嗎？

㈡賈兒巧殺狐狸精怪

賈兒能置狐狸精於死地，沒有非凡的智慧與謀略，那是不可能的。他是商人的兒子，父親是坐販商品的商人。這則故事是取材於《聊齋誌異》。

《聊齋誌異》是清朝文學家蒲松齡創作的誌怪小說，是為文言短篇小說集。

蒲松齡字留仙，別號柳泉，山東淄川人，出自書香門第，祖上科名不顯，父棄儒經商。他從小熱愛功名科舉。十九歲時連考取縣、府、道三個第一，名震一時。後屢試不第，曾任人幕賓，並設帳收徒講學餬口，直到七十歲才撤帳歸來，其間四十年，創作了不朽的《聊齋誌異》。七十一歲援例出貢，四年後死去。他一生著述豐富，另還有詩詞曲賦戲文俚曲雜著。

《賈兒》故事梗概如下。

湖北某縣一商販，經常要到外地做買賣，家中一妻一子。兒子十歲。一天，商人沒回家，忽然來了個狐狸精迷他妻子。妻子很怕，第二晚叫一老婦相陪，當孩子與老婦睡熟後，狐狸精又來了。她做著惡夢，說著胡話，老婦驚醒推她，狐狸精不見了。第三晚，燈不熄，陪人也不睡，半夜過後坐著打了個盹，醒來，門窗未開，她失蹤了。孩子不怕，在一間空房裏發現了昏睡的媽媽。

從此後，她成了瘋子，也無人敢再來陪了。只有兒子在外間陪伴。媽媽一說夢話，他就點燈叫打，狐狸精給嚇跑了。次日，孩子把窗戶砌嚴實，又磨快刀，藏在衣裏，晚上把燈罩好靜等。半夜，媽媽又說起夢話，一陣叫殺，狐狸藏起來。他守住門口，當狐狸飛奔出來，他手起刀落，砍下了牠的尾巴，有兩寸長，天亮便循迹找去，在何姓荒園，血迹才消失。幾天後，父親回來，母親仍不見好轉。晚上，孩子獨自來到何家荒園，見兩人喝酒，其中一個對身邊長髮僕人道：明天弄些酒來。一會兒，長髮僕人躺下，他與人一樣，只是多條尾巴，天亮前，離開的兩個人返回來，走進竹林便不見了。第二天，孩子與父親上街，強著要買假狐尾，不久，他獨自偷買一瓶酒，寄在店家，又溜到舅媽家，詐稱母親因老鼠而失眠，討了包毒藥，另還換走了舅舅打獵用的毒藥，急急回到店家，將酒下好毒藥，仍封寄在店家。好幾天，在街上尋長髮僕人。一天，發現了長髮僕人，盯住尾隨而去，不久與他搭訕上了。孩子佯稱姓胡，並露出點藏著的尾巴。話題有意無意扯到酒上。長髮僕人沒錢，想偷瓶酒，孩子慷慨送酒，長髮僕人放心地接過酒走了。當晚，孩子觀察媽媽動靜，今晚，一反常態，一夜睡到天亮。他高興把詳情告訴父親，一同去何家荒園查看，果有兩隻狐狸倒斃在亭子裏，另一隻死在草叢中。自此，家裏安寧了。但他媽媽受毒太深，卻不斷咳嗽咯血，不久離開了人世。那商人覺得兒子有勇有謀，就讓他學習騎馬、射箭和各種武藝、兵法，長大後從軍，果然在邊疆屢立戰功。

　　這是一則小說，小說的最大特點是虛構性，從這個角度說，它未必是真人真事。我們又說，小說是當有其原形即模特兒，從這個角度說，它又有一定的真實性，除了題材一定程度的真實外，還有其藝術的真實。歷史上《山海經》被視為誌怪小說（或為其

源頭），《神異經》、《述異記》、《拾遺記》等，都成為古代神話研究的材料，那麼，我們本著中國神話界泰斗袁珂先生廣義神話的理論，視《聊齋誌異》為神話材料，大致應是可行的。

從這點出發，我們如是說，這則神話，旨在向人們揭示：

其一：賈兒具有「千里眼」特異功能。

其二：賈兒有勇有謀，一個十歲的孩子，把整個計畫安排、完成得周全、細密，是其全息能在起作用——父親為商人，其心定精細。

孩子普遍具有天眼功能，在性覺醒之前，在理智較弱的孩提時代，松果體內視覺功能尚未全部或部分的喪失。事實證明，直到今天，仍有40%的孩子具有這種功能。賈兒在房子裏看到狸貓的怪物，是為其一。狐狸來無蹤，去無影，可從縫隙間自由來往，賈兒在何姓荒園能看到兩主一僕，是為其二。狐狸幻化的音容笑貌、言談舉止，盡收眼底，尤其是長髮僕人入睡後的那條尾巴，亦能被賈兒察覺。

賈兒的謀略，當是在特異功能態中迸發出來的。憑一個十歲的孩子應是不可能做到如此周詳具體的程度。他的謀略分為四個階段：父親回家之前強裝頑童堵塞門窗縫隙，並斬斷了二寸狐狸尾巴。是為第一。第二，父親回家後，獨自在晚上去何家荒園偵察「狐情」。第三，準備酒藥，尋找狐狸精怪，伺機殺狐。第四，發現「胡僕」，騙取信任，贈毒酒殺狐成功。

其謀略，是一環套一環，環環相扣，環環相生，可謂是在神話中典型的超人謀略。

二、神話與特異功能的道德倫理

道德倫理的核心是德。佛家講功德，道家講道德，儒家講品

德。在氣功界，一般都講究德慧悟緣。德就是道德；慧就是慧根，即功能的量級與類型，各人的慧不同，就是要選擇適合自己的功法，要注意敏感點、功能點。悟就是悟性，要講究悟道、悟性，不管是小悟還是大徹大悟，都要追求、實現由漸悟到頓悟的過程。緣就是緣分，它是先天的因果與後天機遇契機構成。

倫理的「德」，其具體內容，一般是孝義廉恥。儒道釋三家雖不盡一致，但大同小異。孝指孝敬父母、長輩；義指義道、義氣、忠義；廉指品德廉潔、純正；恥指羞愧、恥辱觀。還有許多，這裏擇其一二評點之。

㈠孝倫理

孝道，是子輩對父母輩恩愛的回報之情，是以家族爲特徵的人倫之一大支柱。

生命是父母所給，心靈的雛形是父母澆鑄，肢體膚髮由父母精構發育而成。父母生我養我，恩比山高，情比海深。隨著歲月的流駛，當父母年老體衰，晚輩應從身心予雙親以寬慰、贍養，這就是孝道的大致輪廓。

在封建社會，孝道沾滿強烈的封建色彩，如「父要子死，不得不死」，「父債子還」等。在今天的新時代，如仍保留強烈的父母之愛，在家庭平等、互相理解、尊重的前提下，仍可存其精華，爲我所用。今天，西方缺少的和羨慕的東方文明，這也是其內容之一。以後到了大同社會，孝恐怕不會毀棄，甚至會發揚光大。

下面，僅從董永神話中來討論孝道。

天上有七位仙女，織女是其中最小的一個。她因受不了天上的寂寞，偷偷來到人間。路上，遇見了賣身葬父到傅員外家上工的孝子董永。便一見鍾情地愛上了他，就託土地神主婚，請老

槐樹爲媒，在槐蔭下與董永結成婚配。

　　婚後，他倆同到傅員外家上工。因爲賣身契上原寫著「無牽無掛」，現多出一個女人而不肯收留。經過懇切相求與爭論，才限董永夫妻在當天晚上織成雲錦十匹。如織了出來，三年長工改爲百日，反之，再加三年。董永雖非常焦愁，可七仙女馬上答應了。

　　當晚，當董永先睡後，她燒起一炷下凡時姊妹送的「難香」。頃刻，天上眾仙女聞香趕來，「請動天絲」，「經將起來，梳將起來」。這些靈巧的姑娘——天庭的織造能手，果然就在一夜之間織出了布滿花鳥絢爛的雲錦十匹。

　　第二天，夫妻倆便去交雲錦，傅員外大爲驚訝。到了百日期滿，他們辭別主人，回到自家。這時，七仙女才告訴董永已有身孕，他們萬分歡喜。這時，驚動了天帝，當查出七仙女下凡後，立刻派遣天使們催動鐘鼓，傳旨於七仙女」「午時三刻，返回天庭，倘若不回，將董永碎屍萬段」。爲了使董永免遭毒手，七仙女只得忍痛在老槐樹下訣別。董永叫一聲應一聲的老槐樹，現在成了啞木頭。他們約定「來年碧桃花開日，槐樹下面把子交。」之後，七仙女無奈，趁董永昏厥之時，隨著天使上天去了。

　　這則神話故事，曹植《靈芝篇》、干寶《搜神記》、《敦煌變文集・董永變文》唐道世《法苑珠林・卷六》二引劉向《孝子傳》、《太平御覽・卷四一一》引文、黃梅戲、川劇等，都有敍述。

　　董永孝敬父親，感天地、泣鬼神。父死後，負債累累，契定三年長工，被七仙女一夕禱天所織雲錦，而將契約一筆近乎勾消，變三年爲百日。這是多麼令人感動的愛情故事。孝子自有皇天相助，董永自此有了仙女的幫助。

　　七仙女是天上之神仙,特異功能介於人仙之間,祝天織雲錦,是亦人亦仙亦善良。她與玉帝不同。她敬重孝子、重情義,直至懷孕與董永訣別,仍是迫不得已,仍是眷戀著郎君。

　　董永是名副其實的孝子,最被人稱道,所以七仙女神話長盛不衰,流傳至今。

　　另有《沈香救母》(傳統劇目《寶蓮燈》)同樣寫了這個主題,同樣反映了七仙女仙人參半,同樣寫了她神奇的功能功力——燃一炷難香,可接來天上眾仙女飛臨人間「拔刀相助」。其祝術,可謂通靈大法,是特異功能中一大絕招,它為驅除邪惡,獎掖正義,獎掖孝道,起到了一般法力起不到的作用。

(二)義倫理

　　忠義、道義之義,在中國神話中,仍有不少,僅舉關羽為例,便可說明之。

　　關羽為忠臣義士,千百年來,有口皆碑。首先是忠於正統的劉漢王朝,忠於漢沒落宗族漢昭烈帝義兄劉備,他以義昭理,以義終身。其中,不管是桃園三結義、義釋黃漢昇、義釋曹孟德、視義子關平如同宗出,是一個完美無缺的義士形象。他報主志堅,酬恩義重。他曾歸附過曹操,但為身在曹營心在漢。關羽為一個歷史人物,但千百年來,更是一個神話人物,成了關帝。在民間,關帝廟、關聖殿,皆處處有之,以享民間煙火的祭祀。這裏,我們集中筆墨圍繞《玉泉山關公顯聖》的神話特色與前後相關的內容展開論述。

　　關羽父子被孫權推出斬首後,靈魂不散,飄泊到玉泉山,向普淨長老索頭:「今某已遇禍而死,願求海洋,指點迷途。」言外之意,要借屍還魂,重振威風。當普淨僧指點說:你過去殺了那麼多人,他們又將向誰索要?於是,關羽恍然大悟,稽首皈依

了。玉泉山自此平靜了。關羽未能助劉備一統天下，陰魂不散，附體於呂蒙，大罵孫權，後致使呂蒙倒地，七竅流血而死。眞是：「生不能啖汝之肉，死當追呂賊之魂」。關羽烈義的信號，感動了當年騎使過的赤兔馬。馬忠雖得，但赤兔馬仿主人殉義，數日不食草而死。關羽之義，凝於英靈魂魄，最後不忘向兄長劉備道別。

關羽被害，劉備有心靈感應：他渾身肉顫，行立不安。一日深夜，不能入睡，起身看書，忽覺神思昏迷，伏几而臥。房裏掠過一陣陰風，燈燭忽滅忽明，見一人立於燈下，細看，原是關羽。劉備問之原因，關羽哭訴說：「願兄起兵，以雪弟恨！」說完冷風急起，一晃就不見了。

這段情節，十分清楚地說明劉備是在清醒之時耳聞目見的。關羽以全兄弟之情，死後還要看義兄。手足之情，溢於言表。

關羽恩怨分明，爲罕見的「義士」。他的頭被移至曹魏處，口仍開，目仍動，鬚髮皆張。

關羽忠義雙全。忠附著於義，義昇華爲忠，我們這裏專議其義，其忠也不言而喻了。

關羽靈魂附體，託夢申冤，似是荒誕不稽，我們在破除迷信的口號中，提出破除迷信之迷信。這不是研究靈學，也不是讓靈學復活。人是有靈魂的，它即爲人體四周的氣與場，生者的靈魂可離去、歸來，而死者的靈魂不能歸附原體，開始是四處飄忽，到了一定時候煙消雲散亦即靈魂死亡。這種靈魂即負極精神。今天，可客觀視之爲補充材料，待將來人體複製與思維波複製成功（這完全是可能的，現湖南醫科大學成功地育出了試管嬰兒多例。並非推諉責任，生產力與科技水平的限制，是必然的歷史局限），可進一步加深其領域的研究。

湖南《科學晚報》1994年4月29日廖鈞、憲潔撰寫的《一起「遺傳自殺」冤案》，披露了靈魂不散，魂魄附體而導致公安部門破案事件：　16歲男青年周樂隱一絲不掛地懸在松樹上，被訛傳屬其外公的遺傳自殺所致。事發不到兩個月，村民周樂雙為茶樹打農藥，在樂隱自殺地中毒昏倒，在眾人搶救時，他突然大叫：「樂隱叫我，說他不是自殺的。」後來在黔陽縣政法委、縣副檢察長周建軍與公安刑警法醫、派出所民警一起，抓出了元兇周樂衛，真相終於大白。

其中省略了諸多細節，其破案的契機就是周樂隱的靈魂附體，如果沒有這一線索，其案恐怕為終身冤案。

前面所述，關羽憑藉其陰性精神，恪守義倫理，為仁義理智信與孝義廉恥而盡職終身。

㈢廉倫理

不受曰廉，廉即廉正、純潔。上至君王，中至官吏，下至庶民，都應在修身、治家、平定天下中遵守這條人生訓導。

人們尤其希冀官場清廉，在神話中，就較多地反映了這一願望。大快人心的周昭王之死就反映了這種倫理內容。

武王伐紂，創立了周王朝，位傳至曾孫周昭王，王權便開始衰微了。當時，南方有一越裳國，準備給昭王進貢幾隻白色的野雞。只因道途險遠，不能早早獻來。愛好玩樂的昭王，帶著一群隨從親自去迎。沿途國家的人民受其騷擾，都討厭他們。其中楚國人民受到的騷擾最大，他們就設計要懲治昭王他們。不久，昭王和隨從帶回幾隻野雞，一路興高采烈。剛走到漢水邊，天色出奇地陰，嚇得野雞亂竄。楚人為他們準備好的船隻在江邊等著，君臣們怕大雨淋身，擠到船篷裏躲雨，雨便沒下，船一下開到江心。突然一聲拆裂，人、馬、車、野雞掉到江心，當下手們把昭

王救上，他已被無情的江水淹死了。

　　昭王斃命，一是楚人的設計，突然一聲拆裂，看來其船早破，或被楚人損壞。一是神靈與天意對他的懲罰。天陰沉沉得出奇，要下雨而雨未下，這個故事的氛圍，正是正義的物化：過於奢侈，必遭報應。

　　這則神話主題是倡仁愛與廉潔。上者清廉，下者才可安居樂業，否則，宇宙中正氣無情。昭王的暴戾奢侈貪婪，引起人們怨聲載道，其怨聲，是一種強功能的信息力量。昭王對南方人民的騷擾，人們憎惡之，詛咒之，其信息場就附著在他身上。這種力量，可改變昭王身上的負極物質及其結構方式，也可深深影響並改變他的正極精神的存在形態。萬物有靈，蒼生有靈。

㈣恥倫理

　　恥辱之心，人皆有之，它與榮譽之心相互左右。有恥辱，才會躬身自省，才能有自知之明。對君臣官吏來說，才有正義與邪惡之分，對黎民眾生來說，才有禮節文雅之別。

　　杜伯神話反映了這個內容。

　　周宣王上承厲王，曾一改厲王貪婪暴虐，使周室一度中興，可他一到晚年，也步厲王踵武，不修政治，乃至喪行敗德。宣王有一個寵妃叫女鳩，很喜歡年輕英俊的杜伯，想引誘杜伯並與之通姦，可杜伯不願幹這種苟且無恥的勾當。杜伯先是婉言拒絕，爾後是厲色呵斥。惱羞成怒的女鳩在宣王面前進讒言：杜伯可惡啊！他竟敢在青天白日對我施行強暴，要佔我為他私有。宣王不察真假，信以為真，把杜伯抓起來，並叫臣子薛甫和司工錡審問，欲置他於死地而後快。杜伯的好友左儒極力為之鳴冤叫屈，為之辯護。宣王一意孤行，還是將杜伯殺了。左儒一氣之下，也憤然自殺，以抗議宣王的昏庸。杜伯臨死前，恨恨地說：王殺我，我

是清白無辜的，假如死了後無知無識，我就認了，如果死後有知有識，不出三年，我一定讓王君明白錯殺無辜的罪惡。三年後，周宣王在圍打獵，出動了好幾百輛車子，隨從好幾千，到了中午，在人群與車群中，忽然有一輛怪車：其馬是白色的，車子也是白色的，車上坐著一個穿紅衣、戴紅帽、手執紅弓紅箭的人。大家一看，正是三年前屈死的杜伯。他滿臉是報冤雪恨的肅殺之氣。杜伯直追周宣王的車子。宣王回頭一看，臉色一下慘白。杜伯弓如滿月、箭似流星，一箭射去，正中宣王的心窩。宣王倒在地上，一命嗚呼。又一陣陰風吹過，杜伯與車馬霎時無影無蹤。

　　真是君子報仇，三年不晚，杜伯一身正氣，恪守正人君子的品行，以與女鳩私通爲恥，而女鳩不知恥辱，正是其神話鞭笞的對象。周宣王與女鳩沆瀣一氣，是不知恥辱的昏君，最終的結局，是正義戰勝邪惡，杜伯的魂魄，成爲勝利者的一面閃光的旗幟。

　　以上的董永、關羽、楚人與杜伯，都是有較高德行的人。他們是準神話與降神話人物，並非全都是具有明顯特異功能者，但是，他們的正負極精神與負極物質，卻貫注了崇高的道德品行。

　　道德、品行在氣功界不僅是一個十分重要的原則，而且是一個技術性的原則，它是氣功與開發特異功能很難的一門技術與學問，同時又是非常奇妙、非常關鍵一門技術與學問。它既是一種公德，即今天所稱的精神文明，又是氣功講究的內在的、層次很高的內容之一。

　　品德的修養，前面曾說過，有心、性、行三大方面，具體說來，就是品行、道德、功德、公正、平等、慈善、敬愛、孝順、光明、羞恥等。孝敬主要是指孝倫理，平等、敬愛、慈善便是義倫理，光明、公正是廉倫理、羞恥是恥倫理。其間，當然貫穿著品行、道德等內容。

練功不講德的積累，功力是難以提高的，如果練出了搬運功，隨意把人家口袋的東西搬走，開玩笑，恐怕難以維持。你搬的物體要吸收部分功力，搬一件小東西，要丟掉好幾倍的價值，得不償失。同時，你把人家東西搬掉，你的信號就緊貼在他身上，他只要埋怨你，他的信息就附在你身上，思維波就會反應到你的頭腦中，也干擾了你練功長功。尤其是人家的救命錢被你搬走了，他那時自發本能的仇恨時常纏繞你。如果對方人腦電波功力很強，你可能根本無法練功。

人們說要得高功夫，就要立大功德，所以以德爲本爲命，是習練氣功的最高境界，也是最大的要求，更是最重要的因素。

重德，是做人爲神的第一要求。

三、戰爭中的神話與人體特異功能

戰爭是人類社會的一大怪胎，是社會矛盾集中的總爆發、總解決的一大手段，它給人類文明以巨大的打擊與摧毀，同時它又給人類文明以巨大的促進與推動作用。戰爭與和平，以戰爭爲手段，以和平爲歸結、目的。人類的戰爭，絕非以單個的虎豹豺狼的嘶咬、觸觝、追撲爲手段，而是以集體的力量、以智慧、以殺傷力強大的武器而進行的。在戰爭與神話中的戰爭中，人體特異功能發揮著巨大的作用，很多軍事家、將軍，具有禱神降福預測功能。古往今來，概莫能外，把握戰機，百戰不殆。

所以，戰爭這怪物，包孕著許多怪特的東西，有待我們潛心破譯，有待我們客觀、嚴肅地去研究。

㈠黃帝與戰爭

黃帝是炎黃子孫的始祖之一，黃帝是以威德並重治天下的歷史化了的神話人物。他是人，同時具有特異功能，所以又是神。

　　黃帝有四張面孔，可眼觀四面，耳聽八方。其中最主要的特徵是東南西北都可看到聽到，這主要是稱視聽功能具有千里眼、千里耳。他一生神異聰明，嬰兒時便能說話。《太平御覽·卷六》引《天文錄》說他主司宇宙十四變，陰陽之氣相互交感，震動成爲雷聲，激盪成爲電閃，和潤化爲雨露，怒氣變爲狂風，混濁變爲霧嵐，凝結成爲霜屑，散發成爲露滴，聚積成爲雲氣，升騰成爲霓虹，離分成爲背向太陽之氣與彩霞，分開成爲面向太陽之氣與日珥。黃帝由於其功力達到如此田地，故成爲初民的領袖。他管轄的諸侯成千上萬，神靈之君就有七千。他爲雲族的領袖，採用新式武器；以玉爲兵，採首山之銅鑄刀，騎著一條黃龍，發動了對炎帝與蚩尤的幾次著名戰爭。

　　炎黃二帝本是由有嬌氏同出之子，但由於政見不合與利益衝突，兄長黃帝帥熊、狼、豹、貙、虎爲前驅，以鵰、鶡、鷹、鳶爲戰旗，於阪泉之野、涿鹿之野大戰三次，血流成河，把旗桿都漂流起來了。

　　這些內容，在《史記》、《列子》、《淮南子》、《拾遺記》、《山海經》等書中均有記載。

　　蚩尤，前面曾已論及，他爲九黎之君，他的特異功能非同小可：呼風喚雨，吞雲吐霧。長相也與衆不同：八隻手，八隻腳，頭可分開，身子像人，腳像牛，四隻眼睛，六隻手指，牙齒二寸長，且非常堅硬。他的衆兄弟七、八十個，都是銅頭、鐵額，大抵也是刀槍不入，他曾身經百戰。他造出兵杖、大弩等五兵，是鑄「金爲兵，割草爲甲」，像劍、鎧、矛、戟、芮弋，故此後人竟尊之爲司兵之神。他被九黎衆等擁戴，被其譽爲「明天道」。隨著歷史歲月的消逝，以後卻出現了蚩尤旗、蚩尤戲、蚩尤冢，人們是故祠蚩尤、禱蚩尤。他的神話隨著失敗而消失，今所見者，

大抵爲敵視蚩尤人所作。

　　他曾與榆罔交戰、與炎帝交戰，他們相繼被驅趕到遠處，歸附於黃帝麾下。黃帝征師諸侯，直討蚩尤。黃帝戰前作了一系列準備，製弧矢、鑄鳴鴻刀，做甲冑、冶鉦、冶鐃，作樂器，派岐伯譜《鼓吹》軍樂，還排練各種陣列，訓練軍隊。

　　戰鬥開始後，黃帝累戰累敗，血流成河，蚩尤氏耳鬢如劍戟，頭角如匕首，向人觝撞，勢不可當。這場戰鬥，延續了幾年，勝負未見分曉。其間，有空戰與陸戰。天上，請穿青衣的女兒魃、應龍交戰。黃帝令應龍蓄水攻州之野，蚩尤請風伯雨師相對抗，一則無雨水，一則從大風雨。黃帝又令魃這旱神止雨。地上，蚩尤帥魑魅與黃帝戰，黃帝吹角作龍吟之聲以抗之，蚩尤吞雲吐霧，三日不散。黃帝令風后法鬥機製成指南車。蚩尤飛牆走壁，黃帝得夔皮爲鼓，得雷獸之骨作槌，威震五百里。這樣，黃帝終於戰勝了蚩尤，並在涿鹿之野擒住了他，用桎梏銬著他。現在的楓樹，就是蚩尤所棄桎梏所化，蚩尤被殺之地，是「解」，叫作「絕轡之野」。蚩尤被殺後，解州的鹽池，變成紅色，它在阪泉的下方，人們都說是「蚩尤血」。相傳，楓葉也是蚩尤血染紅。蚩尤被殺後，屍分幾處，予以埋葬。

　　這些內容在《山海經》、《述異誌》、《路史》、《拾遺記》、《莊子》、《史記》等書中有較詳細記載。

　　黃帝是中原華夏民族的代表，他以正義戰爭擊敗非正義戰爭，保護了人民，使人們得以安居樂業，他抵禦了外族的入侵，製造了各種兵器、旗幟，創造了列陣陣法，以天才的指揮能力、超人的智慧、神奇的特異功能，輔以正義神靈，得道多助，成爲千古稱頌的帝王，也成爲《史記》中第一個偉大的君王。

　　㈡**湯王與武王義戰**

　　夏商兩朝，主要情節、主要人物、基本結局大同小異，故將之集中討論。

　　夏桀是一個暴君，縱情享樂，胡作非為。夏桀曾把湯王囚拘在夏臺（釣臺）的重泉裏，後以行賄獲釋。一年，夏桀作惡多端，湯王發兵統領天下諸侯，帶著伊尹等，浩浩蕩蕩征討暴君。首先，揮戈直指韋顧和昆吾，消滅了他們，繼續揮師進擊。夏王趕緊用鴻鵠羹、玉鉉鼎，饗祀天帝，希望依靠神力的福佑，保住江山。才打了幾仗，夏桀的一員大將夏耕在關隘丟了性命，他右手拿著戈，左手執著盾，被湯王一刀就給砍掉了腦袋。斷頭的夏耕，從地上爬起來，發覺沒頭了，回身就跑，一直跑到巫山上躲了起來。

　　湯王軍隊所向披靡，一個大神奉了上帝的命令，告訴湯王說：上帝命我幫你作戰，你趕緊指揮軍隊攻城，我一定叫你打一個大勝仗。你看到西北角上大火燃燒，就朝那裏進攻。說完就消失了。湯王回想起那神的形象，悟出原來他就是火神祝融。此時，有人報告夏城西北角上大火燃起來了。湯王走出一看，果然看到城牆上空燃起一片火海，把漆黑的夜空映得通紅。湯王知道果是火神祝融在助他，趕緊下令攻城，不多久，這座固若金湯的京城被攻下了。夏桀帶著寵臣愛妃，逃到南巢死掉了，這樣，夏王朝如此終結了。

　　周文王遷都豐後，不久就死了，兒子周武王繼做國王，姜太公仍做國師。武王長相有點怪，牙齒是駢生的，眼睛有點近視，他即位不久，興兵伐紂。姜太公十分贊成。可一占卜，卻是兇兆。姜太公一掃龜殼與蓍草，力主出兵。武王傳令三軍啟程。文王屍沒有安葬，便以他的名義號召天下諸侯發兵響應。武王的軍隊，朝東直下，不久就到了雒邑，突然雨雪交加，冰天凍地，十多天，大雪足有一丈深。一天早晨，突然有五輛馬車從天而降，有五個

大夫裝束的人，特來謁見武王。姜太公與武王弄清楚他們的身份後，並以禮相待。原來，是四海海神：南祝融、東勾芒、北元冥、西蓐收，另有河伯馮夷、雨師詠與風伯姨。諸神說：上天要興周滅殷，特來接受差遣，願在戰爭中略效微勞。武王與姜太公非常高興，把他們安置在軍營，隨營聽令。

雪霽天晴，渡過孟津直抵朝歌，在相距三十里的牧野安營紮寨，誓師殺敵。兩軍對壘，殺氣騰騰，紂王軍人心背離，一下就土崩瓦解，有部分兵士是臨時抓來充數、未受過訓的奴隸，奴隸們倒戈殺賊，紂王逃回京都，登上鹿臺，掛著綴上五枚「天智玉璞」美玉，穿著衣服點火自焚。自此，周代商替天行道。從而，殷商就不復存在了。

這些材料，直接看不出夏桀與湯王過多的特異功能，但夏之夏耕，湯之祝融，則是很著名的特異功能者。夏耕本領非凡，但由於錯效了其主，只得羞而藏之於巫山了。他與歷史上的刑天在形式上雖有相近之處，但刑天是革命者的形象，以乳為耳，以臍為口，與天帝鬥爭。夏桀失道寡助，夏耕雖身懷絕技，然不能一展其才，他與蚩尤的悲壯不能同日而語。而祝融，這位火神則助湯王成功。這部分文字，不像黃帝與蚩尤大戰一樣正反面直接描寫，而是間接烘托，同樣有異曲同工之妙——湯王特異功能絕非可等閒視之。周武王的特異功能顯性較強，即牙齒駢生、眼睛近視，他身旁擁有一群異人，姜太公這位神通廣大的國師，原來便未近妖，謀事在天———掃龜殼、蓍草；成事在人——力主出兵。他武王還有從天而降的一群神名之士，紂王只有登鹿臺玩火自焚了。

㈢諸葛亮與戰爭

《三國演義》寫了近百年的歷史，天下紛爭，戰火連綿。圍

繞諸葛亮作爲軍師的形象，作爲軍事指揮，展開討論。至於他的火燒新野、火燒赤壁、火燒博望坡、火燒藤甲軍，姑且不論，權看他的八陣圖，已是神鬼不測了。

八陣圖有否？回答是肯定的，請看杜甫讚詩：「功蓋三分國，名成八陣圖。江流石不轉，遺恨失吞吳。」

陸遜營燒七百里後，乘勝追擊，距夔關不遠，在馬上見臨山傍江處殺氣沖天，便不見敵情。陸遜下馬再看，殺氣復起，派人偵察，仍無人馬，江邊只有十堆亂石，詢問土人，答曰：原是孔明堆壘，常是有氣如雲，從內而起，四面八方，皆有門有戶。

下面引一段文字。

忽然狂風大作，一霎時，飛沙走石，遮天蓋地。但見怪石嵯峨，槎枒似劍；橫沙立土，重疊如山；江聲浪湧，有如劍鼓之聲。……老人曰：「老夫乃諸葛孔明之岳父黃承彥也。昔小婿入川時，於此佈下石陣，名『八陣圖』。反復八門，按遁甲休、生、傷、杜、景、死、驚、開。每日每時，變化無端，可比十萬精兵。臨去之時，曾吩咐老夫道：『後有東吳大將迷於陣，莫要引他出來。』老夫適於山岩之上，見將軍從『死門』而入，料想不識此陣，必爲所迷。老夫平生好善，不忍將軍陷沒於此，故特自『生門』引出也。」

故此，陸遜留下一條小命，也不敢再追殺蜀軍了。

八陣圖造化陰陽，合於遁甲，鬼斧神工不能及，眞是一絕，在古今中外軍事史上，應是絕無僅有的。

從以上資料可看出，特異功能一旦與戰爭結合，其戰爭就成了神話戰爭。

下面綜合述之。

黃帝的特異功能是較全面的，應當得到後人的認同。只有得

到後人的認同,神話中的黃帝許多怪特現象,才能得到破譯。黃帝四面、嬰兒時能言、主司宇宙十四變、騎黃龍、令魃與應龍助戰,令風后製造指南車,得夔皮、雷骨作戰鼓,與他的一切言行,原來如此,他的稟賦高人一籌,別無他故。同他相對立的蚩尤,他呼風喚雨、吞雲吐霧、飛牆走壁、多手多足、多頭多眼、長牙、銅頭、鐵額、啖石,他死後化桎梏爲楓樹、染鹽池爲紅水。我們不以成敗論英雄,正因爲他具有非凡的特異功能,所以才敢與黃帝爭霸天下。商湯王、周武王爲一代明君,由於他的特異功能,所以火神祝融助戰,天降的五車兩騎前來助戰。這便非單一地是神靈的輔佐,主要的是其天資引起天人感應的傳感功能,思維信息,具有異常的感召力,於是,把握好天時、地利、人和,實現了「替天行道」的義戰。諸葛亮的八陣圖按「遁甲」排列生死八門,更是承《易》等預測與特異功能天目預測功能,至使鬼神莫測,可比十萬精兵強將。

　　遁甲包括奇門,合稱奇門遁甲,它的產生、發展、運用,本身與軍事密切相關。自古被稱爲「帝王之學」的奇門爲古代術數,其術以十干中的乙丙丁爲三奇,所以叫奇門,又叫遁甲。而遁甲,也是古代方士術數之一,起源於《易緯‧乾鑿度》太乙行九宮法。其法以十干中的乙丙丁爲三奇,以戊己庚辛壬癸爲六儀。三奇六儀分置九宮,而以甲統之,視其加臨吉凶,以爲趨避,故稱遁甲。奇門是遁甲之中的,合稱奇門遁甲。傳說出自黃帝、風后及九天玄女。

　　奇門的用途有二:一、法術方面,主要是特異功能中的遁法、隱身法、障眼法、呼風喚雨法等;二、擇吉占驗,用於預測時間、地理方位的吉凶等。

　　把遁甲法說成玄女所創、黃帝所傳,是公認的說法,初時可

能脫胎於兵陰陽，古人作戰為佈陣、攻防需要，在空、時間上大動腦筋，後來隨著黃老學派的產生、發展，便同術數結合，遁甲之學在漢唐發展很快。《隋書・經籍誌》錄有五十四種，新舊唐書錄有二十八種，到宋朝，遁甲之學進一步發展，作為方術之一，與軍事尤為密切。《進經表》云：「惟前漢陳平、後漢鄧禹、蜀諸葛亮、唐郭子儀、李靖王子得之，恭謹而行，每運奇計，人不可測，凡行師出軍，偷營劫寨，雷風電雨，隨時而至。」從晚唐至宋，秉於黃老的道教倒在戰亂中不斷發展完備，同樣源於黃老的遁甲之術不僅列入道家秘笈，而且成為道教為政局、戰局出謀劃策的稀世絕招。

所以，遁甲是術數在很大部分意義上為特異功能的具體運用與展開。

特異功能應用於戰爭，在今天世界列強中，已成一種新趨勢。

在第二次世界大戰中，波蘭人沃夫・梅森就發揮過重要作用。

1937年希特勒揮舞屠刀，迅速把戰禍東移，指向蘇俄等國。作為一個愛好和平與愛國者的預言家（具有預測功能），在華沙一家劇院的集會上公開預言：「如果希特勒敢於東進，必將自取滅亡。」希特勒知道後，氣得咬牙切齒。1939年希特勒入侵波蘭後，懸賞二十萬馬克緝拿沃夫・梅森。另一方面，梅森的預言，大大地鼓舞了東方反法西斯的鬥志。

梅森小時候，時常能猜測出大人不曾開口而要說出的話，他隨手拿些廢紙片念上幾句「咒語」，小夥伴們會莫名其妙地把它當作精美的畫片或小食品。他十一歲時，出去闖蕩，他撿來一張舊報紙，當作火車票，混過了入站檢查，十六歲時，大科學家請他吃飯，並請著名的心理學家弗洛依德作陪，並當面測試他的功能，他的應試獲得成功。梅森的通靈術，連蘇俄元首史大林也不

得不十分欽佩。當然，那是梅森被希特勒逼到蘇俄避難之後，那是後話。

　　現在，美、英、前蘇聯、日本等國，早已開展對人體特異功能的研究，而且，美國的人體特異功能，已應用於軍事，前蘇聯的人體特異功能，除應用於情報間諜外，也應用於軍事。特異功能已進入一條看不見的戰線，它同高科技結合，而且日益軍事化。戰場上血肉模糊的歷史，已漸漸被現代戰爭所摒棄，其中，遙視功能是各國軍事家十分感興趣的內容。其功能具有廣泛的戰略與戰術用途，其價值極高。遙視可使己方的「偵察兵」「隨意」進入敵方司令部、情報處，可以看到保密室裏各種作戰方案、戰鬥部署、行動計畫、軍事實力等絕密內容，以掌握對方各種信息，從而爭取作戰主動權。前蘇軍認爲：在戰場上，遙視功能可以使士兵在安全地點偵察敵方軍情，可大大減少己方的傷亡與消耗。美國在一次遙視實驗中，成功獲取了幾千公里外前蘇聯軍事基地的信息，比衛星圖片還要詳盡。1984年4月10日《紐約時報》刊載美國防部計畫中的「超能力計畫戰」的情報資料，報導內容說：國防部集合了全美優秀的超能功能者，訓練遠距離透視前蘇潛水艇的位置，以及東歐國家的秘密文件，消息震動了全世界。

　　所以，神話、特異功能、戰爭這一主題，將以特有的魔力，在現代社會政治等生活中，向下不斷延伸著。

四、語言文字神話與倉頡的特異功能

　　倉頡爲文字之神，他是文字創制的優秀代表。文字，是語言發展到一定階段的產物。漢族人民的先祖早在幾百萬年到五千多年前就創造、使用、豐富著自己的語言——原始漢語。但是語言傳之於口耳，稍縱即逝，人們爲了適應生活、生存，爲表達、交

流、保存思想、技術、經驗的需要,在大約六千年之前,出現了文字。周口店的中國猿人,已經有了語言,經過若干年的逐漸形成與充實,產生了語言定型的文字形式。文字不受時空局限,相距千年,相距萬年,人們都可憑籍語言文字交流思想、情感、經驗、技藝。所以,文字的誕生,是人類文明最偉大的標誌之一。

㈠關於倉頡

倉頡,有四隻眼睛,被稱作「並明」。四隻眼睛,不時地放射著靈光。他長著龍的形貌,神采奕奕,眼光可以通神明。他具有神明的才幹,聖智的本領,品德高於大聖。他在創制文字時,同時代就有好一些,可是他神情專一,獨領風騷。倉頡的頡,就是脖項直長,他與眾不同,還有說他一生出來就能寫字,這大抵為後人附麗而成。

以上內容,在《淮南子·修務訓》、《荀子·解蔽》、《世本》等書中有記載。

他的最大的外貌特徵是「四目」,它比三隻眼還多出一隻,可見是更為超功能的奇人。今人徐悲鴻曾作有倉頡畫,確為四隻眼。這兩目,其實當為長在顖內,是一雙超特異功能的眼睛。

㈠倉頡造字

倉頡造字,是宣泄了大自然的奧秘之舉。他仰觀天象之勢,俯察山川指掌之形,依類象形、以此推理,立形為文,具聲為字,並歸天下之義理,開六書之先河。如私,古文作「厶」,指鼻形。鼠目寸光,只看到自己的鼻尖,當然是自私自利;與私相對,則是公,八為背,即古北字,背私當然是公。真是巧妙絕倫!

以上這些內容,散見於《說文》、《論衡》等書。文字不是人們頭腦虛構想當然的傑作,是上觀「奎星圓曲之勢」,下察龜文、鳥羽、山川、指掌而成,蒐集、類比、整理,則是一種偉大

的創造投入，非凡人能爲之。

㈢文字神奇功用

　　倉頡見了鳥獸行走的踪迹，便知道職份、道理，並由此區分開來，這樣萬物得到了明察。至於以後的君臣名分、父子禮儀、尊卑次序、法律制度、禮樂興盛、刑罰分明、教化施實、雜務處理，設置官職，都盈於天地萬物中表現出來。有了文字，上天爲之賜賞粟米，鬼怪爲之詠唱，龍也不興風作浪，潛到水底，文字的功用如此之大，正如漢揚雄《法言・問神》云：「彌綸天下之事，記久明遠，著古書之惛惛，傳千里之忞忞者，莫如書。」

　　見鬼哭，見龍潛，非特異功能莫能察，同時，這種功效，沒有倉頡不能出現。所以，後人尊倉頡爲黃帝史、爲帝、爲王、爲皇。與倉頡史蹟同步的還有造書臺、倉頡城、三會尊、倉頡墓、倉頡像等不一而足。

　　大自然的龜紋、指掌的線條，本不具有特異功能，但一旦注入人的靈性，就產生了天人合一的神效：它完善人的思維，提高人的理性判別能力、認識能力、推理能力，並引導人們跨入科學的殿堂，自然科學、社會科學、綜合二者又另闢天地的人體科學接踵而來。如在道教之中，演繹出正一教的符籙咒語。這些東西，具有一定的「魔力」，它具有超自然性。漢時的五斗米道、黃巾太平道、東晉後的靈寶派、南北朝時南、北天師道、北宋時的「三仙符籙」等，左右著一方天地。佛教中也有之，如「唵、嘛、呢、吧、咪、吽」的大明六字神咒，它與道教的「呵、呬、呼、唏、噓、吹」的六字訣，與現在流行的「元極功」的「淹、嗓、霹、疾、叭、鈺、嗊、叱、啶」的十字眞言，功能相通。這種語言，從字的意義上看，並無其內涵，但它出自於不同的音域、聲帶，對開發潛能，無疑有一定的作用。由此，我們聯想到，倉頡

始造其字。從無意到有意，再到神奇作用，不是同一理嗎？從單一無義的字到意義繁複的詞，再到句，意義就更複雜了，我們從民間的「封血訣」可見一斑：「奉請華佗仙師、黃衣道士、懷胎夫人、土府龍神、梅山帝王：大金刀斬斷大紅沙，小金刀斬斷小紅沙。斬斷紅沙不來紅。天缺雲來補，地穴土來填，左腳移山來填海，右腳移山來塞河，塞斷長江水不流。」這真可謂氣吞山河。民間就是借用它封血。

空氣、水草、肉體都可作意念語言載體，聲波也是這樣。人把意念儲存在語言中、文字中、符籙中，通過字詞句作用於某一點，能產生特定的效果。文字語言的物理性質，都是精神變物質的折射。

所以，語言文字的魔力所在，主要是氣的運行，當然還有意念力的作用，這也就使得倉頡造字之神，神乎其神了。

五、宗教中的神話與人體特異功能

宗教是什麼？是人類的精神鴉片，這是就它的總的作用而言。在階級社會中，是非常正確的。它可使人們尋求精神驛站，可使倦怠的緊張的神情得到片刻的休憩，雖然德國有過路德的宗教改革與農民戰爭、中國有過太平道、白蓮教、太平天國的農民戰爭，但只要不誤入歧途，我們可以予以理性的、科學的反思。

首先，它是人類思想、文明的高度的結晶。人類的思想、文明不能單純以好、壞與否簡單判斷，它應是一個綜合的複合體。

其次，它含有許多科學的合理的東西，我們在否定宗教時，不應把污水與嬰兒一同潑出去。與宗教交織在一起的人體特異功能就是其中的一部分精華。

另外還有一些，此處暫從略。

　　大宗宗教有佛教、道教、伊斯蘭教、基督教等，這一部分，我們主要僅以土生土長的國教即道教爲例，來闡釋之。

　　下面，我們從《太平廣記》中反映宗教的內容，探討宗教與神話及其特異功能的內涵。爲了論述的集中，先談道教。

　　㈠宗教與道教。宗教是社會意識形態之一。相信並崇拜超自然的神靈，是自然力量與社會力量在意識中的歪曲、虛幻的反映。宗教最初是由作夢的現象引起靈魂觀念，再加之常人認爲是幻覺的特異功能的證實、虛實結合而產生的。在生產力水平極低下，人們還無法控制征服自然力量，以祈禱、祭獻或巫術來影響、主宰大自然的神靈形成最初宗教儀式。階級社會後，社會、自然生活的艱難困苦加深，便認爲生死禍福由神操縱，統治者支持宗教，宣揚痛苦產生於先、後天犯有罪孽，只有忍耐、順從才能得到來世幸福。宗教產生了宗教機構專職人員、教條教規、儀式、神學、宗教哲學。

　　宗教的來源，一則爲歪曲反映自然社會，這是我們應該摒棄的；一則爲原始神話觀念與巫術，這則是我們要研究、探討的。宗教成爲統治者的工具之一，出現政教結合，宗教的全部意義就發生了質變，那麼，革命代替了忍讓成爲了歷史的必然。

　　宗教的形式，如教條、儀式，是毫無價值的東西，而宗教的許多內容，在以前，是信徒的百科教科書，在今天，是我們生活的教參書，我們以科學的手段破譯祈禱、神靈、夢幻、巫術。現在與過去最大的差異前提在於：過去生產力低下，人們不能駕馭、征服、主宰大自然，今天則恰恰相反，人們已經獲得了極大程度的身心解放與自由，我們便吸取精華去其糟粕，爲吸取精華研究糟粕，化腐朽爲神奇。

　　道教，前已略作介紹，這裏還須作些補充。道教，源於古巫

術，在東漢順帝漢安元年始創，由張道陵倡導而定型，經晉葛洪、南北朝寇謙之、陸修靜而形成完整的宗教，它有活動場地「觀」與道場，有設壇、潔齋、禮拜、誦經、行道、祈禱形式和儀式，還有道家的哲學理論，即無爲、不尙賢、絕仁棄義、清心寡欲、崇尙自然等，有道藏等經典，追求長生不死。道教，作爲一種宗教，自然有不可避免的「思想畸形症」，但我們如對其他宗教一樣，一視同仁予以探究，由剖析入手，抽繹出合理的內核，爲我所用，爲科學所用。

㈡道教中的求仙與仙術衆多，內容紛紜。仙是道教中的一個較高境界，亦爲教徒所追求，同時仙術光怪陸離，令人眼花撩亂。

皇甫氏撰《原化記・陸生》是一則神奇的故事。陸生赴考，甚貧。一天早上，去拜訪熟人，忽然，騎的驢跑了。他一追追到終南山上見到一戶人家。一老人延他入室。入內宅，留宿一夜，主人指左右隸童：他們被點化得興雲致雨，坐待立亡，浮游世間，人不能辨其形。你在這裏，可長天地之壽。條件是獻一女子，給你一青竹，姑娘見之，融於竹中，但是，五品之中的人家不能去。但陸生入城，分不清官宦人家的品極，被捕，後老人噴一口法水，陸生才以得救。

裴鉶《傳奇江叟》也很有趣。有一人名江叟，多讀道書，廣尋方術，會吹笛。一次飲酒大醉於槐樹下，夜深稍醒，有腳步聲。偷偷一看，見一人高數丈，在槐樹邊坐，敲樹下，說：荊館中的老二來看大哥了。大槐作答。一會兒，聽見有飲酒聲。老二說：你老兄什麼時候捨得丟掉這個兩京道上的槐王之稱呢？老大說：再過180年。荊山槐說：這老了，還佔據這個位子，要老死才離開這個位置？爲何不趁現在打雷自己死在路邊，還可成爲有用之材，你的美質之材還能部分被保留，不然成爲廢材，將會被人作

柴燒掉。兄長說：人各有志，我不願死。

　　張讀《宣室志・侯道華》：永樂縣有一道觀，道士幾十人，道士鄧太玄煉成丹，懷疑丹藥不夠，留給眾人，太玄死，弟子周悟仙掌門，當時，有個叫侯道華的人服侍他，眾道士只把他當作下等僕人，苦差事全叫他做，他卻欣喜道華勤奮好學，過目成誦，大家還嘲笑他。那裏有棵棗樹，每年有一、二顆無核。道華三年都得到此棗。一天，道華執斧砍松枝，眾人不明白，他已升仙。他升仙時，還留下一首詩，是吃了仙丹升天的。

　　陳邵《通幽記・東巖寺僧》的故事吸引人：崔簡，年少時聰穎，喜道術，從師張元肅後，神通更廣大。到西蜀，西蜀有個人叫呂誼，贈了許多錢給崔簡，想請他辦事。崔簡問過後，他才說：有一個女兒，不曾見過生人，在閨閣中，一天晚上走失了，你有非凡法術，望捕捉到我女兒的人，我就滿足了。崔簡說：那容易。他就在另一間房子。晚上放置好桌位，焚香降神，他叫呂生持劍藏在小門旁：如有外域和尚來，你就向他求索女兒，切不要傷他。崔簡畫符呵了口氣，符籙飛出門外。一會兒，一個兵士進來說：我聽從你的召喚。崔簡說：呂生那天失蹤一女，你去把她捉來。兵士說：只有東山上那人，每天噴水取人，莫非是他。崔簡說：正是他！快去捉他來。一會兒，兵士回報說：那人知道了，正發怒火，他派金剛討伐你了，怎麼辦？不用愁。說完他又畫一道符飛去，霎時，萬千神兵飛來，執劍列庭待命。又一會兒，一個金剛高數丈，怒對神兵。崔簡走上道壇，金剛怕了，不久消失了。又一會兒，有一豬頭人形怪物走來說：和尚願拜見仙官。崔簡坐著，外域和尚走進來。崔簡責備胡僧，其和尚抵賴，呂生拔劍跳出，和尚才被降伏。過了片刻，豬頭怪物背著他的女兒來了。女兒醒來，訴說和尚的無禮，並道出和尚門上塗有脂粉，呂誼去尋

和尚，到了東巖寺，和尚早已溜之大吉。

　　從以上的神話故事，我們可悟出道教與神話及人體特異功能的一些關係及內容。

　　首先，道教的人、物故事集中體現爲仙話（非方士方術、巫術之仙話），道家與道教主要追求長生而成仙。古聖人不少被附會爲成仙，後一般仙人更多。仙話，是對神話的強烈的衝擊，也是對神話的一種豐富與發展。仙話在廣義神話的範疇中，被視爲漢族中古神話的主體之一。如陸生故事中的「可長天地之壽」。又如江叟故事，槐樹的老大與老二的對話，老大欲求長壽，要再活180歲。另外，侯道華的升仙，崔簡宏揚正義捕和尚救他人之女，都無一不是仙話。

　　道教中的特異功能，更是美不勝收，僅從舉例中，足資說明。陸生遇到的老人，瞬間可以興雲致雨，坐待立亡，浮游世間，人不能辨其形。陸生爲拜師，誤而被捕，老者噴一口水，救出了他。崔簡焚香降神，畫符呵氣，畫一符召來兵士，再畫一符，又招來萬千神兵。崔簡怒驅金剛，呵斥胡僧並降伏之。其符籙，就具有某種程度誇張的特異功能。

　　其次，道教對神話的貢獻，可以說是巨大的，尤其是從巫術演變而來的符籙，在上古神話中，幾乎是絕無僅有。祝由與咒訣，主要是口頭語言，而符籙，則變爲書面文字語言。以符籙爲載體，功能更強。另外，像《抱朴子》中就有不少的符籙記載。延續至今的民間正一教的符籙，驅鬼鎮妖，無不神奇。另外，神話中的長壽，不少是人們的想像，而道教燒丹煉汞，變想像爲實，尤其是從外丹轉向內丹，更是一場生命科學上的偉大的革命，從而進一步加強了道教的立足點，吸引著眾多的帝王將相與黎民庶眾。如得道者的陳摶老祖、呂洞賓高人，都相傳上百數百歲。其中，

不少人由於隱居，而不知其所終，更難確定壽辰。還有些人復隔數年又見其形。再則，道家的昇天羽化，拓展、充實了神話的內涵。古人追求升天，是對天宇征服的美好遐想。在其他宗教中，是爲靈魂升天而超脫。如侯道華，吃了師父鄧太玄留下的仙丹而升天了。

又次，道教展示了特異功能層次。層次，有高下之分、大小之別。俗云：魔高一尺，道高一丈。道就是道教的特異功能。如民間漆匠神咒：「你是七（漆），我是八，你有瘡，我有法。」漆瘡是一種化學腐蝕性中毒的皮膚疾病，其「魔」不曾「一尺」，道高一丈了。在東巖寺僧中，崔簡與東山上每天噴水取美人的胡僧，互相比試特異功能。在驅逐胡僧委派的金剛時，盡管金剛高數丈，且殺氣騰騰，而在崔簡面前，不得不屈服，豬頭怪更不在話下，伏伏貼貼把呂生的女兒背了出來。胡僧在崔簡面前雖萬般抵賴，最後也只有逃之夭夭。他的功能層次，遠在道士崔簡之下。

再次，道士使特異功能神秘化。它採用出世修煉，只有少數的道士在民間。他們爲人驅鬼治病，要配上一整套的儀式，在一定的地方作道場、念經、打醮，配上一套神秘莫測的音樂、渲染一種神秘莫測的宗教氣氛，從而使特異功能隨之神秘化、怪誕化。千百年來，特異功能只在眞人、至人身上存在，一般沒入門的道徒是可望不可即的。它由於沒走向群眾化，致使眾多的人懷疑、否認乃至斥責之。另一方面，已達到某種特異功能的人，我行我素，追求常人視之爲幻境的事物。所以，宗教氣氛，非普及的群眾性，被少數壟斷爲看家本領，致使道教弱點暴露無遺，被統治者以利用。如唐王朝以降，崇尚道教甚多，反而把局限、缺點張揚，它就更加非科學了。

又次，道教畢竟是華夏土地上土生土長的宗教，洋洋大觀的

《道藏》保存了特異功能資料，僅是其中的自然科學，就令西方科技漢學泰斗李約瑟驚奇不已。我們如能就其生命科學進一步挖掘，一定可以更能裨益子孫。道教不同於佛教，儘管佛教不少部分被漢化，並且形成了諸如天臺宗、禪宗、密宗、顯宗等流派，但道教更是紛紅五彩，流派更多。諸如漢時五斗米道、太平道、東晉後期的靈寶派、南北朝的南、北天師道，北宋時，龍虎、閣皂、茅山，分別傳授天師、靈寶、上清三宗經籙，稱爲「三仙符籙」。金、元、明、清時，正一與全眞道對峙，他們的經卷、典籍、收藏、記著中國國粹，是民族文化的瑰寶。

最後，我們進一步認識宗教對特異功能的副作用。道教，作爲一種宗教，以形而上的心靈、精神爲主體，導致了一場哲學論爭，與之對立的是唯物主義。東漢有王充、南北朝時有范縝（主要針對佛教的唯心觀）、唐時柳宗元、宋時張載、陳亮、葉適、清朝王夫之、顏亮、戴震等，作爲一場思想鬥爭，作爲人類認識的一個過程，這些哲學都是相當可貴的理論總結與歸納，但是，當唯心主義與統治者的政治思想政權形式、政治力量結合起來或組成同盟軍後，他們一面愚弄人民、麻醉人民的反抗意識，任其主宰，使人民心甘情願接受其壓迫與剝削，這就使宗教在質上變異，尤其是附著在宗教——道教外殼上的人類共同精神財富：特異功能，其普及便受到了無形的遏制。這樣，宗教的副作用就無聲無息地暴露出來，在這點上，務必認識清楚，不然，我們將成爲宗教的犧牲品——因崇拜特異功能而葬身於宗教的汪洋大海之中。

第三部分

神話中人體特異功能文化場掃描圖

第九章　特異功能的歷史載體：神話典籍一覽

　　神話典籍，如汗牛充棟，或整部著述，或隻字片語，分散於經史子集及雜著之中，究其實，它是特異功能的諱飾的表現，我們一旦掃除了迷霧，便不難看出其價值。在這章裏，我們的論述思路是點與面結合，一般的著述力求介紹清楚基本輪廓、重點著述，分專點論述。

一、蜻蜓點水，總攬全貌

　　在這一部分，除了上古的《山海經》與中古《拾遺記》列專點論述外，我們介紹的有：《楚辭》、《列子》、《莊子》、《穆天子傳》、《淮南子》、《呂氏春秋》、《尚書》、《詩經》、《神異經》、《海內十洲記》、《博物志》、《荊楚歲時記》、《搜神記》、《異苑》、《博異誌》、《獨異志》、《別國洞冥記》、《述異記》、《新序》等，除此以外，還要提及《封神演義》、《西遊記》、《聊齋誌異》、《鏡花緣》等書。

(一)上古部分

1.《楚辭》：漢劉向輯，原收屈原、宋玉、景差、賈誼、淮

南小山、東方朔、嚴忌、王褒、劉向等人辭賦，另有王逸《九思》，共十七篇。王逸曾作注，宋洪興祖撰補注，其影響頗大。其中，以屈原的作品如《離騷》、《天問》、《九歌》、《招魂》、《遠游》等，保留了大量神話與特異功能的生命科學內容。像《離騷》、《遠游》前面已論及，另如《招魂》則是保留了更多生命科學的原始素材。不管他是招懷王之魂，還是他人招屈原之魂，深受民間巫術的薰陶。《天問》一口氣提出一百七十個問題，保留了大量神話，如「嫦娥奔月」、「大羿射日」等，還有《九歌》，其中的《東皇太一》、《東君》、《山鬼》等，保留了氣功、特異功能、生命科學的第一手資料。

2.《列子》戰國列御寇撰，全書八卷，原書早散逸，現通行本為魏晉人錄作，如晉人張湛注本便是一種。列子是身體力行實踐生命科學、特異功能的先行者，且成效巨大。他可御風而行，八荒而仙。八荒與風穴是他春往秋來御風游蕩之處，他駕的此風，風來草木生，風去則草木凋零，其風又叫離台風。列子為道家在理論與實踐均獲巨大成就之方家。其書中有「愚公移山」、「歸墟五神山」、「甘蠅教射」、「造父學藝」等神話，包孕著不少特異功能。

3.《莊子》戰國時莊周及其弟子撰，原書五十二篇，今存三十三篇，內篇七篇，公認為莊子著，即《逍遙游》至《應帝王》。另外，《駢拇》至《知北游》十五篇，為外篇，《庚桑楚》至《天下》十一篇為雜篇。此書吸收、保存了大量神話創作精神，另虛構了大量寓言故事，想像奇幻。書中的「藐姑射之山」中的神人，「鯤鵬神話」、「蝸角觸蠻」、「倏忽鑿渾沌」、「黃帝遺玄珠」等，體現了上古人超人的生理功能。

4.《穆天子傳》全書六卷，所記周穆王西遊見西王母故事。

西王母神話，在此書中，由穴居怪誕演變為雍容華貴的神人。另還有崑崙黃帝之宮、河伯、姑餘木等。周穆王一生好玩樂巡遊。開始由西域來了個「化人」，他能騰雲駕霧、搬運城邑、穿牆入壁、下火海，他邀穆王去他那裏遊玩，渺視穆王豪華生活。此情此景原是夢幻一場。於是，穆王遊興大作。這樣，他駕著八匹駿馬的車子，周遊天下。造父為他駕車、養馬，其神馬行空。他們在陽紆山見過河伯，在崑崙山遊過黃帝宮殿，在赤烏接納美女，黑水見到長臂國人，在極西的崦嵫山，見到了西王母，他宴請西王母、並賦詩唱和。歸途中，見到偃師奉獻的機器木人，平息了徐偃叛亂，到很高壽辰才死去。

　　5.《呂氏春秋》戰國時秦相呂不韋集門客共撰。全書二十六卷，分八覽、六論、十二紀，共一百六十篇、二十餘萬字。流傳的有漢高誘注本、清畢沅的校本。其中，有不少顓頊、帝嚳、禹、孔甲等神話。另如「孟春紀」中的太暤、句芒、倕，孟冬紀中的玄冥、「孟秋紀」中蓐收、「孟夏紀」中的炎帝、祝融，「仲夏紀」中古樂神話群等，非常豐富。

　　6.《淮南子》又名《淮南鴻烈》，西漢淮南王劉安與門客共撰。內篇二十一，外篇三十三。其書以道家思想為主，劉安自身就充滿了特異功能諸多因素。其書中女媧補天，共工觸不周山等神話。漢馬融、高誘、許慎曾分別作過注。「原訓道」中的馮夷、雨師、逢蒙、舜，「天文訓」中的共工、顓頊爭帝、咸池、天阿、暘谷、扶桑，「地形訓」中的太章、豎亥、禹以息土填塞洪水、若木、不死草、形殘之屍、海外三十六國、神二八連臂，「時則訓」中的句芒、祝融、后土，「覽冥訓」中的女媧補天、姮（嫦）娥竊不死之藥以奔月，「本訓經」中的羿射十日、大禹治水，「主術訓」中的湯王以身禱桑林，「齊俗訓」中的三苗髽首、羌人

括領，「氾論訓」中的羿爲宗布神，「詮言訓」中的屍神話，「兵略訓」中的黃帝、堯、舜戰爭等神話，上古衆多神話及其條目賴此得以保存，其間，特異功能衆多內容滲透於其中。

　　7.《尙書》原有一百篇，漢以後，有今、古兩種尙書，今存五十八篇，其中三十三篇爲古、今尙書共有篇目。有益讓朱虎、熊羆、夔典樂、蚩尤作亂、舜等神話及其子遺。

　　8.《詩》，中國最早詩歌總集，305篇，分「風（15國風）、雅（大、小雅）、頌（周、魯、商頌）」，經孔子刪定，漢代傳詩有齊魯韓毛四家，毛詩盛而餘三家衰，雅頌多有神話：契、稷、禹。

㈡中近古部分：筆記、傳奇

　　1.《神異經》漢東方朔撰，晉張華注，一卷。中有東王公與西王母相會等。具體如「東南荒經」中的不飲不食的頭戴雞父雛頭神人、樸父，「南荒經」中的魃，其目在頂上，「西南荒經」中的先通神人，「西北荒經」中的無路之人，「中荒經」中的銅柱銘文載東西王公母之事、神鳥希有。這些神話內容，多爲上古神話中不曾有的，也進一步拓展了特異特能範圍。

　　2.《海內十洲記》漢東方朔撰（疑爲六朝人僞作）。十洲有：祖、瀛、炎、玄、長、元、流、生、鳳麟、聚窟十洲。祖洲有不死之草，徐福發童男童女五百人尋之。瀛洲有玉石泉如酒，令人長生。炎洲有火光獸、風生獸、火浣布。長洲有仙草靈藥，元洲有玉芝、長生不死。鳳麟洲，多鳳麟、煮鳳喙、麟角，合煎作膏，各續弦膠。聚窟洲，上有返魂樹。後另加滄海島、方丈洲、蓬丘、扶桑、崑崙。滄海島上皆是石象、八石、石腦、石桂英、流丹黃子、石膽之類。方丈洲，群仙不想升天者，往來於此洲。扶桑洲，仙人食扶桑椹，身體呈金光色，飛翔空立。蓬丘，就是蓬萊山，

崑崙，號稱崐峻，生玉芝及神草四十多種。

3.《博物志》晉張華撰，十卷。原書散失，今本爲後人搜輯而成。書中有君子、三苗、驩兜、大人、羽民、穿胸等國異人，還有禹殺防風氏、神鳥續弦膠、比翼鳥、越祝之祖鳥、指佞草、后稷生於巨石迹，伊尹生於空桑等。

4.《荊楚歲時記》南朝梁宗懍著，今存一卷，文有殘缺，記楚俗三十六事，保留了部分神話：七夕乞巧、臘八、鬼鳥、帖畫雞於小門、懸葦索、插桃符、爆竹辟山臊惡鬼、七夕牛郎織女相會、擊細腰鼓、戴胡頭、作金剛力士逐疫、祭灶神等。

5.《搜神記》晉干寶撰，二十卷。今本係後人輯錄而成。其神話有盤瓠、蠶馬、眉干屍、寄女之倫、受胎皆南斗過、李楚賓夜射妖鳥爲元範母治病等。

6.《異苑》南朝宋劉敬叔撰，十卷。其神話爲九嶷山西王母獻笙白玉管、屈原投汨羅江乘白驥、介子推與寒食、孝女曹娥、父爲巫等。

7.《述異記》南朝梁任昉撰，二卷。內容爲唐宋間人掇集梁書而成。中有盤古瑣傳、蚩尤軼聞、神農、魯班、堯誅鯀於羽山化爲黃熊、娥皇女英、皋陶憑獨角羊治獄等。

8.《博異誌》唐鄭還古撰。中神話有：陽隱客教二人穿井，見別一世界，即下界之上仙國，宛如世外桃源，稍待就是人間三、四世，出洞後，不食人間煙火。還有：王昌齡把錯刀放在神靈的廟裏，坐船後，才發現晚了，船走了幾里，有條紅鯉魚跳進船中，剖腹，得到金錯刀，他嘆道：葛仙公命魚送刀，眞有此事。還有許多，此從略，以一葉而見秋。

9.《獨異志》唐李冗撰，十卷，今本存三卷，內容多引故事。所記有女媧兄妹婚配而繁衍人類，有禹妻化石剖腹產啓、文王四

乳、離婁見秋毫於十里之外、海若居之島，每年八月見流槎過、
張衡死、蔡邕生，人以邕爲張衡後身等神話。

10.《別國洞冥記》漢郭憲撰，四卷，六十則，皆言神仙道術
及遠方怪異之事。敍漢武帝出生前，景帝夢一赤彘從雲中直下，
赤氣如煙，上有丹霞蓊鬱而死。記東方朔三歲天下秘識，一覽便
闇誦於口，曾飲丹霞漿，幾乎悶死，後飲元天黃霞半升即醒。還
有壽靈臺，帝使董謁乘霞之車，西王母駕元鸞，歌春歸藥，草木
被其歌感動而翻卷。支提國人能移小山。三足鳥食地日草，巨靈
化爲青雀等神話。

另外，還有些神話較多的文獻，如《三五歷紀》、《尸子》、
《中華古今注》、《世本》、《竹書紀年》、《靈憲》、《法苑
珠林》、《路史》等，我們稍作提及。

《三五歷紀》三國吳徐整理，原書已散失，清人有輯錄，中
有盤古開天地、三皇五帝等神話。

《尸子》戰國魯人尸佼著，二十篇，《漢書・藝文志》列於
雜家，至元明全佚，清人孫星衍等有輯本。中有少昊、湯、徐偃
王神話。

《中華古今注》後唐馬縞撰，三卷，部分內容採自崔豹的《
古今注》中少量神話，如海神朝禹等。

《世本》，此書早已亡佚，清人孫馮翼等有輯本，中有廩君
等神話，此書內容多紀古帝王公卿大夫之世，終於秦末。

《竹書紀年》魏安釐王蒙，得竹書數十車，紀年十三篇，此
書古本已佚失，今有爲宋人僞託之說，其中關於益、啓、王亥、
周穆王等。

《靈憲》漢張衡撰，一卷，早佚散，後書多有輯錄，如姮娥
奔月較《淮南子・覽冥訓》爲詳。

《法苑珠林》唐道世撰，通行本有百卷本，百二十卷本，所引古本，今多佚亡。常見的神話片段及故事如洛神等。

《路史》宋羅泌撰，子羅萍注，常有神話資料，雖取書雜蕪，但多引古籍，而今佚亡。如羿習射弓箭神話。

㈢**中近古神話、志怪小說**

這一小節，我們要提及明吳承恩長篇神話小說《西遊記》、清蒲松齡神話短篇小說集《聊齋誌異》、清李汝珍幻想譴責小說《鏡花緣》。

1.關於《西遊記》

《西遊記》一書，先後醞醸了七百多年，是群眾與專業文人集體智慧的結晶。唐太宗貞觀三年，玄奘不顧禁令、偷越國境，歷時十七年，經歷百餘國，前往天竺取回佛經六百五十七部，震動天下。回國後，由門徒辯機輯錄，他親自口述成《大唐西域記》，以後門徒慧立、彥琮撰《大唐大慈恩寺三藏法師傳》中，穿插神話傳說，如獅子王劫女產子，西女國生男不舉等。南宋《大唐三藏取經詩話》，把各種神話與取經故事串聯起來，出現了猴行者形象。取經故事在元代定型，四師徒主要人物全部出現。

作者吳承恩，字汝忠，號射陽山人，淮安山陽人，他自幼以文名於淮。但到三十多歲，才始補歲貢生，後作過長興縣丞，但長期過著賣文自給生活，他還作過《禹鼎志》等志怪短篇小說。

《西遊記》全文一百回。前七回主寫孫悟空大鬧天宮，十三回到末尾，寫唐僧師徒四人克服八十一難，取經回國，終成正果。全書盡是神話人物與故事，如黃袍怪、黃眉大王、九頭獅、牛魔王、紅孩兒、小雷音、玉帝、太白金星、太上老君、青獅怪、大鵬怪、九頭蟲、蜘蛛精、蟠桃會、八卦爐、地府、熊羆怪、白骨精、火焰山、釘鈀宴、犀牛怪等，不一而足。

2.關於《聊齋誌異》

《聊齋誌異》多寫狐狸精怪，或見或聞，見者，部分是作者的特異功能，聞者，部分是作者見聞博廣，其餘，則是展開想像翅膀，利用形象思維，寫社會窳敗的政治，寫對下層勞動者的同情；寫封建社會埋沒人才的八股取仕；寫抗擊舊婚姻的男女青年對未來的追求。儘管蒲松齡「惟農場住屋三間，曠無四壁，小樹叢叢、蓬蒿滿之」，儘管多日以跑步「暖足」，夏日擺茶棚創作，多被他人訾議，儘管功名終身不遂，但他創作記錄了很多神話與反映人體生命科學的故事與資料，如《屍變》、《噴水》、《山魈》、《盅仙》、《驅怪》、《雹神》、《人妖》、《鏡聽》、《戲術》、《跳神》、《白蓮教》、《道士》、《妖術》、《畫皮》、《祝翁》、《勞山道士》、《神女》、《狐》夢、《口技》、《狐女》、《顛道人》等。

3.關於《鏡花緣》

清嘉慶間作者李汝珍，直隸大興（今北京市大興縣）人，曾任河南縣丞，終身不達。他博學多才、精通音韻，熟於考據。

《鏡花緣》一百回，三易其稿，歷時三十載，風行一時。

其小說寫了武則天令百花於寒冬齊放，眾花神不敢違旨，但花開後遭到天帝的譴責、唐敖入小蓬萊求仙，小蓬萊泣紅亭內有天書。書中八至四十回，大寫海外奇國，這是上承《山海經》、《淮南子》之餘脈。中有黑齒國、淑士國、白民國、無腸國、毛民國、結胸國、翼民國、豕喙國等，還寫了大量的各種百戲之類如豎卜等內容。

4.另外，還有《西京雜誌》、《搜神後記》、《佛國記》、《齊國記》、《續齊諧》、《漢武帝內傳》、《靈鬼誌》、《冥祥記》、《幽明錄》、《冤魂誌》、《抱朴子》、《朝野僉載》、

《大唐新語》、《酉陽雜俎》、《雲仙雜記》、《玉泉子》、《摭言》、《封神演義》、《古鏡記》、《游仙窟》、《古岳瀆經》、《柳毅傳》、《任氏傳》、《續玄怪錄》、《紀聞》、《甘澤謠》、《剪燈新話》、《新齊諧》、《閱微堂筆記》、《影談》等，這裏不予詳述，僅一作羅列。

關於神奇怪異的典籍著作，大致有以上諸種，當然還有眾多沒予介紹與羅列，如《太平廣記》的浩繁迭卷諸多神話便是。以上這些，流傳較廣，人們引用也較多，故其餘不曾論及。

二、微觀探析上古中古經典神話論著

這一部分，我們稍著重討論《山海經》與《拾遺記》兩書，從微觀角度看其神話與人體生命科學的淵源關係。

㈠《山海經》：上古生命科學之總滙

《山海經》傳為禹、益作，公認為成書於戰國時代，且非一時、一地、一人之作。內容多涉及原始社會末期與階級社會初期，少量內容反映了春秋時代的面貌。

《山海經》有晉郭璞作注本，另有圖讚一卷，清郝懿行箋疏本等。

《山海經》的山經有南西北東中五經，海外經有南西北東四經，海內經有南西北東五經，荒經有東南西北四經，共十八篇，全書共三萬一千多字。

《山海經》為一部百科全書，動植物有435種之多，礦物有十二類92種之多。其書是一部巫書。上古時代的巫同中、近古時代的巫不盡相同，他是當時知識分子的代名詞，由於巫同神聯繫緊密，所以，「巫以記神事」。在巫文化中，又由於原始混沌思維的作用，它又包孕著眾多學科的知識，如地理、歷史、哲學、

天文、醫藥、考古、文字、民族、宗教、物理、化學、信息、人體特異功能等。由於內容龐雜，曾給目錄學者造成分類上的困惑。《漢書‧藝文志》把它列入數術略的形法類，《隋書‧經籍志》把它列入史部地理類，《宋書‧藝文志》又將它改列在子部五行類，《四庫全書》卻把它改在子部小說家類。

　　《山海經》中的《山經》本於九鼎圖像，《海經》主要本於招魂圖像。九鼎的作用，一是奉宗「上帝鬼神」，一是「使民知神姦，不逢不若」，二者都是與巫事象相關聯，尤其是後者，它關係到巫事象中的法術禁御，而招魂本身就是巫術活動。

　　招魂是民間流行的以巫師為中心的降宗教活動之一，源遠流長，從上古至今。《山海經》，尤其是以圖畫為主的《海經》部分，所記的各種神異怪人，大約就是古代巫師招魂時所述內容，眾多內容可視為其圖的解說辭。因此，《海經》當係巫師即今之所稱有特異功能者，作法事時即施展其功，綴聯其圖及訣辭，便是山海圖與山海訣辭組合的《山海經》。

　　在前面不少的章節中，我們已引用了很多內容，但還有許多內容不曾論及，下面，我們將配合圖、圖讚與注、疏等一作展開論述。

　　于兒，《山經‧中次十二經》：夫夫之山是于兒神居住的地方，他是人的樣子，手持兩條蛇，常在江水中游蕩，出入有光，根據圖文，一見就知道此神是一位特異功能者。郝懿行說，他就是《列子》中「愚公移山」中的操蛇之神。郭璞圖讚說：「于兒如人，蛇頭有兩，常遊江淵，見於洞廣，乍潛乍出，神光勿恍。」于兒上身的神光，閃爍不定，能遊江淵，又能移山，可見，他發射的光超乎常人，其生物場使他的特異功能非常驚人，能移山，當是非凡的「搬運功能。」

不廷胡余，《山海經・大荒南經》：南海島中的此神，人面，頭掛兩條青蛇，腳踩兩條赤蛇。圖讚缺。郝氏未作注，但有圖可據之看到：他飛於海面，從頭到腳，周身雲氣繞繚，這雲氣，顯然是成葫蘆狀的，他用身體吐納眞氣，身手不凡。

天愚神，《中次七經》：天愚神居在堵山，他時常周身伴著怪風怪雨。圖中，他兩手交叉，右手招風，左手撒雨，這就是「喚風呼雨」的本領，其風雨不是按自然規律來去有定，而是甚「怪」。呼風喚雨，古已有之。

長乘，《西次三經》：贏母之山，神長乘主司。他是天上九德之氣所化生，人身豹尾。郝氏按：《水經注》云：禹西至洮水之上，見長人受黑玉（書），疑即此神。黑書不知爲何書，疑爲晚上使用的書，或是行巫使法術的書。長乘圖爲跳舞，像民間跳大神之姿勢，他是「也無得稱」（郭璞讚語）。

計蒙，《中次八經》：計蒙神居光山，人身龍身，常游於漳淵，出入必有飄風暴雨。他是「獨稟異表，升降風雨，茫茫渺渺」（郭璞讚語），頭部之龍狀，是變之術所致，升降風雨，是「呼風喚雨」異曲同工之妙。

句芒，《海外東經》：東方木神，鳥身人面，乘駕兩條龍。他既是主管東方青草樹木，也爲司命之神。他具有騰空大法，兩翼大而粗壯，當是能飛，這還不夠，他還要駕兩條龍，可想像他的功力無與匹敵。郝氏注曰：句芒即表何。他引用《白虎通》材料說：芒爲言萌。句芒是面方素服。郭氏讚云：有神人面，鳥身素服。衛帝之命，錫（賜）齡秦穆。皇天無親，行善有福。特異功能中的騰空法與他的騰雲駕霧是合二爲一的，他還主司壽命，主控人的負極物質與正極精神，難怪人們如此崇奉他。

英招，《西次三經》：槐江山，是天帝的牧場，英招主管，

馬狀人身，虎紋鳥羽，周遊天下。在天帝牧場以南的崑崙山，光彩奕奕，氣團中飄蕩著人們的三魂七魄。郭璞讚云：「巡游四海，撫翼雲舞。」特異功能中，有控他大法，定身大法。英招主管牧場，身爲馬狀，當然可控制羊群馬群，否則不能在帝囿主司之。招英神圖，也是他飛騰於空中，身後有光亮，其法力無邊。

驕蟲，《中次六經》：平逢山有神，形狀像人，有兩個頭，爲螫蟲，產的實汁，爲蜂蜜的房子。郭氏注：蜂群去住所採集。郝氏也說：蜂有好幾種，蜜是蜂的一類。而此神之圖，卻不是蜜蜂形狀，而是人的形狀，頭頂禿，兩鬢髦直上豎。這則神話看似費解，其實較爲合理。其神，兩頭，正是練功時陰陽物質的分離而幻成兩頭。明明是人狀，爲何取名作驕蟲？可是螫蟲？不，這正是隱身術的再現，每當有蜜蜂爲誘導物，他便作法隱形。正如有些特異功能者，沒有師父贈的端陽木頭人，就不能行搬運功。你把木頭人毀了，東西就搬不動了。木頭人上有師父的特殊信號，所以，這隻蜜蜂是驕蟲的「師父」贈的「木頭人」，這也正是他「法自然，師蜜蜂」的結果。

耕父，《中次十一經》：耕父神居豐山，常游清冷之淵，出入有光。見之則其國要敗。圖爲立水邊山腳，身後有一團火焰圓圈。前人說：每個人都有三尺高的火焰，確實如此，而且存有亮度。耕父的火焰成圈，豈止三尺高？是以爲神。郭璞圖讚云：「耕父是遊，流光灑景，黔首祀榮，以彌災眚。」它可消災彌難，大抵是逐疾驅厲的方相神醫之輩了。

泰逢，《中次三經》：他在和爲主司，是爲吉神。如人而虎尾，出入有光。他的每一動態，是天地氣體的作用。郭氏曰：他有靈爽，能興雲雨，當年孔甲曾被他迷惑。泰逢神圖最有意思的，是他雙目射出兩道光芒。他的慧力與法力，非常高超，且慧眼功

能無與倫比，法力功能的呼風喚雨也曾得到實證，孔甲是爲一例。

此外，還有涉臼、蓐收、雷神、熏池、彊良、臼圍、啓、刑天、耆童、神魂、祝融、弇茲、禺彊、貳負等神話，此雖從略，但通過前面的闡述，可知特異功能通神了。

㈡《拾遺記》與生命科學

《拾遺記》是特異功能的結晶，上承先秦中處六朝，下開唐傳奇志怪小說之先河。

其書，作者晉王嘉，梁蕭綺錄，今人齊治平校注本公認爲善本。關於王嘉情況的介紹，《拾遺記》後序有載：《高僧傳》初集卷五《釋道安傳》附《王嘉傳》、《雲笈七籤》卷一百一十、《洞仙傳》等論之。史書有《晉書·藝術傳》王嘉條，《隋書·經籍志》雜史類、《舊唐書·經籍志》雜史類、《崇文總目》卷二十一卷傳記類等書有載。

王嘉，字子年，隴西安陽人，具有特異功能：輕舉止，不食五穀，長期辟穀，清虛服氣，不與世人交往，他形貌醜陋，但特別聰明，滑稽而好語笑，有異術。曾隱居於東陽谷、終南山，弟子一百多人，與他一道鑿巖穴而居，多次被苻堅召而不赴，公侯名士，都曾前往參拜，好尚之人都以之爲師。他具有非凡的預測功能，且「過之皆驗」。其間，有苻堅南征前的垂詢，姚萇的垂詢，後被姚萇殺戮。苻堅贈之太師，謚文定公，並親自設壇哭悼。他著的《三章歌讖》，事過皆驗。

王嘉的一生，夠傳奇的了，死於非命，可流芳百世。

《拾遺記》原凡十九卷，二百二十篇，可時政混亂，此書厥損，南北朝蕭綺搜檢殘遺，合爲一部，凡十一卷。

現存本全書一至四卷，幾乎全是神話、特異功能的怪誕搜錄。五卷前漢上始至九卷晉時事，以傳說爲主，間以怪人奇事。第一

卷，是神山異洲，一反時間線索組書，採用空間結構法。

　　一卷記春皇庖犧、炎帝神農、軒轅黃帝、少昊、顓頊、高辛、唐堯、虞舜。二卷記夏禹、殷湯與周，三卷記周穆王、魯僖公、周靈王，四卷記燕昭王、秦始皇。五、六卷記漢，七卷記魏，八卷記吳蜀，九卷記晉時事，十卷記七神山：崑崙、蓬萊、方丈、員嶠、岱與、崑吾與洞庭山，一神洲：瀛洲。

　　《拾遺記》是雜錄與志怪的結合，它本於《帝王世紀》和《別國洞冥記》，卻又超過了這兩部書，並有承先啓後的作用。

　　晉魏時期，修仙成爲方士，飲酒成爲名士，到王嘉時，名士方士化，方士名士化，二者合流，共致力於鬼神靈異的傳播與渲染，在這樣的氛圍中，《拾遺記》誕生了，同時，魚龍混珠，人體特異功能也在此歷史環境中得到充分、全面、健康的發展，不過，它是在神鬼、宗教的保護傘下孳生、發展。

　　下面，我們著重針對前四卷一作繹理，以便得出一個大致的輪廓。

　　卷一《春皇庖犧》：聖人生下來就有吉祥的徵兆，伏羲之母游華胥之洲，感青虹而繞，很久才泯滅，便有身孕。十二年才生，合於天時。生孕神話，有兩個原因，其一，古人對身孕不理解，生命來於何處，只是猜測，故有感生說。其二，練功的人十分珍惜「金津玉液」，相對而言，是近乎禁欲的。庖犧之母也是「紫氣東來」，有虹久繞方滅，所以，神母生神子，是生理遺傳，但又只是十二年（概數）方生育孕化。庖犧以木德王天下，爲太皥，即太昊。王嘉說：昊者明也。他周身的光澤，像一輪小太陽，可以照耀八方。他是生而知之者的化身，所以被尊爲三皇五帝之首。

　　《炎帝神農》：神農致力於農事，所以「朱草蔓衍街衢，卿雲蔚藹於叢薄，築圓丘以祀朝日，飾瑤階以揖夜光。」天下和諧，

有流雲灑液，稱作「霞漿」，服之得道，後天而老，有石璘之玉，稱作「夜明」，投水中不滅。丹雀銜九穗禾墜地，炎帝拾之以植，令人食而不老且不死。這霞漿，即天宇之炁——眞氣，九穗禾實，爲仙穀神果之類，爲不死之藥的衍化。

《軒轅黃帝》：崑臺，是黃帝時乘雲龍而遊的地方，每當熏風一吹，眞人雲集，在崑臺登仙升遐。有石渠，堅而輕，一葉百莖，千年一花。有飛魚，仙人寧封曾食飛魚而死，二百年後又更生。

黃帝是擇日而死，最後也是同群仙眞人一樣而升遐，其最終結果未說，但恐怕與寧封是相似的。

《少昊》：少昊爲其母娥皇與太白之精戲謔所生，號窮桑氏，即娥皇與太白之精風流之地——桑中，窮盡桑中之嶼的紀念。這裏的風流，並非今義，而是古樸民風的野合。桑爲野合之地，在《詩經》中有反映。因爲他主西方，一號金天氏，或作金窮氏。娥皇也當是一位追求養生與長生的女神，因西海之濱，有孤桑樹，桑樹千尋，萬年一實，食之後天而老。

《顓頊》：顓頊爲帝后，得「曳影之劍」，「騰空而舒」。四方有軍情，此劍飛起指其方向，不多時，在匣子裏有龍虎之吟聲。另有勃鞮人，羽衣無翼而飛，憑風而翔，壽千歲。還有紫桂，實如棗，爲神仙所食。

《高辛》：有瑪璃甕及瑪璃兩說，神奇。

《唐堯》記有青鸜鳥、巨楂、沉燃、重明鳥等神話。

《虞舜》有魚、鮫神話、蒼梧、珠丘神話，還有珠塵，服之而不死。另有大禹治水，乘過南潯國送的毛龍。

卷二《夏禹》有鯀九年治水無績而自沉於羽淵，子禹治水，遍行日月之墟，獨不踏羽山之地。鑄九鼎，以雌金鑄陰鼎應陰數，

雄金鑄陽鼎以應陽數。他在空巖穴中得八卦圖、玉簡。

《殷湯》：湯王出世，與少昊近，但母無明顯風流韻事，是食鳥卵而孕。中有傳說乘雲繞日而行，湯王以重資聘取。

《周》：成王三年，有泥離國來朝，他們可從雲裏穿行，或入潛穴，視日月而知方向，計寒暑而知年月。成王七年，南極之遠國，叫扶婁之國，能善機巧變化，大則興雲起霧，小則入於纖毫之中，還能吐雲噴火，鼓腹如雷，變幻無窮。

昭王即位二十年，忽夢白雲騰起，有人穿毛羽之服，叫羽人，王求上仙之術。羽人不受，王強求。羽人以人指心，胸裂，血流滿地，患疾，過了十來天，羽人復來，送一「續脈明丸」以手摩之，即癒。王貯其藥。一次，他塗在足上，飛於萬里，後有人得此丸，後天而死。

卷三《周穆王》：傍氣乘風而遠游，有八駿馬、如超光。三十六年，到春宵宮，集方士仙術，共探自然之妙，晚上，王點長生燈，燔膏燭、鳳腦燈、冰花花燈，與西王母面晤歡歌。

《周靈王》二十三年，建「崑昭」臺，當是時，萇弘有神異之術。王登崑昭臺，望雲氣，忽見有兩人乘雲而至。當時天下大旱，其一人說：我能致霜雪。吸氣一噴，雪花飛舞，池井成冰。一會兒，又有一人說：我能致炎熱。他以指彈席，果驗。這種特異功能，可使風雲驟變。

韓房，渠胥國人，有一面三尺寬的鏡，向鏡語，人影可作答。他用丹砂畫左手，可照百餘步，周人見之，視之如神明。

宋景公之時，有野人見景公：「聽說您愛陰陽之術，如象緯之秘，特來拜訪。」景公詢問未來之事，及以往之事，件件對證。這野人後來被賜姓名叫子韋。這子韋就是預測天眼及追憶天眼之神者。

　　卷四《燕昭王》從印度來了一個身懷奇術的人，叫尸羅。他衒惑之術，指端可出十層浮屠，高三尺。人五、六分高，能舞、能行、能歌，如眞人，他噴一口水，幾里都將昏暗。吹一口氣，起大風，霧散，再吹一口氣，浮屠升入雲端。他口、耳、袖間有龍虎，螭鵠等怪物出入。他神通廣大，神怪無窮。

　　卷十崑崙山：有無數奇珍怪物，是神仙居住處。蓬萊山、方丈山、瀛洲、員嶠山、岱與山、崑吾山（夾有黃帝蚩尤之戰事）、洞庭山（夾有屈原以柏桂膏實養神、精遊降天河、湘浦）等，都大致相同。

　　《拾遺記》的衆多怪人奇事，已不像《山海經》那樣要去繁細考證、研討，它是較明朗的，很多特異功能直截敍述，我們到今天，可一目了然。故以上未多作過於主觀地詮釋。

第十章　非完整性的神話人物與特異功能

　　非完整性神話人物有兩層含義：一是具有典型的降神話性，二是爲非完整變異性神話，它包括：歷史人物神話（神話人物歷史化孑遺的變異性）；仙話（包括方士與道家神話）；文人與民間的擬神話，另外，還有兄弟民族的口頭、書面神話。其問題提出的角度，是就神話的產生、形成、發展、變異的全過程而言的。神話的全過程、自始自終滲透、包孕著人體特異功能。

　　前面曾提及，人體特異功能有先後天之分。先天一則爲遺傳，一則爲變異，後天一則爲苦練，二則爲病變，三則爲通靈（主要是夢境），四則爲頓悟，五則由職業性而得到。先天型由遺傳而致後裔；變異與遺傳相對，父母黨（包括五代內宗祖不曾有過）不曾有而子孫有。後天型的釋道儒醫修煉出來的是有師父指點而得到的；病變包括得肝病而開天目（肝開竅於目），腎病開天耳（腎開竅於耳），神經、心臟病出現慧功的追憶預測，肺病，可令嗅覺靈敏異常（肺開竅於鼻），其他病或雷擊開天目，抗電功。通靈是與神靈之心通，以後一想就靈。頓悟是指先天不具備，後天修煉也不成，但剎那間，偶得佛眼功。職業型有科幻小說家、神話作家由於一個勁地鑽，突然開悟。

　　下面，我們從政治型、修煉度人型與其他型三個方面討論非完整神話人物的特異功能。

一、政治型神話人物與特異功能

這一部分，我們從安邦定國與輔佐朝政，功成身退與以道亂政幾個方面著手，將他們神奇的特異功能與輝煌的政績綜合考察，使其人物的神奇性得到合理的解釋。

㈠黃帝

在戰爭神話與特異功能中，我們作了些介紹，但作爲三皇五帝之一，作爲中華民族進入歷史著述中的開山祖，他在其他方面的才能與本領，仍未得到充分的展示，因此在這裏將進一步討論。

由於黃帝人心所向，尊爲君王，所以古代的經史子集多有轉述。當然，這些文字，或是明託，或確是黃帝經辦，但他作爲開宗帝王，集衆人智慧，頒佈詔告，以便推行。轉述記錄的著述有《周易》、《史記》、《路史》、《繹史》、《後漢書》、《管子》、《山海經》、《拾遺記》、《文選》等書。

黃帝劃分土地，設置行政單位井；井內爲鄰、三鄰爲朋、三朋爲一里，五里爲一邑、十邑爲一都、十都爲一師。這樣的行政設置，便於生產、大家互相關照，統一風俗，方便貨物交流，共同照料生老病死，互相嫁娶。

他據六十四卦，對八卦作以解釋，研討其義理。

他劃分星野，定出經常明亮之星有524顆，有名的有320顆，黯弱的有11520顆。

他殺蚩尤後作《網鼓之曲》十章。

他製作貨幣，設立各級官級。

歸結於他的名下的光輝業績，另還有：鑽木、敲石生火、燒烤食物、創製舟楫、馴服牛馬、開創交通業、製造車子、作陶器、器械、作冠冕衣裳、建築房屋、製杵造臼、造釜甑、灶、盌（碗）

碟、華蓋、帷帳、踢球、鑄鏡、棺槨、几案、定五聲、創音律、製玉珩，撰天文書籍、製漏壺、整理神農草藥方、寫《內外經》、創制嫁娶、吹奏樂器、劃分國土、建立國家、建立禮制、法度、創兵法、建墳墓、迎神賽會，以逐疾疫，制定種種事物名稱等等。

　　以上是黃帝為安邦定國所作出的偉大事業，另還有一些不朽的著作，也歸結於他的名下：《黃帝泰素》、《黃帝說》、《黃帝雜子氣》、《黃帝王家歷》、《黃帝陰陽》、《黃帝諸子論陰陽》、《黃帝內經》、《黃帝本草》、《泰始黃帝扁鵲俞柎方》、《神農黃帝食禁》、《黃帝岐伯按摩》、《黃帝針灸經》、《黃帝占經法》、《黃帝岐伯經》、《黃帝風經》、《黃帝雜子十九家方》、《黃帝出軍訣法》、《鍼經》、《黃帝問玄女兵法》、《黃帝曆》、《黃帝脈書》、《黃帝出軍新用訣》、《占夢經》、《歸藏》、《八索》、《雷公述炮灸方》、《內外經》，等等。

　　在黃帝與戰爭中，我們已看到他是一位具有特異功能的君王，從這裏無數的貢獻中，他的偉大，亙古絕無僅有，稱他為有卓越的安邦定國（當然，此時尚無邦國）之才能，當是無愧的。儘管黃帝其事、其書多為後代附麗而成，儘管黃帝處於部落原始荒古時代，但他畢竟是上了《史記》可考的一位人物，我們用今天的眼光來看，他不愧為一位政治型的風雲神話型人物。

　　㈡禹

　　作為三皇五帝之一，同樣具有非凡的特異功能，作為一代君主，其治國治民的雄才大略，曠古稀有。

　　1.特異功能：禹懷孕於父親體內，且當父鯀死去三年後才出生。他原是一條蟲，當父親「剖腹產」後，他已孕育成一條黃龍。他長得奇怪：長頸、大目、虎鼻、三隻耳（一隻天耳）、頭戴鉤鈴，胸有玉斗，足文履己，高九尺九寸。這裏，他有三大奇異的

特徵：兩鼻、三耳與「禹步」。《白虎通・聖人》：「禹耳三漏，是謂太通。」《太平御覽》卷八二引《帝王世紀》：「（禹）兩鼻三耳」。禹耳三漏，大抵是佛眼功中的漏盡通。他有三耳，當屬「千里耳」的功能，兩鼻（一隻天鼻）也就是千里鼻無疑。現在練香功，不是有一股常人一隻鼻聞不出的芳香之味？「禹步」更神奇了，《尸子・廣澤》：「（禹）足無爪，脛無毛，生偏枯之疾，步不能過，名曰『禹步』。」他足無爪，是治水中一為走得太遠、太久，一為曾化熊以爪扒土治水；脛無毛，是雙脛時常出於泥水之中，都被漿泥粘斷了；偏枯之疾，是半身不遂的偏癱症。他在這種情況下，出現了「禹步」──禹不能走路，勉強走幾步，一跛一拐，忽然發現有大石頭跟著他跑，他覺得奇怪，心想：沒有什麼力量，可石頭亦能走路，便悟出剛才自己邁出了的幾步，然後按原樣，又跨了幾步，石頭又跟著他走，於是，他雖患有足疾，但用這特定的步法，運了許多石料壘堤治水。這比起父親鯀的「息壤」不知強多少倍。

關於「禹步」，楊雄《法言》，長沙馬王堆漢墓出土《五十二病方》、《養生方》、葛洪《抱朴子》（內篇）等有記載。由此以後，巫多效禹步。且禹步後人多有記載，僅《抱朴子・仙藥》可見一斑：「禹步法：前舉左，右過左，左就右。次舉右，左過右，右就左。次舉右，右過左，左就右。如此三步，當滿二丈一尺，後有九跡。」

從以上內容可見，大禹是具有特異功能，當是無可辯駁了。

2.**濟世之才**：大禹當道，安邦治國，首先要戰勝洪澇之患。洪水之災，且不說古人，就是到了防洪工程如此完善的今日，仍令人勞民傷神，每年都有，且年復一年。《墨子》、《莊子》、《管子》等多有記載：禹五年水、禹七年水、禹八年水、禹十年

水、禹之時,十年九澇。因此,要安邦定國,首先要治洪災不可。

關於大禹治水的神話,可以說,古代所有典籍幾乎都有記載,我們略作統計,有六十種之多,如《尚書》、《論語》、《水經注》等。

禹組織人們聚土積薪以築堤、令人造獨木舟、準備搶險。塗山有石帆,高一丈,是登山之工具,他誅殺了樹童子、相繇等水災異神另外,從他令蛇龍開溝疏渠,又叫玄龜背泥,自己親操橐耜,沐甚雨,櫛疾風,晝不暇食,夜不暇寢,治水十三年,累過家門而不入。東至榑木,南至交趾、孫樸,西至三危、巫山,北到人正之國、夏海之窮。他具有神奇的功力,他曾集百靈、令夔龍擊土伯、肅兵,拘囚鴻蒙氏等,獲准渦水神無支祁,把牠交給庚辰管,但那些木魅、水靈、山妖、石怪,與之搏殺械鬥,用大鍊、金鈴把支祁邪震住。

禹疏通、開掘治好了數以千計的江河湖泊,太原一帶的河道、覃懷一帶的川河、還有漳水、恆水、衛水、大陸澤、灉水、沮水、瀦水、淄水、淮河沂水、長江、漢水、沱水、潛水、雲夢澤、伊水、洛水、瀍水、澗水、滎波澤、荷澤、孟豬澤、漆水、沮水、澧水、黑水、黃河、滄浪水、彭蠡澤、濟水、汶水、泗水、渭水、涇水、漯水、汝水……

禹所開山劈峽,有壺口山、梁山、岐山、岍山、荊山、雷首山、太岳山、底柱山、析城山、王屋山、太行山、恆山、碣石山、西傾山、朱圉山、鳥鼠山、太華山、熊耳山、處方山、桐柏山、陪尾山、嶓冢山、大別山、龍門山……

夠了,這些名詞足以說明大禹治水的辛勞與業績。從這裏,我們可以斷言:大禹神力無邊,確也是勞苦而功高。他能平抑洪水,使人們安居樂業,是他安治天下首要任務。

接著，他著手處理政務、平治天下，如釐改製量、召集諸侯，誅殺防風氏、令皋陶創樂章、規定時間的起始、鑄九鼎、占視氣象，他還親創測風鳥，納言聽諫、安民治室、調權衡、平斗斛、造井示民、勤求賢士，施及方處，鑄幣贈民，捐珠玉於五湖之淵，以杜絕淫邪之欲，絕琦瑋之情，為網為紀，右規矩、左准繩，克勤於邦、克儉於家。

作為治水與治國同被稱頌的大禹，就其安邦定國的雄才大略，我們以湖南岳麓山禹碑作結。

此碑為大禹治水經過南岳岣嶁峰刻下的。它雖不是原碑，可經過唐人韓愈，宋人何致、曹彥約，明人管大勛等人的努力，又經過衡山─岳麓山─衡陽─石鼓書院─衡山的幾次翻刻的周折，摹拓的碑文被得以保留。

碑文云：「承帝曰嗟！翼輔佐卿，洲渚與登，鳥獸之門，汆身宏流，而明發爾興，久旅忘家，宿岳麓庭，智營形析，心罔弗辰，往來平定，華岳太衡，宗疏事裒，勞餘仲湮，郁塞昏徒，南瀆衍亨，衣製食備，萬國其寧，竄舞永奔。」

對禹作以上如是說。

㈢望帝與叢帝

古蜀國，有望帝化鳥的神話

遠古的西蜀，第一個王叫蠶叢。蠶叢這一族人，眼睛生得特別，向上豎立著。其族人死後，用石棺埋葬，其墳，叫縱目人冢。這豎立的眼，與今天在電視、電影中見到的楊二郎的第三隻眼為豎直的眼是相同的，這大抵是具有特異功能不為謬。據《華陽國志·蜀志》稱：「次王曰柏灌，次王曰魚鳧，魚鳧王田於湔山，忽得仙道。」魚鳧打獵得道成仙，功力已是很深的了，這種功能，是遺傳與頓悟結合所致。

　　王位傳到望帝，其遺傳基因一直在延續。他是從天而降，來歷不凡，與神奇從井裏湧出的妻子一樣，他叫杜宇，自立爲蜀王。

　　他的政績顯赫，關心人民，教人們種好莊稼，不誤農時，但那裏的水災，令他頭痛。

　　一年，從江水裏逆流沖出一具男屍，打撈上岸一看，屍首復活了，自說是楚國人，叫鱉靈。望帝得知後，好奇令人帶來，一見如故，談得投機，他非常器重鱉靈的水性，這裏正是水患無窮，便命他爲宰相。不久，一場洪水暴發，玉山阻擋了水路，望帝令他去治水抗洪。鱉靈憑其才幹，將玉山開掘出一條水的通道，使洪水順著岷江暢泄而下。解除了水患，人民安居樂業了。由於他功大，望帝把王位禪讓給他。鱉靈受了禪讓，號爲開明帝，又稱叢帝。望帝自己跑到西山隱居起來。但不久，他聽到一些謠言，說鱉靈外出治水，望帝與他妻子發生了不正當關係，鱉靈回家後，才把王位禪讓給他。隱居的望帝，此時有理也說不清，懊悔當初不該讓位。他在深山老林裏憂憤而死。死後，靈魂化作一隻杜鵑，也叫杜宇，整天悲啼，直至口裏流出鮮血：「不如歸去——！」意思是子歸（杜鵑又叫子規）！即靈鱉呀，你怎麼不早些歸來，使之免得讓我背上不清不白的冤名呀！也免得你聲名不好。其實，這既不是鱉靈的過錯，應當說望帝杜宇也是清白如許的，小人的流言蜚語也將自消自滅。

　　這望帝與叢帝，都是神奇無比的，爲安邦治國竭思盡智，一則逆水復活而平治水患，一則爲死後精魂化鳥，望人們要珍惜和平安逸的生活。後面這些小插曲，也可說明死後還在安定人心，安定鱉靈的心，讓他安心治國，使人民免於災難。

㈣姜太公與《乾坤預知歌》

　　姜太公：太公是文王對他的尊稱，他祖先幫大禹治水有功，

被封於「呂」地，本姓姜，原名為「尚」，當是呂尚，太公望，是文王的太公希望周朝興盛，並託一夢，以「太公望」來稱國師呂尚。

姜太公以前便不顯達，他雖胸懷大志，並才學與本領超群，可仍未遇真主，沒沒無聞，他賣過飯，殺過牛，賣過肉，被妻子輕視，只得在渭水邊結一茅房，以釣魚為生。後遇明主，幫文王吞掉幾個小國。不久，文王死了，繼當武王的國師，助武王打到朝歌，逼得商紂王焚火自殺，結束了一代暴政，開創一個新王朝──周王朝。

文王、武王的眼睛都是「望羊」，即天生遠視，遠到什麼程度？即是天眼功，所以能夠找到同樣具有特異功能的姜太公（曾助武王伐紂時，於孟津破譯了五車兩騎是證）。

廣為流傳的《乾坤預知歌》是相傳為姜太公所作（民間一作《萬年歌》），目下，我們暫無法十分準確考證其真偽，但觀其內容與七言句的韻文，疑為託名之作。按今存最早的曹丕七言詩、南北朝時七言詩才形成，至唐時方成熟推斷，其詩很可能為明朝前後所作。然而，無風不起浪。既然有其歌流傳，那當有可本之處。當然不必追究到《封神演義》中的姜太公，我們視之為集體智慧，大抵不謬。其歌，完全是預測功能的文字符號化。

其歌曰：「如今天下已歸周，／禮樂文章八面秋。」「八隻牛來力量大，／日月並行照天下。／土猴一兀自消除，／四海衣冠新彩盡，／三百年中三七分。／十八子馬衝進門，／虎頭帶刀何曾問。／四百年來事難順，／錦生不便生危難。……」「我今只算數中萬，／日後循環理不窮。／知者君子詳此數，古今存亡一理通。」

中間一段，八隻牛，指朱元璋之「朱」，「日月」指「明」

王朝，土猴指戊申年（戊屬土，申屬猴，即公元1368年）「一
兀」指「元」王朝，「三百年中三七分」，明共276年，三百年
的七分，「馬衝進門」爲闖，十八子即李自成。

其歌，從上古、周、秦、漢、新莽直到清六十三句，爾後四
十六句，尚無人破譯。共一百零九句。

㈤蜀漢諸葛亮馬前課（白鶴山僧守元解釋）

諸葛亮婦孺皆知，且前已論，此存略。

第一課（陰陽符號與證詞從略）：無力回天，／鞠躬盡瘁，
／陰居陽拂，／八千女鬼。（解曰：諸葛亮卒後，後主降於魏。
八千女鬼，魏也。）

第二課：火上有炎，／光燭中土，／稱名不正，／江東有虎
（解曰：司馬炎篡魏，元帝都建康，建康在江東。）

第三課：擾擾中原，／山河無主，／二三其位，羊終馬始。
（解曰：五代始於司馬而終於楊氏。）

第四課：十八男兒，／起於太原，／動則得解，／日月麗天。
（解曰：唐太宗起兵太原，十八男兒，李也。）

第五課：五十年中，／其數有八，／小人道長，／生靈荼毒。
（解曰：後五代八姓，共五十三年。）……

第十四課：占得此數，／易數乃終，／前古後今，／其道無
窮。

按：孔明馬前課，乃軍中閒暇之時，作此以示後人趨避之方。
此十四課，爲馬前課中之所裁，每一課指一朝，其興衰治亂可得
諸言外。

至十四課止者，兩次來復之期也。殿以未濟，以見此後又一
元矣。天道循環，明者自明，昧者自昧，又焉可以坐而致哉？（
〈嘉慶十年生之，現八十又六〉八六老僧白鶴山守元誌）。

此十四課，從文體上看，似漢魏四言詩體，然從用辭遣句上觀之，似過於暢俗，疑亦明之前後託名之作。但最終有待後人考證。一至九課，爲蜀漢至清，十至十四，共六課，所指不明。老僧所解，係歷史巡迴觀，不盡足取，但其預言，不可坐而致也。

㈥劉伯溫與《燒餅歌》

傳說，諸葛亮曾立有石碑一塊，碑云：前朝軍師諸葛亮，後朝軍師劉伯溫，我知道是你，你知道是誰？由此看來，劉伯溫成爲一代超人，是早有定數。後有一塊劉伯溫碑文，曰：清朝見碑三一年，明月清風鬧中間，日俄戰役皆天定，不用明月在兩邊，難詁解來難詁解，不知還是哪一年，三年三三兩桃李，血流成河骨滿山，你猾我狡依天順，太平自然在中間，今人解得碑中語，可算岐山第一仙。這些東西可能產生較晚，此姑且不論，僅作導線，以引出《燒餅歌》並略作論述。

《燒餅歌》有引有詩，正文以詩之韻文爲骨幹，兼行散文。

引子中以劉伯溫猜明太祖碗覆蓋之物作始。劉伯溫的破譯，簡言之，即爲隔物透視功能，也爲一顯，裝作掐指以算，故弄玄虛，說：半似日兮半似月，曾被金龍咬一缺。此食物也。三道是食物（有碗在），又似日月，當然是餅，但不直說，以顯其高深莫測。

當太祖詢問天下後事的歷史更替，以天機不可泄漏爲由，劉伯溫婉言相拒，劉伯溫應是已開天目，但說不清透視、遙視、預測功能，以爲是天機，上天定數。當太祖賜免死牌才敢謝恩陳對。因爲「天機」的泄漏，在封建王朝是有殺身之虞的。

劉伯溫以讖語形式，以模糊邏輯，以朦朧語言，陳奏了皇上的垂詢及對後事的預測。

從太祖第四子篡位（只恐燕子飛來）至魏忠賢作惡（八千女

鬼亂朝綱），再到李自成起事（十八孩兒難上興，目上一刀一戊丁）。又從清王朝說下去（水浸月宮主上移），經順治、康熙、雍正、乾隆、嘉慶、咸豐、同治、光緒（女抱孩兒作主張）等。

從已過王朝看來，大抵入驗。

為對其歌有一個粗略的認識，引一個小片段以窺其斑。

「帝曰：『偶亂饑寒，荒野平常草寇則亂天下乎？』

基對曰：『西文亂賊到面前，／無個忠良敢諫言，／喜見子孫恥見日，／衰頹氣運早隆天，／月缺兩兩吉在中，／姦人棧發走西東。／黃河歲運朝金闕，／奔梅山，上九重。』

帝曰：『莫非梅山作亂乎？朕令梅山命將看守。』

基對曰：『遷南遷北定太平，／輔佐帝王有牛星。傳至六百半，／夢花有子得心驚。』

帝曰：『相傳六百年，朕心足矣！安望加有半字乎？朕今與卿遺下錦囊，世世無相遺也。至有難可開。』

基曰：『臣亦有此意。』」

《辭海》稱：後人造《燒餅歌》，假託其名。

後人是何人，有待研究，是否託其名，也有待歷史的回答。但在這些問題尚未廓清之前，我們認為，其真實性強於前兩則預言，行文、體裁符合時尚，大抵為劉基所作。

歌辭的明王朝，大抵言作亂之人、治世為主，以治防亂，符合常理。清王朝都是帝王治世，是企望由亂（李自成、吳三桂）而治，也是與常理不忤。

這裏還要補充一點，劉伯溫還有《鐵冠數》（又名《透天玄機》傳世，也是預言明朝及其以後的事。《鐵冠數》為鐵冠僧人與伯溫的對話，以傳授內容為主，有些內容，與《燒餅歌》相同相近，但《燒》預言明確，《鐵》則隱晦、朦朧，《鐵》疑乃劉

基所作，《燒》乃或後人依《鐵》附會、演繹而成，此，僅是主觀推測，不是考證結論。

《鐵冠數》還有一個特點，即有一個龐大的理論框架，如：三元劫數：三元者，九宮之中總元上三元，中三元，下三元，共合三元，一萬五千年爲一元，一元共五會，五會運天劫，五百年一遭天地九宮運氣，即十二支地氣。……

要之，不管是劉伯溫，抑或其後預言者，預測功能敢流芳百世，是不怕時光的檢驗的。歷史發展有一定的規律，也有一定的過程。預言就是一致的、半泄漏天機、半遭天譴的晦澀難悟的「告世人書」。

㈦《推背圖》

《推背圖》爲唐易學家袁天綱、唐著名天文學家李淳風合作的成果。

袁天綱，《新唐書》卷二百四，記載了他的一些生平與成就：益州（今四川）成都人。貞觀年初，太宗召見袁天綱，說：古時有嚴君平，我今天得到你，如何？袁天綱答道：他生不逢時，我因此更勝於他。當時，武則天還是幼兒，天綱見到她母親說：夫人命中要生貴子。於是叫出兩個兒子：元慶、元爽來相見，天綱看後說：其兩兒將官居三品，見到她女兒韓國夫人說：其女子尊貴，但不利於她丈夫。武則天最小，保母抱她出來見天綱，當時把她妝成男兒，天綱看到她的眼睛，推算她的命運大驚說：龍瞳鳳頸，極顯貴標誌！如果她是女子，將成天子。

袁天綱還有許多預言，果一一實現，這裏不一一轉述。

李淳風，《新唐書》卷二百四載：歧州雍人（今陝西鳳翔縣南），從小十分聰明、伶俐，通曉群書。後他在占候吉凶方面，十分準確，若節契然。當時的術家猜測有鬼神幫助他，其本領不

是通過學習可以達到的，但是他到底怎麼有如此本領，人們一直都無從知道，其實，的確如此，這就是他的特異預測功能。一次，唐太宗得到一個秘讖，讖上說：「唐中弱，有女武代王。」太宗向李詢問，李勸他：徵兆既然成了，那它就已經存在，天命如此，不可免除，此人最終不會葬送唐的天下，所以不必殺她。如果殺了她，將又會出現一個年輕、更會殺人的篡位者，那麼，您的子孫將沒有遺種了！」唐太宗採納了他的意見。

下面，舉《推背圖》幾象，稍作介紹。

第二象：乙丑，姤——圖：一個盤子裝二十一個果。讖曰：累累碩果，莫名其數，一果一仁，即新即故。頌曰：萬物土中生，二九先成實，一統定中原，陰盛陽先竭。

盤中果象李子，一果一仁，即一個李果代表一位仁君。唐朝李姓仁君，從高祖李淵，經太、高、中、睿、玄、肅、代、德、順、憲、穆、敬、文、武、宣、懿、僖、昭、哀帝，為十九宗一帝，二十位君主，再加上一個武則天，共廿一個帝王，她非正宗嫡姓，廢中宗改唐為周。在圖中，我們如果細心，可以發現，頂端數下，第四個李果無蒂，原來這裏暗示，她不是唐王朝真正的皇帝（蒂通帝），改唐為周，但的確統治了幾十年。

頌辭中，第一句：「萬物土中生」，以雙關的隱語暗示：李淵於戊寅年稱帝。第二句：「二九先成實」，二九是個什麼數？唐從李淵稱帝（618年）到朱全忠篡位（907年），共計290年。第三句：「一統定中原」，大抵為歌德之句，第四句：「陰盛陽先竭」，唐朝女陰曾興盛一時：武則天、韋后、太平公主、楊貴妃等，最後導致唐衰微。

第三十七象　庚子：益——圖：一男子於水中，雙手共環抱託起一石頭。清，金嘆聖曰：此象雖有元首出現，而一時未易平

治，亦一亂也。讖曰：漢水茫茫，不統繼統，南北不分，和衷與共。水清終有竭；倒戈逢八月。海內竟無王，半兇還半吉。

這一象為滿清滅亡與中華民國的建立。資產階級政權是前所未有，處在封建社會鼎盛時期的李、袁，在一千多年就宣告了它的死亡，神機妙算，令人嘆為觀止！而且對於革命局勢預言得一清二楚，幾乎令人不可思議（退一萬步說，即算是託名偽作，至少是清金嘆聖之前所預言）。

預測功能，確乎有矣！

在讖頌中，南北不分、和衷與共，海內無王，與中華民國《約法》不謀而合，孫中山先生建立中華民國，地不分南北，廢除君王，人民選出總統，這一些新穎術語，在其中得到同步效應。

漢水茫茫，指漢水之濱的武昌起義；不統繼統，指清最後一個皇帝為宣統，即繼統之統，前一個統指皇帝的繼承，此句即：不再有皇帝繼王。

在頌中，水清終有竭，指清王朝到了竭盡終點，倒戈逢八月，武昌起義於1911年10月10日，宣統三年的這一天，正是陰曆八月十九日，倒戈指清政府依靠的新式軍隊的反戈一擊，半凶還半吉，正應了孫中山先生的「革命尚未成功，同志仍須努力」一語。吉：推翻帝制，創建共和；凶：袁世凱、北洋軍閥、日寇作亂，仍是凶象。

這樣的預言，堪稱一絕，400年前，法國大預言家諾查丹瑪寫下了《諸世紀》，以詩歌形式預測了人類的未來，曾引起轟動效益，被公認為人類的文化精華之一。然而，比他早900年的中國李、袁二氏，字字珠璣、圖文璀璨，恐怕比西方預言詩要高出幾籌。這當為我們民族的驕傲與自豪！

在過去，這些預言被視為糟粕，因為人們說不出理由人為何

可以預測。到了今天，隨著慧眼、佛眼的天目被人們認識，當它被列入人體特異功能的討論之中，其疑不解自破。同時，在力倡人體生命科學的今天、明天，人們定將會正確對待之。

㈧洪秀全的太平天國

洪秀全，廣東省花縣人，當過村塾教師，幾次應試秀才，均落第，後接受了基督教的《勸世良言》，並予以解說，寫了《原道救世歌》、《原道醒世訓》、《原世覺世訓》，倡天下平等，斥昏君貪官，爲「天下一家」而組「拜上帝會」 1851年1月11日在廣西金田創太平天國，1853年3月佔領南京，並定都，1861年失敗，餘部堅持到1876年。

《勸世良言》爲梁發撰，共九卷。麥沾恩著《中華最早的布道者梁發》，作了詳盡介紹，洪秀全深受啓發、薰陶。

在太平天國中，天父時常附體，祂導致了太平軍的堅貞團結，但也導致了其分裂。「附體」即氣功追求的「通靈大法」，雖不如聖母頭上七彩光環之神聖，但是眾多人夢寐以求的事。當然，楊秀清的附體是「人力而爲之」，爾後引起了洪楊之摩擦。

洪秀全以「基督教」之道，亂清王朝昏亂之政，順乎民心，合乎天理。

㈨張角與黃巾起義

張角，是一名落第秀才，後入山採藥，得一異人點化，得《太平要術》，他日夜攻習，達到普施符水、呼風喚雨功能的層次。

當是時，漢末靈帝崇信宦官，天下紛亂，政治昏暗，上天予以警示：夏日降雪，洛陽地震，雌雞化牡，秋天降虹，山崩地裂，海水氾濫，瘟疫流行。

張角以符水救人，自稱大賢良師，收弟子數百人，都能書符念咒。天下無道，他大呼：蒼天已死，黃天頂立，歲在甲子，天

下大吉。將眾弟子立爲三十六方，大方上萬人，小方數千人，準備舉事倡義，以誅無道，因不愼洩密，被迫提前起義，號「天公將軍」。眾人頭裏黃巾。短短幾個月，便聲勢浩蕩，終雖經歷八、九個月，但促使漢王朝昏庸政治的崩潰。

我們可以說，書符念咒如果毫無效益，三十六方弟子就不可能招致，這就是性功中的意針、意草、意水、意紙的功用效益。

(十)白蓮教

清朝嘉慶年間，劉松曾以白蓮教組織起義，前後共歷九年，活動區域有川、楚、陝、甘、豫五省，弟子劉之協、宋之清傳教，聲勢日振。荊州晶傑人、張正謨，襄陽王聰兒（即齊王氏）、姚之富兩支義軍興起，蔓延南北。白蓮教的一支派天理教（又名八卦教）組織者林清、李文成，名重一時。李文成屢戰屢敗，自後壯烈自焚，林清也一度打入北京城，打出「大明天順」的旗號，後亦失敗。

白蓮教眾首領與教徒多具特異功能。在《聊齋志異》中，有一則白蓮教故事。

山西有一徐姓者（名字已略），爲徐某，是徐鴻儒的後裔，會施各種奇術，變化多端，拜他爲師者很多。當地有個惡霸，以販豬羊爲業，常欺壓百姓，幾次逞強調戲徐某妻子。他知道後，不露聲色。第二天，他請來惡霸，把他變條豬，讓徒兒宰掉賣了。惡霸失蹤，家人四處尋找，聞風並報官府，稱白蓮教餘黨用妖術殺人，連夜派了上千人把徐某圍起並抓住他一家人，腳鐐手銬送往縣城。半路上，樹林裏闖出一個猙獰的巨人，官兵們嚇得靈魂出竅，徐某叫放出妻子去制伏牠。但妻子被巨人吸入口內，徐某又叫放出其兒子去制伏他，他剛邁出一步，又被巨人吸入口內，兵士們嚇得發抖，徐某疾呼：快給一把刀，讓我去制伏這惡魔。

官兵哪知徐某的神通，別無良策，爲他去掉鐐銬，推他上前。巨
人伸一丈多長手臂，張開桌面大的手掌，一下把徐某齊腰攫在手
裏，往血盆大口一塞，活吞下去，衆官兵一見，一個個都癱倒在
地。說也怪，巨人似乎吃飽了，掉轉頭，邁開大步，奔入樹林。
結果，那一千多官兵，推著三輛空囚車，回去交差。而徐某妻兒
三人，據說還平安活在世上。

　　徐某是當然具有高超特異功能，其巨人是他幻化的救命之物。
他弟子衆多，可把惡霸變成豬宰掉，就是一例　。在其原文中，
還有兩個例子，介紹他是通神的，此從略。

　　從以上例子看來，人體是一部神奇的機器，他發掘出來的潛
能是人們難以相信的，潛能一旦轉化爲功能，就是特異的了，牠
與社會的發展、運轉結合在一起，可以推動社會的變革。

二、修煉型神話人物與特異功能

　　一般說來，修煉出功能，功能也需要修煉，從這個領域出來
的神話人物，別有風采。

㈠老子出關與關尹喜

　　老子是修煉型中普渡衆人的聖者。

　　他懷在其母腹裏，有七十二年，是剖開左腋才生出來的，他
生下就能說話，名叫李耳，或稱老聃，是因爲他有一副出衆的耳
朵，耳長至七寸。還有誇張說長到七尺，當僅供參考。民間傳云：
耳大爲有福之輩。其實，這是他善於養生，時常摩擦雙耳所致。
腎開竅於耳，他先天、後天之命門，幾乎無人可以比擬，除有五
千言留世外，僅憑養生，足可爲道家之祖──旨在長壽。

　　當時，天下無道，他奉清靜無爲與世無爭之宗旨，西去隱居。
到了函谷關，被有些道根、修仙慕道的關尹喜留住。那天，關氏

掐指一算，將有真人過關，在樓上一望，只見一大團紫氣東來。他留住老子，非要他寫幾部書才放行。老子無奈，寫下了《道德經》（長沙馬王堆出土之內容作德道經）上下兩部分，才勉強通過，臨別時，他向主人說：你好好修道，滿千日後到成都青羊肆找我。後來，關尹喜到時找老子。他經老子點化。在今三羊觀羽化登仙。

他度關尹喜成仙，是為真人。

(二)公冶長與鳥語

《孔子家語》載：公冶長是孔子得意門生之一，他可與鳥通感對話，還具有千里耳的功能。但由於他解鳥語，而導致過一場官司。

一次，在魯國邊境，聽到鳥叫道，要到清溪去吃死人肉。路上遇有一哭兒子的老婦人，公冶長告訴她，清溪邊有一死人。老婦人去後一看，死者正是其兒子，她馬上去官署告狀，這樣，公冶長因懂鳥語而入獄，百般解釋，都是枉然，只好等以後驗證。在獄中，他聽到幾隻鳥叫，說運麥粟的車子翻了，牛角也折斷了，麥粟收不乾淨，叫同伴快去飽餐一頓。獄官聽他一說，派人去查核，果然如此，才斷他沒殺人而釋放了他。

還有一次，聽鳥說，有羊可拾。他前去拾回後，煮吃了，後主人找他的麻煩，又被送到大獄中，孔子出面，在魯君前擔保，然不能令魯君信服。在獄中，一天聽到鳥喊他：齊人伐魯，趕快去沂水、峰山抗齊。公冶長把這個消息告訴獄吏，並請他轉告魯君，情況果然如此。戰鬥結束後，魯君釋放了他，並封以大夫官職，公冶長再三辭謝，回到故里。孔子看中了他的才德，把女兒許配了給他。

公冶長的特異功能連春秋時的獄官與魯君都不相信，孔聖人

擔保都不起作用，可見通感功能（或思維、語言傳感功能）是多麼不可思議，如果不是後幾次的證實，恐怕性命難保。同時，也說明公冶長決非偶然猜中一次。

㈢張道陵與王長、趙昇

張道陵創五斗米教，奉老子爲教主，以「五千言」爲眞經。這則神話，在明・馮夢龍編纂的《古今小說》中，有完整的記載。張道陵既是道教的開山祖之一，又度人度己，自覺覺他。

張道陵，是漢張良的第八世孫，他孕於母體，是由北斗第七星飛來投胎，出生時爲半夜，是時光明如晝。七歲能解《道德經》，舉賢良方正，入太學。他嘆人生易逝，專心修煉，求長生不死之術。

王長是同學之士，慕道陵之學，拜之爲師。他們一同曾求得《黃帝九鼎太清丹經》，加之張道陵曾學得以符水治病，入蜀修煉，自稱眞人，廣收門徒，普施符水。求治者若癒，以五斗米爲謝。他的資源廣群，專與王長修煉龍虎大丹，丹成，能分形散影，遂果爲眞人。

他曾革除蜀地白虎神舔人血之陋俗。他被關在殿門之內，到了夜半，一陣狂風，白虎神便來攖人血。張道陵七孔皆放紅光，罩住白虎。白虎原爲金神，金氣發洩，變爲白虎，眞人煉尤金丹，養就眞火，金怕火剋，自然制伏。

老君再送一人，欲使三人登仙，第二年，其人果至，他叫趙昇，張道陵七試趙昇，趙昇一心求道，矢志不移，或辱罵不離去，或美色不動心，或見金不自取，或見虎不畏懼，或償絹不吝，或被誣不辯，或存心濟物，或捨命從師。最後，張道陵、王長、趙昇三人，在鶴鳴山，白日升天，張道陵一百二十三歲。

他們是修煉度人的聖者。

㈣呂洞賓其人其能

呂洞賓,既爲道教中的八仙之一,又是著意於特異功能的修持,並留下許多著述的雲遊道人。他的傳說,多於牛毛,至今民間盛傳不息。

呂洞賓,名嚴,或作嵒,字洞賓,號純陽子,唐代末年京兆(西安)人,一說爲蒲州人,兩舉進士不及第,遊長安,遇鍾離權,被十試皆心無所動,終得道,遊江淮,試靈劍,除蛟龍,隱顯變化四百餘年。一說六十四歲進士及第,一說故家湖南岳州(岳陽)人,此今尚有仙人村,呂姓尚多,於岳陽遇鍾離權,得仙人秘訣,行醫濟藥,兼爲劍俠,仗劍雲遊,四處除暴安良,號醉仙。

有兩點可以肯定:他曾是一書生,考過進士(一定先中過舉人),後棄儒從道,隨鍾離權出家。他是一位起死回生的神醫,又是預卜先知的特異功能者。如是,便成了全眞教的宗師。

在練功修道上,他是鍾呂派的核心人物。他因修煉內丹而獲長生,二百餘歲而童顏,步履輕盈,頃刻數百里,以之爲神仙。他在修功理論上,以慈悲度世爲懷,並視其爲通道,改丹鉛與黃白之術爲內功,創劍術爲斷除貪嗔、愛欲、煩惱,對後世道教教理的發展,影響頗大。尤其是內功的修煉,貢獻巨大。宋徽宗封他爲「妙通眞人」,元世祖封他爲「純陽演正警化眞君」,全眞道教奉他爲北五祖之一,稱之爲「純陽祖師」,通稱呂祖,他留下的名著《敲爻歌》、《百字碑》、《沁園春》等練功詩詞,影響很大。

三、遠國異人破譯

遠國異人,在《山海經》、《淮南子》、《拾遺記》、《鏡

花綠》、《博物志》、《神異經》等書中有載，我們討論的文本，以《山海經》爲基本選材，綜合他本，予以考察。

《山海經》記載了六、七十個遠國異人，《淮南子》也記錄了三十六國。我們考察的角度與立足點，是特異功能，而遠國異人，又不能牽強附會全部以之代替，但其中，確有很大一部分屬原始生命科學領域。前面個別章節中，已有所觸及，這裏，我們要全面展開。

這些內容，全部集中在《海經》與《荒經》之中，相傳，禹爲平治洪水，曾涉足九州大地，到過許多稀奇古怪的國度，伯益將這些內容一一記下——這裏，我們不對伯益（懂鳥語，具有聽覺特異功能）予以探討、考察，也不管此書爲他所撰與否，只限於遠國異人部分。

我們以華夏爲中心，按西南—東南—北—西的方位，擇要予以闡釋。

結胸國：「爲人結匈（胸）」。這是指胸部凸突出來，有點像雞胸。這種人是長期習練氣功吐納所致。修持者入座時，含胸拔背，不可太挺，且又時常意守丹田中，積年累月，子孫因襲，故成結胸國。

羽民國：其人頭身長羽毛。這樣的人，據人類學家考證，古往今來不曾有之。其實，是爲羽化升天而遠遊。郝懿行引《楚辭‧遠游》以佐證，當爲不謬。前面，我們已討論過，遠遊正是仙遊，也就是內煉到了高層次的騰空大法。郭璞也說像仙人。

讙頭國：有翼羽。《神異經‧南荒經》：「有翼不足以飛」。大致近乎羽民國，但功力稍遜，還不足以起飛遠遊。讙頭國與三苗首領驩兜有聯繫，一因方位同爲西南，一因苗民（驩兜爲其首領）「其人有翼」。其考可信矣。

　　厭火國：可以「火出其口中」，口吐火苗，正是一種強生物電的表現，此種人的功能點在口舌。人之生物體本有光亮，口舌之光亮更甚，看似火苗，這正是一種特異功能。

　　交脛國：「爲人交脛」。交脛正是今人習功時的「金盤腿」。習功者講五心向天，即手足四心與胸心不可掩遮，須向天而天人感應，盤腿歷來是爲了使人入靜、入定，達到上虛下實的有效之途徑。

　　不死民：「壽，不死。」這當然就是習功練內丹結丹，煉精化氣，煉氣化神，不言生死，不以生死爲懷，自然長壽，這也是道家追求最高目的之一。道家吸收了巫術與長生術，也與此相類似。

　　岐舌國：郝氏按引《淮南子》高誘注：語不可知，而自相曉。又引《呂氏春秋》舌本在前，末倒向喉。這種岐舌國，就是與氣功中搭鵲橋相似。任督二脈有兩處須搭：一在上下顎齒，一在會陰穴與尾閭處。古云宋人蘇軾創此法，以舌抵上顎，以通任督二脈。抵上顎，正是岐舌。

　　三首國：世界上並不見有三首人，即算是怪胎，縱然也得活，況且怎會「其爲一身三首」？這正是在習練氣功時的分形術。負極物質與正極精神一同幻化成三顆頭顱。

　　三身國：一首三身，原理同三首國。

　　奇肱國：其人一臂三目，有陰有陽。三目，上古之民皆有之，兩隻眼睛察看陽性物，一隻眼睛察看陰性物，這是一隻千里神眼，是沒有退化的有顯像能力的松果體。他們能作飛車，從風遠行。

　　巫咸國：在登葆山，群巫所從上下。巫即是具有特異功能的知識分子，能治病，除有不死之藥外，可施以巫術。巫術即是一種特功。

軒轅國：其不壽者八百歲。這是不曾予以誇張的。現據西藏活佛剌嘛說：藏佛典籍記載有上千歲的人，曾有一些。他們能長壽，善養生，能導引吐納，故為高人。

無棨國：一作無繼國。無繼，即沒有後代。習練氣功，要節欲，要珍惜「金津玉液」，保精養神，煉精化氣，以結丹產藥。他們可埋入土中，而心不朽，當然也不死，死後百二十歲而更生。現在，習練瑜珈功者，可全封閉埋入土中，短者一星期，長者一個多月，或若干年，仍可復活。古今可不是簡單的巧合。

一目國：就是盲者的一隻天眼，其餘與常人相同，有手有足。現在，據稱，在原始森森裡，有一群盲人，長期在森林黑暗中生活，沒有光線，其視力全部退化，但他們生活得非常輕便、自由，從不曾被樹、石碰撞，其人體生命科學的進化與退化原理，不可思議，大致其原理同「蝙蝠」相似吧，那一隻天眼或許可發射生物超聲波。

無腸國：其人為何無腸？可真有其人？其實，是練氣功者因真氣充滿，滿腹皆氣，到一定程度，還可辟穀，不食五穀，當然不需要腸胃了。現在，江西有一姑娘，已有十多年沒有吃飯，長期辟穀，活得很自在、健康。

聶耳國：就是耳特大，長期揉捏雙耳，強腎健身，前已論及，此從略。

跂踵國：郭璞注：其人行，腳跟不著地。郝氏補充道：以五指行。腳跟不著地，而腳趾著地，腳跟朝上，當然是跂踵。腳尖與五指落地，似華佗的五禽戲，是一種導氣的習慣性動作。

大人國：能騰雲駕霧，不跑，是為騰空大法，當即特異功能。

不死國：長壽者，善養生保氣，與軒轅國相近。

壽麻國：其人正立無影，疾呼無響。其人行無蹤，去無影，

立無形,其稟賦、形貌、氣度與眾迥乎不同,到了超凡入化、鬼斧神工的情境。

三面人:不死,是最大的特徵,大體同黃帝四面相同,詳見前所論。

繼無民:郝氏按:食氣魚,爲食氣(辟穀)兼食魚。食氣爲神明者矣。這條十分明瞭,此民爲氣功大師群。

鬼國:爲物,人面而一目。一目,當爲盲人的天眼。

以上二十三例遠國異人,就是上古時代巫風盛熾的邊遠族民部分特異功能,他們已懂得修身養氣長壽之道,當然,這些內容決不能與魏伯陽以後的煉內丹等量齊觀,但他們的本領與天賦,應予以肯定,因爲人們的氣功、導引、吐納及與之相關的人體潛能,不是一個早晨突然迸發的,即算是《易經》與道家始祖老子,也不是最原始、最古老的根源,其根何在?以上遠國異人也。故此,這些遠國(民)異人,就是上古特異功能者的代名詞。

第十一章　命功中的辟穀與
　　　　　　性功中的巫尸

　　氣功的習練，講究性命雙修，這就是古人說的：假傳一卷書，真傳一句話的精髓所在。

　　道家特別講究這一點，其他功法，大抵也不例外。

　　命根，是強身、健體的主要內容，它本指生命、性命，旨在養精蓄銳。道家講成仙，佛家講成佛。成仙簡言之，就是長壽，乃至長生不老、長生不死（當然還包括一些特異功能）。鍛鍊命根，就是要延長其生命的根基：堅實、牢固、不腐朽。

　　性根，主要是指特異功能（其中，治病是其中的一個方面），是人體發生特異變化。其中，肉眼、天眼、慧眼、法眼、佛眼，或是念力、定力、慧力、靈力、法力，乃至神通神變，是其主要內容之一。

　　因此，性命雙修就是既要健康、長生不老，又要出特異功能。

　　這一部分，我們著眼於性命雙修的長壽，辟穀與巫尸神話予以討論。

一、命功中的長壽與辟穀

　　命根，是人的生命之根本，也是命根鍛鍊的主要內容。命，本指人的元精、元氣、生命體形。氣功中練精氣為命。內丹家說：命是人之地，當潛藏在臍，臍為命蒂，人能保身，就能固命基。

　　命功修煉是吻合於人本哲學思想的。命功修煉擺脫了生死有

命的觀念，強調人的主觀因素，在改造客觀世界的同時，也在改造主觀世界，即在改造自然世界中，同時改造本我世界。流水不腐，戶樞不蠹，五禽戲、太極拳、氣功都是改造主觀本我世界的有益途徑。命功的鍛鍊，使人可以把握好自身，即命在我而不在天，這是一場偉大的人體生命的革命。

命根與性功一樣，注重煉養結合，其方法萬千，如占卜、符籙、祈禳、動功、內丹、辟穀等。其為方術、方技、道術（仙術）等，另有人分為方內道、方外道，還有人分為丹鼎、符籙兩法，不一而足。

命功鍛鍊，體現在神話中，有不少內容，我們僅就長壽神話與辟穀神話一作論述。

㈡**長壽神話**

長壽神話很多，《山海經》、《洞冥記》、《海內十洲記》、《拾遺記》等便有眾多的不死民、不死國、五神山眾仙人等，這些內容，只是隻字片語，資料不全，前已稍論，這裏權且暫時擱下，來看彭祖神話。

彭祖神話，在《楚辭·天問》、《世本》、《神仙傳》、《列仙傳》中有記載。

彭祖是顓頊的玄孫，他父親陸終娶了女嬇，懷孕三年而不生產，用刀剖左腋窩，生下三個兒子，又用刀剖右腋窩，又生下三個兒子。彭祖便是其中的一個。他原名叫籛鏗，從堯舜時活到周初，共有八百多年。在殷朝末年，殷王羨其長壽，派采女去請教長壽術，彭祖答道：長壽術自然是有的，可我孤陋寡聞，實在說不出幾條，我還沒生下來，父親就死去了，母親撫養我到三歲就離開了人世，孤兒一人，後又由於犬戎的騷擾，流失到西域，過了一百多年，死了四十九個妻子，死了五十四個兒子，人生憂患，

與我常伴。精神挫傷，加之幼時虛弱，成年又未得到調養，一身
乾瘦，恐怕快壽終正寢了，還說甚麼長壽術呀！說完，他飄然遠
逝。又過了七十多年，有人在流沙國西部邊境，還看見了他，他
正騎一匹駱駝，不急不忙往前走。

　　彭祖這段話，有幾個要點：(1)長壽之術是有的；(2)他很謙遜，
活了七百多歲，仍不稱長壽。這正是長壽的最根本的秘訣，置生
死於度外，不以生死爲慮。人們全心想著生死，一心想長壽，死
亡倒將加速來臨；不以生死爲懷，豁達通脫，倒可以長壽長生。
(3)他的回答，似答非所問，其內容，是言先天、後天的不足。那
麼，如此之不足，何以長壽？曹孟德曾說：「盈縮之期，不但在
天，養怡之福，可得永年。」怎麼養怡？他的養生之術，就是常
吃桂芝，常做呼吸吐納、導引行氣的功法。這是《天問》洪補注
與《列仙傳》記載著的。(4)一身乾瘦，顯得精悍。俗云：千金難
買老來瘦，這正與科技發展到今天的減肥是如此吻合。(5)不以物
喜，不以己悲，達到超常的精神境界。月之陰晴圓缺，人之悲歡
離合，全然不放在心上。他先天不足，後天死妻亡子，且是一個
連一個，澹然對之，這應是他長壽極爲重要的關鍵點。

　　彭祖善於命根與命功的鍛鍊，致使之十分扎實。許多人認爲
他活了八百歲是誇飾之辭，是神話想當然與美好的意願。這種看
法是可以理解的。我們以爲，八百歲應是概數，不是確數。因爲
從堯舜到周初並不是八百年。但活了幾百歲完全是可能的。今天
我們把握了氣功的這把金鑰匙，可以打開這個謎庫之鎖了。練功
者通過周天內丹功、動功的鍛鍊，使元氣、元精充實，使之由人
仙達到地仙，再達到神仙，最後達到天仙的層次。習練氣功到了
天仙田地，生命可以不生不滅（符合自然科學物質不滅的理論）。
據《佛教與氣功》（四川佛教協會編）稱：歷史資料有載，有個

寶塔和尚，活了1072歲。另據一西藏活佛說，西藏曾有過眞實記載，有一活佛活了1300多歲。如果我們拿這個數字與彭祖比，那是小巫見大巫，並由此推斷，彭祖活了幾百歲，當爲不誣。

(二)關於辟穀

人們常說，神仙們是不食人間煙火。我們知道，神仙便不是虛無縹緲的煙嵐，而是修煉層次頗高者的代名詞，正如羅漢、菩薩、佛、眞人、天使一樣，是特異功能者的代名詞。古代給他們取了這樣一個代詞（或名詞），經過後人較長時間的否定，他們變成一片「虛無」了，由此被幻化成神、氣流一樣。今天，我們正本清源，使神仙由天上回到人間，由此返璞歸眞。

氣功辟穀鍛鍊爲特異功能修持的一種途徑，現在諸多報導，比比皆是。

辟穀又稱卻穀、絕穀。辟穀可健身、可治病、可出功能。

儒家創始人孔子就辟過穀，也能辟穀。

孔子爲了宣傳自己的儒家思想與主張，未遇賢主，在陳、蔡兩國之間的一個小地方住下來，等候良機。恰好，楚王派人來聘他。這件事，被陳、蔡兩國知道了，他們怕強大的楚國再得一個聖人，就把孔子圍定，既不殺，也不打，採用餓飯戰術，想把孔子及其弟子困死。他們被圍了七天七夜，連藜藿羹湯粥都吃不上。大家餓得橫躺著、斜倚著、跪坐著，只有孔子一人照例坐在房子裏，錚錚作聲地彈奏著和諧悅耳的琴。

其弟子們年齡上比先生小得多，孔子此時已是天命之年，不見進餐，可精力充沛，尚能彈琴。從這裏，我們可看到孔子功力深厚，辟穀功能是頗強的。

前面說過，無腸國善辟穀，可不食五穀，單一服氣，固不要腸胃，是以爲無腸國。無繼國可埋在土中長時不死，實質上也是

辟穀。另外，如無咸民、無腹國、無腎國當皆爲善辟穀之族。

《拾遺記‧員嶠山》載：移池國，人高三尺，壽萬歲，每人都有雙瞳，修眉長耳，「食九天之氣，死而復生。」

移池人，雙瞳仁，大抵其視覺功能具有千里眼之特質。歷史上舜帝與項羽也都是雙瞳，亦爲非常之輩。長耳，大致與矗耳人相當。食天之氣，死而復生，命根堅實、牢固，故而壽萬歲。在億萬年之後，可見大山變塵土，扶桑樹一萬年才榮枯一次，他們視之如早晚一次更替一般。

關於辟穀，就像冬天將臨，食物難尋，蛇、熊、蛙等生物的自動調諧系統啓動，經過極短的適應期，就進入冬眠狀態。在遠古初民時代，人們的冬天也不是天天都有食物，但也有的活過來了，並迅速繁衍。辟穀並不可怕，從生物化學上看，人的胃裏，有一種固氮微生物，服進去的空氣，含有約佔78%（體積）的氮氣，氮一旦遇到固氮微生物，便生成蛋白質，有了蛋白質，就有了生命得以存在的基本條件。再加上各種方式（主要是體）呼吸，各大穴位打開，實現了天人合一，宇宙中的高能量源源不斷地根據需要進入人體，而此時胃的活動極微弱，甚至類似於蛇、蛙在冬天冬眠的狀態。

今人辟穀，多有報導。《氣功》（2／94）：江西寧都縣青蓮寺一女尼，創自然辟穀884天奇蹟。她現年25歲，1991年元月13日突然不思飲食，每天僅喝一杯水。她除有生以來未來月經外，其餘與常人相同。該縣人體科學研究所對她進行兩次共14天科學鑑測，情況良好。

《麒麟文化》（創刊號）：西安中華傳統文化進修大學傳統養生技術系對來自全國各地100名學員進行七天半的辟穀。最大年齡72歲，最小年齡19歲，平均46.5歲。七天半後，100名學員

頭不昏，心不慌，腿不軟，精神抖擻走出實驗場。有的病情好轉或痊癒佔20.2%，開天目出現彩色圖像佔28.6%，出現黑白圖像佔10.6%，出現彩光佔3.8%，出現白光的佔27.3%，出現內視、透視、遙視（千里眼）、追眼（功能態中追查他人極度秘密的往事）及預眼（感知預測事件）佔19%，出現千里耳功能、思維傳感佔11.7%。其設計和指導者就是中功始祖，著名生命科學家張宏堡先生，實現了由人向神仙過渡的突破，打破了人七天不知飯就會餓死的傳統定義。

湖南《科學晚報》（93年11月10日）：《全國首次「辟穀」登泰山活動爲世人矚目》：由《中華氣功》雜誌社、北京宇心辟穀養生研究中心聯合舉辦。金秋十月，有260人的辟穀養生學習班的學員，在登泰山前，通過辟穀功的學習、修煉，達到辟穀八天以上（不進食、僅食少量水果和開水）。他們或年過七旬，或體弱多病，他們從泰山腳下關帝廟出發，攀登6293級臺階，歷時四小時，終於登臨絕頂，震動天下。

《科技晚報》（93年7月17日），一尼姑辟穀九百天未進五穀。比前《氣功》報導更詳盡：她這女尼宏青，辟穀中，面色紅潤，體態豐滿，精神振作，辟穀後，對她的生理學、生化學進行檢查，結果全部正常。

辟穀目下引起了衆多科學家的注目，它可看得見、摸得著，不像外氣爭論那樣激烈，可否這樣推測：人體生命科學的突破口，將從這裏打開。我們不論能量性辟穀、信息性辟穀或者食氣性辟穀，前景一定十分誘人。

辟穀不僅在中國，前面曾提及印度也有過。《科學晚報》（93年7月17日）《活埋二十年聖僧仍活著》；1967年，印度一位聖僧巴巴星·維達殊令他的忠實追隨者將他活埋在地下，此事當

時成爲轟動世界的新聞。到1987年，信徒們遵照他的遺囑，將
他挖出，令人驚訝的是，這位聖僧仍活生生的，他的面容跟二十
年前一模一樣，沒有任何衰老跡象。一位生理學家捷漢‧高愛爾
博士說：「世上有些人是能夠達到這種假死的冥想境界，他體內
的一切器官運動可以減緩，他們可以不需要食物、水或運動，亦
能生存下去，直到許多年後。」這種特異功能，達到了一種更高
層次，爲人體生命科學，提供了一個更具說服力的素材。

二、性功與巫尸神話

　　性是指心性、理性，也有叫眞意、眞神或元神。性功就是鍛
鍊心神。修性根，目的就是性體常明，以得其眞性命。這性神一
詞，換作今天的話說，就是心性、精神、意識、意志。這裏，我
們討論巫尸神話，他們都是些具有很高很強的特異功能者。

㈠巫神話

　　巫神有：巫咸、巫陽、巫彭、巫咸民、巫載民、巫抵、巫履、
巫凡、巫相、巫即、巫盼、巫姑、巫眞、巫禮、巫謝、巫羅等。

　　巫，爲古代祭天、降神、攘災的人。

　　巫的降神術，爲巫術之一。他主要是職司奉祀天帝鬼神，爲
人祈福攘災。上古時代，巫醫不分，他又兼治病之職，施以藥物
及祝禱、占卜、符籙等方法。

　　《山海經》中，衆巫，能通於天地之間，持不死之藥。《海
內西經》說：開明東的群巫，爲窫窳施還魂術，同時配以不死之
藥以「拒之」。此巫，分明是「毉」；即巫醫不分之醫。拒即距，
即驅死疫之氣，以令復活。

　　行還魂之術，即爲之招魂。在古楚巫神話中，時常可見，《
楚辭》可見一斑。在楚地偏僻的今天，尚有招魂習俗。性功能修

煉不到相當的火候，是不具備此功能的。

《大荒西經》說巫彭等上靈山（或登葆山），百藥爰在。上靈山，既是上山採藥，又當爲在天人合一、民神糅雜的神靈處採擷靈氣。靈本帶「巫」，形聲字也。百藥不僅是草本之藥，當應還有通靈之術，祈禱之方，這，就是性功能。

巫咸，殷商派他去向山河祈禱，以求天下平安。還有說，巫咸作筮以占卜，或爲黃帝時神人，或爲神農時神人，或爲堯時神人。他斷吉凶憑藉筮，大抵精於術數，又具有預測功能，這正是高檔次的性功能。

巫神話的大量保存，可見我們的祖先中，早有一大批具有性功者，尤其是巫咸國（遠古無國，亦或爲宗族、村落）巫師匯集成群，是爲特異功能群體。

巫在《山海經》中反映較集中，延至戰國，楚地仍有其遺風，沅湘之間，「其俗信鬼好祀，其祀必使巫覡作樂，歌舞以娛神，蠻荊陋俗，詞既鄙俚，而其陰陽人鬼之間，又或不能無褻慢淫荒之雜。」（王逸語）這種遺風，在荊楚之間，延續了幾千年，如今天的巫儺活動中的「衝儺」，衝儺中每項「法席」，梅山地區敬梅山神等，都充分再現了性功能莫大的能量。

具有性功能的巫（主要是上古時代），性功能在人鬼天地民神之間，溝通其對話的渠道，溝通情感的融匯，將二者的正負兩極物質予以交通、銜接，所以神秘至極，人所不解。

巫可以斷魂、招魂、迷魂，具有今天所稱的控他法，傳感思維、通心大法。當然，如調原神出入法、通靈大法、鬼敲門、蠱毒術等，爲巫術獨有之，這主要是其靈力、法力到了水到渠成的高度。這些，是特異功能的特異之處，今天，我們以生命科學的觀點對待，一切疑惑便迎刃而解。

㈡尸神話

尸，是古代代表死者受祭的活人。

《山海經》中，有：據比尸、奢比尸、黃姬尸、犁鉤尸、夏耕尸、祖狀尸、貳負尸、相顧尸、肝榆尸、形殘尸、戎宣尸、王子夜尸、女丑尸等。

尸怎樣，又為何要代死者受祭，代死者接受、傳達活人的祈禱、祝福？其實，他們也是具有特異性功能，能溝通活人與死鬼的通道。要說清楚這個問題，請看《山海經》的記載。

《海外西經》、《大荒東經》及《大荒西經》：古為求雨抗旱，有暴巫，以焚巫之法，驅旱魃之妖。按理，應以一活著的平常人去焚暴祭日，但常人無功能，不能擔當此重任，只得讓女丑尸代替一般活人受祭。女丑尸身穿與旱魃相同的青衣，到了山坡上，鐘鼓齊鳴，眾人祈禱之聲震地。完成了規定的儀式後，把女丑之尸抬到山頂，讓她單獨去曬太陽。人們散開得遠遠的，女丑之尸口裏喃喃唸著，頭上、身上冒著大汗。她用寬大的右手袍袖蒙住頭和臉部，以作法驅魃。她死了沒有，我們說她沒有死，她憑藉強大的性功能沒有死。在「十日並出」、「十日炙殺之」的環境中，「居山之上」。《大荒東經》的郭、郝二氏作了說明：變化無常，以一涉化津而遁神域，無往而不之，觸感而寄跡。她——女丑騎著大蟹、龍魚，涉「神域」去了。

其餘的尸神話，或詳或略。

《大荒東經》、《海外東經》的奢比尸：人面狗耳獸身，頭上掛著兩條青蛇。犁鉤尸：「有神」、人面、獸身。

《海內北經》的王子夜尸：兩手、兩腿、兩胸，牙齒、頭在另一個地方。據比尸：頸被折，頭髮披散，少一隻手。貳負尸：北面為他物，一隻眼睛，他可變作他物，人面蛇身，人稱之為神。

《大荒北經》的戎宣王尸：有人名曰犬戎……有赤獸，馬狀無首。郭氏注：爲神名。

《淮南子·墜形訓》：西方有殘形之尸。高誘注：兩乳爲目，腹臍爲口，操干戚以舞，此尸爲刑天類。

《海內經》的相顧尸：北海之內，被反綑著，還抱著刑具，旁邊常有帶槍的人在右方看守著。

《大荒西經》的夏耕尸：沒有頭，拿著戈盾武器站著。成湯伐夏，斬耕的頭，他爲避罪咎，跑到了巫山。

《海內北經》的據比尸，其人折頸披髮，缺隻手。

《大荒西經》的黃姖尸：在金門山。

《大荒南經》的祖狀尸：方齒虎尾。

縱觀尸神話，有如下特點：

1.**形狀怪異**：頭、面、耳、身、胸、腿、手、足、頸、髮、尾、眼，或爲獸，或殘缺。

2.**有神的屬性**：女丑騎龍、鯉、螃蟹，涉神域，貳負可變他物，戎宣王爲神名。

3.**與相關聯**，如夏耕逃到巫山，與巫混在一起了。

關於尸，諸子多有記載：

《儀禮·士虞禮》：「祝迎尸。一人衰絰，奉篚，哭從尸，尸入門，丈夫踊，婦入踊。淳尸盥，宗人受巾。祝延尸。尸升。宗人詔踊如初。尸入戶，踊如初，哭止。婦人入於房。主人及祝拜妥尸；尸拜，遂坐。」

另外，在《特牲饋食禮》、《少牢饋食禮》、《有司徹》中多有記載。

《淮南子》也多有記載。

《泰族訓》：「陳簠簋，列樽俎，設籩豆者，祝也；齊明盛

服，淵默而不言，神之所依者，尸也。宰祝雖不能，尸不越樽俎
而代之。」

《詮言訓》：「處尊位者如尸，守官都如祝宰，尸雖能，剝
狗燒彘弗爲也。」

在這裏，我們看到，尸，神依之體，人附其靈，到了周王朝，
漢王朝，仍「處尊」，比祝宰還要高出一籌，那麼，由此而推論，
在上古，尸是具有性之強功的，神與靈都要依附於他，靠他溝通
之。據載，商王成湯代行了一次「尸」的職能，天下大旱七年，
雨老是求不下，湯王諸禱爲「尸」。剪下頭髮、指甲，走上柴堆，
當巫點燃了柴。火快燒到湯王身上綑著的白茅時，天上突然狂風
大作，雷鳴電閃，暴雨傾盆而下。這是一次成功的尸求雨。不過，
有點值得交代，此時的尸不作此舉了，占卜是「以人爲禱」，湯
王是代人爲禱，但上古，尸是行此職的，此時不過尙遺餘緒，到
了周、漢時期，是以巫代尸了。如《春秋繁露·求雨篇》、《左
傳·僖公二十一年》有「暴巫」、「焚巫尫」的記載。

尸神話中，牙齒、頭、手的搬家——折頸、披髮、斷頭，或
是一種近乎武術功夫界、魔術、特異功能，因文字缺乏，暫從疑。
湯王剪髮、指甲，爲其餘波、痕跡。

尸自恃形貌怪異，可變他物，應爲神通神變，而通天地、人
神之絕域，他的地位，在神靈之下，在巫之上（巫主要是以意念、
祝禱、草藥治病）。

因此，尸，是性功能頗高的上古特異功能者。其性功，可能
是後天訓練而成，也可能是先天沒有退化的特異功能。刑天、夏
耕頭雖被破，但仍能舞干戚，利用「尸術」仍可復活。

第十二章　神力與特異功能
中的各種意力

　　神話中，很多神、靈、仙可以移山倒海，騰雲駕霧；功夫界中，有些大師能穿牆搬運、神通神變。這是由於他們的念力、定力、慧力、靈力、法力與性力所致，這一層一層的「力」──意念力即意力，是為起點。沒有意力，無從談特異功能；沒有意力，恐怕也難以去理解更深層次意義上的神話。

　　意力，在佛家功中，以心密、口密、身密的形式表現；在道家功中，以符籙、咒語、手印的形式表現。

　　意力的核心為：意念是一種力，它雖附有信息、質量等因素，但核心是力。過去很多氣功門派，以手指變長縮短作為表演的節目。其長短的變化，是由其心力導致。還有些氣功測驗，在幾公里（乃至幾十公里）之遠處，向實驗室發功，天平（萬分之幾甚至十萬分之幾）立刻在規定的時間內出現讀數，也是心力──意力所致，另有千里診病、千里治病等，無不都是意力的作用。

　　我們從幻想、意力、功力與精神的幾個方面予以探討。

一、幻想

　　想是一種心理活動，也是一種力，幻想莫不如此，幻想，是以幻覺為前提的思維活動。它還是一種神力。下面的內容，是就幻覺與幻想的先後天形式試作考察，以期增強對意力的「悟性」。

　　㈠神經系統的病變：癔症、瘋癲態

　　神經系統受損，便出現病變之態：最嚴重的是白痴，次之爲痴愚，再次之爲傻愣、瘋癲，又次之爲癔症。這裏，我們爲集中討論瘋癲與癔症。這種人的病變，是由主客觀上的心理效應引起的。他們對外界的反映，適應性較差，自主性、獨立性較強，形成一種逆勢態的客觀反差，他們的意識，在很大程度上沒附著超我與自我，表現與發洩的全是本我。他們處於人神之間，具有神性與人性的外部性特徵。他們如果被人不理解，從神性上看，就是「妖」，從人性上看，就是「瘋」，從物性上看，就是「痴」。

　　「瘋癲」，時間上較長，程度上要重些，他們的感覺會出現短暫的歇息性。不管是文癲還是武癲，神經錯亂，語無倫次，表情異常，喜怒無常，或竊竊私語，或徹夜不歸，以求傾洩苦悶，摒除痛苦，消除煩惱，他們有思維，但時常呈極端化，由於思考得深、細，常人不可接受。像俄國列夫‧托爾斯泰，年過古稀，而棄家出走，要解脫地主莊園、繁華幸福的困擾，最後凍死在車站。法國的盧梭、德國的尼采，他們因聰明過度，而出現程度不一的反常症狀。眾多平民百姓雖不能與這些思想家相提並論，但其結症是相類似的，或失意情場，或婚姻不幸，或性生活不協調，或經濟異常拮据，或精神受壓迫過度，都會導致思考力的極端化，都會被視爲瘋癲性的精神病。

　　病變輕者爲癔病。意病是介於病與非病之間的現象。據醫學界的觀點，許多女性患有癔病，一旦發作，忘記了一切，任其發洩，因多在青年女性身上，故可不治自癒。它的跡象亦是暗自發笑，司空見慣，喜怒無常，但又不是非常出格，不加注意，與常人無異，細加留神便見跡痕。

　　這裏的瘋癲症、癔病，很大的程度是幻想而致，美好的東西不可追求，思之愈深，求之愈切，求之愈切而不可得者，便是白

日作夢，胡思亂想，這，便就是幻想。這有先天的遺傳，如癔病，也有後天環境造成的，如瘋癲。

神話中，羿和嫦娥的故事，就反映了這種癔病。

上古時，十日並出，天帝命羿與妻子帶著弓箭來到人間，要威脅一下堯的十個兒子太陽。誰知羿一連射下九個太陽（堯暗中令人抽掉了羿的一枝箭，故只有九枝箭）。按理說，他為民除害，應受到派他下凡的天帝的嘉獎，可是，羿沒領會天帝的意思：只是威脅一下，叫十個兒子稍稍收斂一下，可誰知羿竟殺掉了他九個兒子，故天帝極不滿意。羿不但沒領獎，而且連妻子嫦娥一同都永遠不能再上天了。如是，嫦娥的癔病發作了，叨叨絮絮、吵吵鬧鬧，夫妻的感情大裂痕。天上的女神只有在人間長期生活了。後來聽說西母處有不死之藥，嫦娥怕死後到地下的幽都，並又癔病復發，哆哆嗦嗦催羿西去取藥。羿歷盡千難萬險，終於取回了不死之藥。他回來交給妻子嫦娥保管。一天，趁羿外出之機，把兩份不死之藥一口吞下。由於藥物過量，她一下飄飄然然，飛到了月球上，這下，她本想長生的念頭，變成了在月球上孤孤單單、清清冷冷。她的癔病大發，可沒有發洩對象，一氣之下，不覺瞬間變成了隻癩蝦蟆。所以，《淮南子‧覽冥訓》稱「羿請不死之藥於西王母，嫦娥竊以奔月，悵然有喪，無以續之。」一個「悵」字多麼傳神，把她的癔病刻畫得淋漓盡致。這些內容，在《山海經‧海內經》、《楚辭‧天問》等書中有載。

在氣功中，有種「走火入魔」的現象，如果是輕微，可以說是一種正常的氣功態，但如果是嚴重的，雖然可以說也是一種氣功態，可是，它產生的幻覺，時間稍長，有悖於人的生存環境，尤其是在人世修煉中，他的言行、思維不合乎社會規範，與人的生存大背景格格不入，甚至有礙於他人的生活，就成了習功「癲

瘋症」了。因爲人體是一部十分複雜的無線電裝置，其運動、思維打破常規，便出現異化，人能主觀地協控，便是特異功能，不能管制，便是病態幻想，便是走火入魔。

有不少功法有自發動現象，並專有討論、實踐。練靜功，易致「走火」，因爲靜極生動，其動，可引起不由自主的大動不止，致使失控。這主要是練功時火候掌握不當，煉己不純，以致急躁冒進。當一陽生後，進火（呼吸）太快、太重；當一陽消逝、退火太快、太涼。沐浴時也要注意。氣纏百會、氣坐中丹田、氣衝上丹田，是爲輕者，言行失控，是爲重者。出現這些現象，只要調理得當，並不是無可奈何的。

（二）酒態

酒後醉態，只要把握恰當，其實也是一種功能態。

飲酒的度數與份量過度，可使神經處於或興奮、或麻木的狀態，其他的咖啡因、尼古丁都有相近的效果。

飲酒而醉，神經興奮過度而導致疲弊，從而引起全身鬆弛，易令人進入半休眠狀態，還可能產生幻覺，因而引起人們的幻想。

武術界有醉拳、醉劍，文壇有「斗酒詩百篇」，眞是「酒不醉人人自醉」，到時，「醉翁之意不在酒，在乎山水之間也」。這就是功能態。

僧侶中，有許多清規戒律，不飲酒是普遍須遵守的一則。但是也有極少數高僧，不在五行中，跳出三界外，不以規矩爲規矩，敢於突破清規戒律，結果身心獲得極大的自由和解放，產生強大的特異功能。

濟公就是一例。他的功能功力之高，心地仁慈善良之至，眞是「山巔一寺一壺酒，樂爾樂（非圓周率之諧音）。」他成天抱酒一壺，路見不平，拔刀相助。他的所作所爲，令民間盛傳不衰。

他一旦飲酒後，一舉手、一投足，都已滲入了其功能、功力之精華，坐、立、行、跪、臥、想，無一不中規矩。功夫界，坐式有平坐式、靠坐式、自然盤、單盤、雙盤腿、跪坐的盤坐式；臥式的仰臥、側臥、三接式、半臥式；站式的自然站、騎馬站、三圓式、下按式；行走式的矮步、弓步、太極步、八卦步。濟公一天廿四小時都處於一種功能態。是為入世之修煉法。他化水為銀、空中搬木頭，神通神變，令世人瞠目。他雖然「帽兒破，扇兒破，身上的袈裟破」，雖「大酒大肉，拿來無妨」，可他的意力起飛了。

㈢夢態

如果說酒後醉態是正常人非正常心理的傾洩與表現，如果說酒後醉態主要是白天處於活動的人的一種潛意識的外化，那麼，夢境就是正常人在非正常環境中正常的心理傾洩與表現，即為夜晚中處於靜態中斷活動時的一種潛意識的外化。

奧地利的著名心理學家弗洛依德，在這方面有卓著的研究，如《夢的解析》等。在中國，也不乏其研究與探討，甚至氾濫成災，如《周公圓夢》等。

夢是人的一種正常的生理、心理的現象，它是人的神經系統與松果體相聯繫的產物。人雖處於休息，但人由於有的十二個時辰都處於功能態，所以晚上便顯現出推理、遙視、追憶、預測等功能。如時時夢見兒童時代的事與人。相去幾十年，歷歷在目，就是追憶；夢見不久有禍患將來，事過果驗，就是預測；有時夢見許多不曾見的幻景，便是遙視：千里萬里之處的山川湖泊、人物動物，盡收眼底。

俄門捷列夫夢中推導出化學元素周期表，美一記者把夢中（辦公桌邊小憩打盹）見到的千萬之遙的山呼海嘯戲寫成報導，誤

被接班者發表，正當報社準備發道歉聲明時，災難果然發生。

　　夢是一個最簡單而又最複雜的現象。千萬個科學家從各方面予以研究，千萬個文藝家對之進行描寫、表現。我們可以說，全世界各個民族、各個國家、各種類型、年齡層次的人，一生都曾做過無數的夢，我們立足於人體生命科學與神話的研究，不視之為單一的降意識活動，不簡單視之為「日有所思，夜有所夢」，不視之為緊張鬆弛的刺激點，不視之為白天勞作、生活，在夜間的殘存與局部保留，也不視之為靈魂──三魂七魄的游蕩與出入，更不視之為幻影、影子與假象，而是視之為人的一種特異功能。在這個基點上，我們說，人人都有特異功能，這正好與「但願人人是神仙」相呼應。然而，只是這種特異功能不能鞏固，不能受理智的支配，故偶爾出現幾次，便不信之。平時，我們習練氣功，追求的性功能，就是這種狀態。我們如是說：氣功是途徑、方法，渡河的船，夢與功能是目的、境界、彼岸、靶子。

　　我們承認夢是神話的起源或起源之一，因為神話的產生就是人的特異功能的異化。我們又說特異功能是神話發展的主要潛動力，由尸術、巫術、法術的證實，而日趨完成了道話、仙話、佛話、神話的構架。從這個意義上說，今天新神話的產生、發展、衍變，仍是由特異功能的作用。如飛碟、天外來客、智能機器人等等。難怪，近代學者胡適先生說，神話是古人在棕櫚樹下白日見鬼，白晝作夢。這是不無道理的，不過他只是沒有認識到特異功能。

　　我們不放過熟視無睹的每一個現象，我們要透過現象看本質。要承認、理解特異功能，要參與氣功的修煉，就要重新認識、反思夢，只有這樣，我們才不會把夢看作荒誕不經。夢，是特異功能，這點，對於氣功入門者，可堅定信念，對尚未入門者，可以

激起、誘發其熱情，以讓更多的人充滿信心，全身心地投入生命科學的認識、實踐與探索之中。

通過以上三個方面：癔病瘋癲症、酒與夢的剖析，我們看到，這些世人認為的幻覺導致的幻想，原本是人的本能的特異功能，由於超我、本我的壓抑，它不能如上古時代的人一樣，容易出功能，或保留原有的功能，甚至出現如「巫咸國」一樣的現象。今天，我們習練氣功，追求特異功能，就是克除自我，鏟平超我的心理障礙，使人「返璞」。這大抵就是老子追求的「小國寡民」、「去聖絕智」、「清靜無為」、「忘情寡欲」、「無為而治」，莊子的「苟全性命」、「不求聞達」、「無用之用為大用」、「齊萬物、一生死」的思想。

因此，我們說：幻覺是一種實覺，反之，實覺也是一種幻覺，幻想也就是一種有意義的實想，也就是一種特異功能。

二、意力的内涵

我們已經明白，意力是一種力，換言之，想是一種力，因而幻想也就是一種力了。那麼，在特異功能中，意力的內涵是怎樣的呢？意力是一種力的轉換，即一種心力轉化成了一種機械力、電力、磁力等。我們可從意水、意草看到這種特徵。

㈠**意水**：意水，今人多叫信息水，前人稱法水，古人稱神水，名稱各異，內涵同一。

張角憑藉他的「符水（意水）」，扯起了黃巾軍的義旗，橫掃千軍，動搖了漢王朝的「天不變，道亦不變」的神聖訓諭。張道陵在西蜀，憑藉他的「神水」，廣收人心，普施恩惠，確立了「五斗米教」的神聖權威，並開了延續二千餘年的道教的先河。後來的巫覡、法師，憑藉這一碗信息水，贏得了「妙手回春」、

「扁鵲再世」的美譽。

　　意水爲何有如此的神奇呢？

　　原來，它是一種意力的轉換，水，通過氣（外氣）及以水爲載體連帶著的信息──滲入了施術者的良性意念，並將施術者的這種信息與綜合各種特異藥性的氣體「灌輸」到淡水中──配合以勞宮發氣、以劍指發氣，將信息源延長，引申到患者身上，一般說來，只要患者做到有機的配合與同頻共振，能產生神奇效應的。

　　當然，施意水還有前提的，這就是施術者功能功力大小強弱的程度，再者，患者的體位、性質，有些病是不宜用意水的，如少了一個手指，意水不能使之復生的。明白了這些，我們便可弄清其實質了。

　　㈡**意草**。草有生命，自然有靈性，它能解人性，如果將人的意念輸入其中，其草（非毒草）就成了意草了。

　　現在，在廟宇、道觀中，時常可見一些信男善女，在佛神前燒香拜佛，虔誠祈禱後抽藥籤。藥籤有百十上千，當你抽過一枝，循其序號，可尋到神佛指點的藥方。這種藥方，前提是有藥性的，但不是大夫、郎中「望、聞、問、切」後開具的處方，而是神佛與你心有靈犀一點通後，祂所賜予你的。其方，已具入了你與神的靈性與信息，有些藥方是很靈驗的。爾後，人們再「按圖索驥」取回其藥。

　　還有些大師，在當你患疾處稍作處理，隨手扯一把草，凝神注視後，其草藥就有神奇的效用了。

　　這一些，其原理就是意念的信息源（元）的作用。信息、質地、能量，以負極精神的形式，通過草的過渡，再轉換到患者患處，物質的正負極形態的轉換，全憑心意用功夫。其力是「物質

不滅」的，即既不會增加，也不會減少。過去許多醫家開具的藥物，只不過是那些藥草，在份量上有加減的變更，除了藥性的本身價值外，有附著了眾多的意念。這點，中醫家們或許不曾有意為之，或不曾相信，甚至否定，但實質上，它已具有這種意義了。

它同意水的內容相近，意水可搓洗、澆灌、吞服，而意草主要是外敷，所以，病不同，用藥外在形式也當有差異。

當然，意草如同意水一樣，還需要患者的信用度，氣感好，效果更佳。

從這裏，我們看到，意力的內涵就是力的轉換，它通過不同的媒介體而發生作用，故而，它是性功的內容，也是氣功中普渡眾生、佛光高照、福澤人間的重要內容。

三、神力與精神變物質的立體詮釋

神力，變化莫測，古人認為：一陰一陽謂之道，陰陽莫測謂之神。神力是通過施術，中間通過陰陽轉換——變，爾後作用於物與人，產生人們不可理解的效果與奇蹟。其實是核心、精髓，也就是我們現在所說的賦予了新含意的精神變物質的運動觀、變化觀、發展觀。這種新含意，就是換取多維的、立體層面的詮釋。

㈠神話的神力

神話的神力，俯拾皆是，多如牛毛，請看——大家最熟悉的是神猴孫悟空，他曾對佛祖誇言道：我的手段多哩，我有七十二般變化，萬劫不老長生，會駕觔斗雲，一蹤十萬八千里。他的確如此，並未言過其實。他在東勝神洲的傲來國花果山，由石頭孕化而成，先天飽餐天真地秀、日精月華而通靈，拜菩提祖師為師，學得地煞七十二般變化。學成歸來，一個觔斗雲，只消一個時辰，就到了花果山。他與魔王相鬥，扯幾根毫毛，就可變成百十幾隻

小猴。跳到水裏，水波自會分開，到了龍王那裏，得到一根天河定底的神珍鐵，一萬三千五百斤，在他的手中，變成一根可大可小、可輕可重的「如意金箍棒」，小可小到如繡花針，塞在耳朵裏，長到上抵三十三層天頂、下至十八層地獄。由於他千變萬化的神功，最後大鬧天空，不當弼馬溫、摘蟠桃、偷仙丹。

在前面介紹的「沉香救母」神話中，我們還知道沉香投拜名師，習修術法，請教八仙中的漢鍾離、呂洞賓、鐵拐李、何仙姑、韓湘子，並成了何仙姑的門下弟子，得到了姜太公的《六韜》、黃石公的《三略》、神駿、神弓、神箭與萱花板斧。在華山，他與舅舅二郎神比法，二郎神有七十二變，沉香有七十三變，二郎神變石頭，他就變石匠，二郎神變龍，他就變成降龍者，二郎神變虎，他就變成伏虎者，二郎神變爲火童子，他就變成制伏火童子者，最終誘騙了二郎神的開山斧，救出了母親。

在上古神話中，談到了女媧，還有一點，須予補充：她也有七十變。《山海經・大荒西經》中，郭璞爲「女媧之腸」作注：一日中有七十變。這女媧腸，實爲衆神的化身。

另外，如劉海、五羊石、王子僑、巫山神女的變化，令人眼花撩亂。

這些神力，大都爲定力、法力、靈力等，當然，我們不排斥作爲文藝作品已注入了作家的誇張，但絕非胡謅，當是有本可張的，其主體工程是力的作用。沒有花（具有靈性），就不會有花仙，沒有蛇、鱷魚、蜥蜴、馬、蛟，就沒有龍，沒有人，就沒有嫦娥、吳剛，這不是一個十分明瞭的道理嗎？

不變、恆定，是相對的，變化、運動是絕對的。力的變化也是這樣的。由於力的作用，神話充滿了生機，因爲它征服過，征服了自然力，從而謳歌了人的偉力與神聖性。

㈡特異功能的神力

特異功能的力，不是簡單等同於一種機械力，而是一種合力，如雙目凝視，可使銅絲致斷，可使電扇瞬間停轉，可使電燈或明或暗，可調來天雨，撲滅大興安嶺的火災。這種力，神秘者言之神力，即是俗稱之合力。

下面，我們可看人們的功能與其產生的力。

先看大乘功法中五眼通的慧眼通。

慧眼通要具備四種功能，才能稱爲完整的慧眼通。 1.多眼：能立體地看，即各個角度、各個層次地看。如看一個瓶子，看到的不僅是平面的屏鏡，而且還是立體的實體，有空間，有容量、有體積。 2.析眼：能分析判斷，大抵近似乎直感。被捕捉的物體的信號與捕捉者，由先天遺傳與後天練就的信號吻合，其信號，就是知識、經驗，兩者的重合，就是析眼。 3.追眼：就是追憶的把握。如追看一個人，就知道他是某種負極物質與正極物質的組合，負極物質是某一生命、靈氣的凝聚與飄忽，正極物質是父母精血胚胎發育而成的，兩者的組合，就是一個人生命的原質。當然，負極物質稟賦強，其人的天性就高，反之則低。 4.預眼：預示未來，把握事物的趨向。

慧眼的觀察、分析、判斷與預測，是一種力的作用，當然也就是念力、定力、慧力的綜合運用。

其次，看探氣。

習氣功，不能不探氣。練功，講天人合一，天體是一個大宇宙，人體是一個獨立的小宇宙。大宇宙充滿了氣體，小宇宙中也充盈了氣體。小宇宙的法輪常轉，需要與體外氣體交換，這樣才能永保青春。探氣就是這樣一個原理。

探氣就是探宇宙的眞氣——聲、光、電、磁之氣。或日月精

華，或山川靈氣，或石頭、草木的氣態原汁，它們可充實人的元精、元神。採氣，要灌注人的意念，輔以動作，不管是靜態的，還是動態的，呼吸爲第一要領。或自然呼吸，或體呼吸，或自然體呼吸，或逆式體呼吸，或各式呼吸，都是一種力。試想，如果搐動採氣，沒有力，聲、光、電、磁與眞氣，怎麼注入尾閭、命門、玉枕、百會、丹田穴中？沒有力，怎能捧氣灌頂？這種力，是肌肉收縮產生的機械力與念力組合而成的，其中是以念力爲主產生的。

力是非常神奇偉大的，請看：「頂天立地，形鬆意充，一念不起，神意照體」。「鶴首龍頭氣沖天，氣意鼓蕩臂肘堅。」多麼蕩人心魂，氣勢磅礴！

這是力的禮讚及人體健美的頌詩。

㈢精神與物質互變

精神本原生於物質，不過物質也是精神氣化中發展到一定階段的產物。物質是固態的，精神是氣態波狀的。氣態爲一切物體的精髓。動、植、礦物是氣的結果。宇宙中，精髓多於非精髓，濁物爲物，清物爲氣，介於其中爲液化物。這就是我們立足於特異功能的精神與物質觀。哲人卡爾·馬克思說，物質變精神，同時，精神變物質。其論，非常偉大正確。他，如果沒有超凡的天賦，是得不出這樣的結論的。我們以其論點爲圭臬，以特異功能爲論據，展開我們的論述思維，表明我們在力圖擺脫單一的形而上者謂之道，形而下者謂之器的框架，得出一個立體的結論。

1.**物質**。其定義，在哲學觀中得到界說。這裏，我們著力切片於前面的諸神話，以得出一種非概念、非抽象的實體。

孫悟空身上有八萬四千根毫毛，每根能變，應物隨心，順手拔一把毫毛，可變出數十百的小猴來。那一萬三千五百斤的神珍

鐵，就是物質。沉香可變爲降龍伏虎者，變爲外祖父母訓斥二郎神，就是物質。

這裏的物質有兩種形態，一爲原本之物，一爲變化之物。毫毛、神珍鐵、沉香就是原本之物，爲陽性物質；數百十衆的小猴、如意金箍棒、降龍伏虎者、外祖父母，便是變化之物，爲陰性物質。陰性物質不僅附著陽性物，還可變幻之。人們常說：「一物降一物，石膏點豆腐。變化之物，已不能簡單地等同於原物，也不等同於其陰性物質了，它的威力、神通驟增。

《聊齋》中的狐狸、鬼魂，化作各類女子，或善良、或兇殘。善良的如追求自由幸福的愛情，抨擊罪惡的科舉考試；兇惡的如爲虎作倀、助紂爲虐。前者有青鳳、耿去病的愛情，聶小倩、寧采臣的愛情，後者如《畫皮》中披著美女外衣，骨子裏是專吃人心的惡魔。

這裏的物質形式，是狐狸。一旦變化後，不是纖弱婀娜的美女子，就是青面獠牙的惡魔。

此外，像神化的女媧之腸，五羊化作的石頭，王子僑化作的白蜺，又化作的大鳥，劉海化作的鶴，寧封化作的青煙，赤松子火化升天，巫山女神朝化的雲，暮化的雨，都無不是一種物質的轉化。

物質不滅，物質永存，是早在幾百年前被科學家們揭示了的一條顚撲不滅的眞理。神話中的物質也不滅，特異功能的物質也更是不滅的。

被施以特異功能的可變之物與神話中可變之物具有同一性。

《世界氣功名家報》載：中功弟子佟曉麗具有神通神變，下面，把她的自述抄錄如下：

我叫佟曉麗，今年22歲，是黑龍江省九三農管公安局來的。

90年3月19日正式拜張宏堡宗師為師，20日至25日學功6天，在6天時間裏師父為我開發功能，使我掌握了以下的功能(1)返老還童功能：試驗的對象是把已經枯萎變黃的水仙花葉，變成青翠飽滿的葉片。(2)起死回生功能：實驗對象是把水仙花葉撕開，然後讓其復原。(3)三昧真火功能:即「意火」，用三昧真火把鮮綠的樹葉燒成焦糊的粉末。(4)形變功能：像孫悟空把金箍棒變大變小一樣，把一尺長的水仙花變成一厘米。

除了上述功能之外，還強化了我原有的功能：(1)現在我可以在三秒鐘時間內準確地透視撲克牌，並且不用接觸牌。測試者指出一落撲克牌中任意一張，我都可以在三秒鐘內透視出來。(2)原用意念可撥一塊表，現在可以同時撥兩塊表。

神奇之至，令人瞠目結舌。這是孫悟空第二。這則自述，更進一步增加了任何神話都是特異功能的表現的信任度。

這裏的物質（樹葉與水仙花）改變了原來的形質，或粉碎復原，或焦糊成粉末。焦糊物是植物的碳元素還原，其基本成份卻不增不減。

這裏，我們看到特異功能的物質屬性與神話中的物質屬性是具有同一性的，從這個意義上說，任何神話，都是特異功能化罷了（須排除文藝作品中主觀想像的水氛）。

2.**精神**。精神是人的原神之一，它是一種負極物質與正極精神構成，它在物質之間，憑藉力的中介的推動，相互作用著。

孫行者從菩提祖師那裏得到點化，具有了神通神變，他不滿足於「術字門中之道、流字門中之道、靜字門中之道、動字門中之道」，最後一得神訣：顯密圓通真妙訣，／惜修性命無他說。／都來總是精氣神，／謹固牢藏休漏泄。／休漏泄，體中藏，／汝受吾傳道自昌。／口訣記來多有益，／摒除邪欲得清涼。／得

清涼，光皎潔，／好向仙臺賞明月。／月藏玉兔日藏烏，／自有龜蛇相盤結。／相盤結，性命堅，／卻能火裏種金蓮。／攢簇五行顛倒行，／功完隨作佛和仙。自此，他神通廣大，法力無邊，精神傳感可任意爲之。身體可化作廟宇、蠅蟲，其定身法，將師父圈在地上，妖魔近他不得，只能望長生不老之肉而興嘆。他在鐵扇公主的腹內，翻觔斗，豎蜻蜓，逼得鐵扇公主不得不借出芭蕉扇，以致撲滅了火焰山。

沉香拜何仙姑爲師，又得之於山洞神物的賜予，吃了仙桃，打開葫蘆，吃了仙藥，打開黃紙密封的酒罈，一口氣喝了十多口，便有輕身羽化的感覺，又得力於何仙姑傳的術數法招，故能戰勝舅父二郎神，救出母親。

孫悟空的神通與沉香的神變，都是憑「一想」，其想，就是神奇的「意力」。

特異功能的心理、意識、想之意力，更切入現實，更貼近現代人的生態環境與生存方式。

佟曉麗的精神活動，足資說明，常人以爲《西遊記》僅是神話，僅是人們幻想征服世界、自然的一種想像，僅是原始思維的演化與渲染，僅是藝術作品。這一傳統思維在佟曉麗成功的實驗面前，受到了猛烈的蕩激與挑戰。孫悟空的如意金箍棒的形變功能，被一尺長的水仙花縮成一厘米的事實所證實，孫悟空的三昧眞火，被用意火將綠葉燒焦所驗證，孫悟空返老還童被將枯葉變成新葉所肯定，孫悟空的起死回生法術，被水仙花碎葉重新復原所認可。神通神變已不再是神話了，它由神界回到了人間。《科學晚報》94年披露一則新聞，一特異功能者在深圳表演，把焚毀的人民幣重新復原，其幣有刻印、編號被眾人記住後，他一動眞念，只見夾著灰末的雜誌微微抖動一下，與原有的人民幣形狀、

陳色、刻印、號碼一模一樣，重新出現。看來，起死回生等超級功能決非偶然。我們也避免了孤證的危險性。

這種精神，形式就是意想，內容就是動用心力，想與心力就是特異功能意義上的意力。超功能心力的起死回生，就是精神變物質的立體意義上的論據，它擺脫了傳統的「人的能動反作用於物質之精神」的藩籬，變平面爲立體，變一維爲三維至多維。

從以上物質與精神的內容看來，物質變精神，就是正極物質與負極精神的轉換。轉換是客觀存在的，本身無須變，正負互存，陰陽互根，兩者互相失去一方，其一方就不復存在了。精神變物質，就是甲、乙兩體負極精神驅動著負極物質，負極物質一旦移動、轉換、消失，正極物質便相伴而去。

所以，各種神力、意志力是實實在在的一種意力，它的客觀性與功用性不是人爲的杜撰，如果人人都成爲了神佛，如果人人都熱心於特異功能與人體生命科學，那麼，疑雲將自散，天宇間將懸起一輪光燦燦的永恆的太陽。

第十三章　神與特異功能者的功能功力等差性

中古神話中，有漢化的佛祖、菩薩、羅漢、高僧；有傳統的玉皇大帝、太上老君、眞人、至人；鬼神界有民族外的閻羅王、十殿王、判官、城隍等。在特異功能界，有漏盡通、宿命通（長生不死）功能，有搬運穿牆、呼風喚雨功能，有他心通、通靈、嬰兒出竅功能，有千里眼、千里耳、慧眼功能，有吸氣辟穀、千里治病功能。我們在前面說過人都有特異功能，同時反覆點明可以神通廣大、法力無邊。但是，爲什麼神、佛、仙的功能有高下之分，功力有大小之別，地位有層次之差？爲什麼特異功能不能使每個人（都具較強的特異功能）都能長生不死，呼風喚雨，穿牆透壁，搬運通靈呢？個中原委，是由於諸神及眾特異功能修持者的類型、量級、慧根的不相同，功能、功力的等差性。神（魔）由於其等差性，白骨精被孫悟空識破而擊敗。白娘子最終被法海和尚定身於雷峰塔下，正義不及邪惡的功能功力，以致造成了一曲壯美的悲劇。特異功能修持者，由於自身功能、功力的量級等差性，導致特異功能的檔次不同。尤其是慧根，如不具有慧根，終身追求慧眼，都將是徒勞無益的；不具備法力的根基，搬運功都將終身是夢，這就靠自身的把握與悟性。由於各人的性功先天就具有質的差異，自己就應該抓住敏感閃光點，這樣才能開慧，形成自己的特異功能，有了這種理解的質量與「悟」性後，就能以客觀、科學態度對待自己的、他人的特異功能。

這一章，我們將神人的功能類型、神人功力量級與其等差性
展開論述。

一、神與人的功能類型

在神話中，神或人神合一的神的功能類型普遍較全齊，究其
原因，恐怕是歷史淘汰、篩選、甄別而成的。就像歷史上的帝王
將相、謀士俠客、公侯伯爵的佼佼者獨領風騷，才有人為之樹碑
立傳一樣。皇帝的地位如此顯赫，威望如此崇高，據歷史資料統
計，我國的皇帝君主有過611個，但人們常提及的不過為秦皇漢
武、唐宗宋祖、成吉思汗，再加上漢高祖、唐玄宗、康熙乾隆，
所以神話中，人們提及的高功能者類型全齊的人寥若星辰。由此
看來，功能類型多為參差不齊，或僅千里診病，或通靈、或慧眼，
門類齊全者恐怕不多。

㈠神的功能類型

神的功能類型，雖一般說來較全面，如玉皇、黃帝、玉帝、
佛祖、如來佛，次之如孫悟空、龍王、鯀、白娘娘、精衛、夸娥
氏。較全面，仍是不能等量齊觀的。

孫悟空為齊天大聖，但在如來佛面前稍遜一籌，他的觔斗雲，
雖可十萬八千里，可翻不過如來佛的右手掌心，翻掌便是五根肉
紅柱子。當他自信不已時，且寫下「到此一遊」，又撒了泡猴尿。
當觔斗雲翻回來，正待與如來佛論理，卻被他推出西天門外，將
五指化為金、木、水、火、土的「五行山」。

蚩尤可算得一尊大神，騰雲駕霧，鐵額銅頭，其他眾神是他
手下敗將，可在黃帝面前，終不能擺脫失敗的厄運。黃帝除了「
得道多助」的因素外，在神力、功能上是高出一碼的。

在以成敗論英雄的傳統文化環境中，鯀的神力便不顯著，但

是，他能從天帝那裏竊得「息壤」以治水。能從天帝處偷得息壤，其神力當爲不小，如果我們對其功力還有懷疑的話，請看：他原來就是天庭上的一匹白馬，死後三年，其屍不腐，且孕育了一個新生命。沒有非凡的神力，哪能如許？這個例子告訴我們，事物的表象與內涵是有一定的差距的。

白蛇娘娘可由白蛇化人，可化汗巾爲白蛇，可去南極仙宮，曾得南極仙翁的保護，但是在雄黃酒面前，在丈夫面前——拿著法海和尚注入了靈性的鉢盂面前，俯首就擒。

精衛衛西山之木以塡東海，幾乎成了一椿偉大的空想，夸娥氏能移王屋、太行兩座山，卻不能追趕到徐徐西沉的太陽，只有化手杖爲桃林。

孫悟空駕霧騰雲，移山搬運，火眼金睛，卻不能搬掉壓在自己身上的五行山（當然，其山已不是正極物質的五行山，而是一種負極精神的五行山了）。可見他神力的層次是有缺陷的，這可能是佛祖師父留下一手看家絕招，但爲漏洞，不容置疑。

蚩尤的八十一個兄弟，都是以一當百，但他們懼怕龍吟的聲音，怕用夔皮蒙成鼓的聲音（其中滲入了雷骨的靈氣），怕玄女的仙法、仙陣，最後全軍覆滅，被擒殺於涿鹿，可見蚩尤的兄弟功能類型也是較欠缺的。

這些英雄之神，都因神力的類型的不齊，功能功力較差而寫出一曲曲悲壯的樂章。

㈡人的特異功能類型

人的特異功能，也是類型各異、互不等同而各具特色的，其功能類型，不管是先天形成、後天訛變與修煉的，也是五花八門，各不整齊劃一的。當然，當今也不乏類型全齊，如已出山的各氣功流派的大師。但是，眾弟子、學員及受益者，是各有所長、各

有所短。

　　在釋家功中，禪定的程度，也就是禪定的類型。如果修煉到達小乘階段而入靜，頭腦中就會出現各種圖像。由粗住、細住到欲界定，再到未到地定，可能會出現肉眼，具有簡單的特異功能。這是一個類型。如果再深入下去，就進入中乘階段，它是禪定的根本禪。初禪，有八觸十功德，十功德就是開天目，可以內視、透視、遙視。二禪中，如果到觀枝，就會有析眼功能的類型。

　　另外，從宏觀角度看，特異功能有度人型的，有慧眼型的，有騰空型的，有思維傳感型的，有辟穀型的，有體感型的，有手感型的等。

　　我們明白了這點，就可以明白自己修煉那種特異功能最「多快好省」地出功能，以便找到速成的捷徑，否則，終身練功，終身出不了特異功能，同時，我們也可由此推論，諸神中他們也便非十八般武藝樣樣精通，也是根據各自的神「根」類型予以鑄煉，以一技之長，成為神界的「英雄」。

二、神與人的功力量級

　　功能類型決定功力級別的大小，功能不等於功力。功能是先天就具有的，後天所妥善保藏的一種能量，功力是在具有一定能量基礎上修煉出來的。我們常說，養出功能，練出功力，就是這種範疇的含意。功能先天就有，後天保藏得好，其保藏，可能如松果體內的視網膜沒有全部退化，另一種含意，是養氣，保養真氣。

㈠神的功力量級

　　功力量級的大小，與功能類型的多少便不等同，但聯繫密切。有的類型齊整，每類功力都很大，有的類型齊整，每類功力卻不

很大；有的類型雖不齊整，而功力卻很大，同時，有的類型不齊整，功力也不大。基於這種情形，神鬼界強者為王、為霸，弱者為鬼、為悵。

顓頊與共工的爭鬥中，顓頊三面一臂，可招雷致電，役御百氣，他還可仗萬靈、鹽眾物。他還有柄曳影劍，可身行騰空舒展。其工，功力也不小，他曾頭觸不周之山，使天柱斷折，地維斷絕，長著一副人的面孔，牠的身子，披著紅色頭髮。

顓頊代表正義，正義總是要戰勝邪惡的，顓頊的神力顯然比共工高得多，量級強得多。

所以共工是失敗者：他的臣屬浮遊、投淮水自殺，害怕紅豆常作祟的兒子也氣死了，九個怪頭的相柳逃到崑崙山北去了。

顓頊招雷電、御百氣，當是其靈力、法力的層次，他為天帝，自有一群臣神，不然，是坐不穩天庭的，共工爭帝，是不可抵禦的。而共工的法力，不見古籍太多的記載，所以，他們的戰爭，在神力的量級上，當該早有定數。

在牛郎織女的神話中，織女只不過是七仙之一，為天帝外孫女。在天堂，恐怕只屬芸芸眾生之神，而在人間，其神則無與倫比，而王母娘娘可派天兵天將四處搜捕，當牛郎披著牛皮，挑著孩子眼看要追上織女時，王母娘娘用簪子一劃，就劃出一條波濤洶湧、寬廣無邊的銀河（天河）。請看，這兩極的神力的量級如此不相等，甚至相去十萬八千里：織女只有以神速的精湛的技藝，織出五彩的織錦──或朝暉，或晚霞，而王母的法力實為上乘。

在鬼界，也概莫能外。

閻羅王是陰間鬼域中的至高權威。閻羅王又稱閻波羅王、閻君、閻羅天子。他的職能主要是：司典生死罪福之業，主守地獄八熱以及眷屬諸小獄官，役使鬼卒於王趣之中，追儡罪人，捶拷

治罪，決斷善惡。他經過佛家的東傳與道家的改造，變成了中國的閻羅王。開始時，結合古代「泰山治鬼」的傳說，稱「泰山東岳帝」，後來才延稱閻羅王，他的地位至高無上，他的神力量級，在其領地堪爲一流。

十殿王，是鬼界王朝中十位王臣，直接聽命於閻羅王。第一殿：秦廣王，專司人間夭壽生死，統管冥界吉凶。第二殿：楚江王，司掌活大地獄（剝衣亭塞冰地獄）。第三殿：宋帝王，司掌黑絕大地獄。第四殿：五官王，司掌合大地獄（剝戮血池地獄）。第五殿：閻羅王，前本居第一殿，因憐屈死，屢放還陽伸雪，降調此殿。司掌叫喚大地獄並十六誅心小獄。第六殿：汴城王，司掌大叫喚地獄及枉死城。第七殿：泰山王，司掌熱惱地獄（礁磨肉醬地獄）。第八殿：都市王，司掌大熱鬧大地獄（熱惱悶鍋地獄）。第九殿：平等王，司掌豐都城鐵網阿鼻地獄。第十殿：輪輪王：專司各殿解到的鬼魂，分別善惡，核定等級、發四大部洲投生。

判官，其職能是多方面的，主要是記世人一生善惡，掌管賞罰、生死，另外，還要兼管冥界內務，有時或看門，或陪同遊覽，或司法執法，或直接與閻羅接洽。

城隍，或稱城隍爺，是冥界地方父母官。

冥界，等級森嚴，一級一層，縱橫交錯。千百年來，恆定如許，不曾更改、動搖。大抵，他們那裏是量才錄用，其才，其神力，修煉到各自的最高層次，便發落到各自的崗位上，所以長久不變。如果沒有神力，或神力與其司職不恆等，是爲不稱職。神力的量級，決定他們的才幹，各自的才幹，確定他們的地位。

十殿王是不能代行閻羅權職的，這是由其神力的量級決定的，同時，城隍與判官也不能取代十殿王的。秦廣王司善人壽終，接

引超升；功過各半，送第十殿發落，仍投入人世，男女互變；從惡太多，從善太少，押赴右高臺，令之一望，以照人心的好壞。這種職業，應是其才幹的量級頗高，不然不能服眾，更不能壓眾。另外，如楚江王管忤逆尊長，教唆興訟。第五殿王行刑勾心擲蛇，令其受苦。汴城王管怨天憂地。泰山王懲治取骸合藥，離人至戚。都市王治在世不孝，不令長者愁悶煩惱。平等王處置在陽世殺人放火，斬絞正法者。

這裏，我們看到崗位的重要：才能、神力的量級太低，便會不稱其職，也無法震懾陽間下獄的冤孽與罪惡的幽靈。

所以，神話中功力的量級十分重要，它可劃定天上、地下的等級與規矩，使整個世界按其規律結構運行著。

㈡人的特異功力量級

人的特異功能產生的功力，同樣具有不同的量級。前面曾論及，人的功能，有先天的，有後天的，先天的遺傳，遺傳基因具有先天的傳承性。俗話說：龍生龍、鳳生鳳。龍不具有鳳的功能、功力，鳳不具有龍的功能、功力。後天的功能、功力、或病變、或異化、或修煉。前兩者，不存在養功能、練功力，它固有的功能功力，是持續穩定的。但由練而成的功力，卻旨在練。拳不離手，曲不離口。三天不練手生，三天不唱口生。功力的長期訓練。牠的意義不是在「生」，而是或提高、或退化。

小周天，它遵循子午流注的規律，不練，任督二脈就不會通暢，通了的也會凝結，持之以恆地練，可以出現許多的特異功能，並鞏固其功力（當然，還有其他練的途徑）。

功力出來了，就會形成高低不等的檔次，這就是功力的量級。

在練功的初期、中期與後期，能理智掌握好自己的功力量級，就能日有所長。在初期，能知道自己的量級大小，便可合理地取

捨之。如完全沒有感知，可改選其他內容練，如有某方面的效益，可以看準練下去。到了中期，如長進緩慢，就要校正方法，如長進顯著，就要百尺竿頭，更進一步。到了後期，功力到了相當火候或爐火純青，就可造福社會，造福時代，造福人民。如手感功力特強，便可探礦、測試機器性能；如在非常時期，遇到意想不到的災難，便可辟穀；如在選種、下種或從事一項科研，便可發放外氣，改變生物的內部結構，更換某些生理機能。如果具有度人開慧功力，便在學生默寫單詞，演算題目，推導公式，背誦傳統優美詩篇。根據氣功原理，或凝神入氣穴，或利用組場的觀想法，以強化記憶，豐富聯想。學生在課堂中，清心寡欲，意念專一。像上課前可雙目微閉，含胸拔背，肢體放鬆，注意呼吸的節奏與頻率，幾分鐘後，這堂課一定精力充沛、飽滿，師生配合得默契，這樣，便可以達到氣功教學法的效益。遼寧省特級教師魏書生正在嘗試氣功與教學相結合方法，但願能取得更滿意的效果。氣功教學法要注意上課前與下課前各三分鐘的首尾一致，要注意學生有無神經系統疾病否，最好是能得到家長的理解，切忌不要因練靜功而走火入魔，要注意課餘指導。一般說來，氣功教學的教師的功力要強，賞試與推廣一定要慎重又慎重。

三、功能、功力的等差性

功能、功力的等差性，就是級別差異的特性，這是一種客觀存在。它的存在，是受氣感與特異功能種類的影響。我們應正確對待等差性、突破人與神的隔膜，縮小其距離。同時，如果真正人人成了神仙，那麼，在等差性面前，應力圖保持世界的和諧性。

(一)氣感與特異功能的種類的等差性

世界上的人千千萬萬，由於血緣、氣質、職業、經歷的千差

萬別，使世界避免了千人一面的單調，五彩繽紛，各具情態。人的氣質也由於其差異，形成了自己的差異性。有的人氣感敏感，有的人氣感遲頓，就形成了氣功與特異功能的非萬能性，從而破除了過於誇大、迷信、盲目崇拜與執拗非難、否定之。因爲氣感遲鈍，的確不宜於氣功與特異功能的修煉，如果有病，也不宜於接受其方法治療，若要修身、跑步、打球、游泳、騎自行車恐怕更適合於此類人。既不相信，又要不可爲而爲之，若想出強功能、高功力，是相當困難的，這類朋友雖只佔總人數的3%—5%，但在十二億多人口的國度裏，仍是一個不小的數目。氣功與特異功能絕非包羅萬象，從這個意義上說，氣功不是排他主義者，而且，中醫、西醫各有其自身的優勢，因而，他們的存在——發展與提高，仍是有十分重要的意義的，同時，武術、體操、球類、田徑運動也是十分必要的，中醫，尤其是西醫，體育鍛鍊可以彌補氣功與特異功能的缺陷與不足。在治療上，氣功、特異功能更適宜於治心因性大病、疑難絕症，至於傷風感冒，擦點皮，流些血，倒不如中西醫簡便，且見效快，有些功法，動輒發外氣，發氣太多易傷神損身。中醫、西醫、氣功應成鼎足之勢，各有其長，也各有其短，三者應和衷共濟，互相取長補短，而不應互相排擠拆臺，爲人類，也爲個人造福。

　　神話中間也有等差性。我們不說釋迦牟尼超出老子多少倍，也不說玉皇大帝要高出佛祖多少倍，更不說如來、天帝比閻羅要偉大多少倍，因爲他們是不同文化體系的反映，在這個意義上，我們不搞「一刀切」，不搞「一元化」，而提倡兼收並蓄，提倡「多元走向」，因爲神話討論到了這個層次，不能以簡單的好與壞判斷一個事物性質，一段歷史過程，一種文化現象，而應是多層面、多方位、多視角綜合、全面、深刻地予以「反省」與「探

討」。

神話的等差性，既存在於同一個系統中，即縱向結構中，也存在於不同的體系中，即橫向的結構中，正是有了等差性，使這種歷史文化現象五彩斑斕，各呈異彩。

㈡縮小人與神的等差距離

人亦神，神亦人，神話即人話，人話亦即神話。人的特異功能，就近似於神的特異功能（這是指相近，不是等同），因為千百年人類記憶的淡薄，文字載體表達的非準確性，歷史典籍保存的非完整性，以及神話藝術家、歷史學家和人民口頭創作口耳相傳的非嚴謹性、典型性，致使人的特異功能只能近似乎神的特異功能。如三身國、三首國，是文字表述的欠準確性。《山海經》是依附於《山海圖》而作的，圖在前，經（文字）在後。三首國、三身國、一目國、柔利國、焦僥國正是氣功、特異功能示範者。《山海圖》我們今天不得而見了，因而不敢斷言三首、三身為其動作虛線所示。如果是有虛線（即算是實線），那麼後人的文字表達則是粗糙、不精確的。那也就是文字載體的非準確性。又如，《山海經》記敘的神話，大都是支離破碎的、不成體系的，這就是我們先祖記憶的淡化的結果，有些內容遺忘、遺漏了，有些記不太清了。像黃帝神話，司馬遷作為《史記》的內容，已成為炎黃後裔的開山鼻祖，歷史遠久，當然難以完整了。《史記》儘管是史，但相應保存了一些連他太史公也沒破譯的歷史跡痕，故神話在史書裏得到了一些保留。孫悟空行者，是幾百年集體口頭兼書面共同創造，到吳承恩，集以大成，以藝術的典型觀，塑造出部分虛構的情節與內容。功能與功力，儘管我們相信其神話的主幹是實在的，但孫悟空既然成正果，為什麼沒有與唐玄奘一同進入「法相宗」的廟宇成為聖者、高僧、大佛而被人所供奉？所以

孫悟空形象已經藝術化了。

我們要縮小人與神的距離，就是企望人人都具有特異功能，不要讓特異功能重蹈歷史的覆轍，只在深山老林、廟宇道觀的個別人身上，成爲少數個別人的專利品。我們希望人人都成佛、成仙、人人活力無邊、神通廣大，人人長壽、萬千歲不老。

人與神的等差性是客觀存在的，我們只有正確對待，積極參與，突破人與神的隔膜，消除人對神的誤解，撩開神的神秘的面紗，讓它「畢露原形」，讓它們在「特異功能」的「尙方寶劍」面前，將人類珍貴的精神財富奉獻出來，爲人的身體和生命「大徹大悟」、質的解放而盡力。

我們要縮小人與神的距離，就要加深對人本身微觀的研究，既要研究人體特異功能的潛能，又要研究人體特殊的生理機制，特別是要深入研究人的意識、意念、思維、觀念、心態、情緒、情感等心理學，尤其不可迴避西方早已著手研究的超心理學課題，我們要堅持實踐是檢驗眞理的標準觀，堅持相對眞理與絕對眞理的有機統一觀。

在這裏，我們絕不是「拉虎皮作大旗」，絕不是「借鍾馗打鬼」，從我們的全部論述中，已十分分明地表白了這種基本觀點，這裏不過是作爲強調、歸結，一作點明題旨罷了。

㈢**為天下大同而致力於世界的和諧**

世界大同，是一種理想，即就是全人類的身心極度的解放、自由、幸福、美滿。

如果通過氣功與人體特異功能，達到人人或絕大多數人都能神通神變、任意呼風喚雨，自由地穿牆搬運，那麼天下將不「天下無道」了？所以，在這種前提下，我們大力提倡道、提倡德、提倡高度的精神文明，不僅提倡，還將採取相應的方略與措施，

以之強化。這裏，我們要防範未經修煉而達到特異功能層次的人，不要將其功能用於戰爭（西方已有萌芽），不要用於掠奪，不要用於相互殘殺，因爲他們沒有經過師父的指點、教育，頭上沒有「緊箍咒」，當然，防範是今天的提法。怎麼防範、怎麼規範、怎麼制裁，已超過本書探討的範疇，那自有度人開慧者完成這宗工作。

但是，我們還是以爲應該——

首先：我們要致力於世界的和諧共處。人類總是有追求的，屆時，我們將與宇宙人「交錯相通」。我們的目光已不是地球上的黃金、國界領土、爭霸主權，而是和藹、謙虛、恭謹、誠懇、善良、孝悌、仁慈、義道、聰慧、廉潔、健康、富有、幸福。

其次：致力於精神文明。這種文明，已不是今天的附庸風雅、紳士風度、知識淵博、精神充實，而是各種文明有機的綜合、各種文明高層次的昇華，各種物質與精神巧妙地組合，到那時，眞正是天下昇平，萬民康安。

做到了這一些，就是世界大同了，也就是我們實際討論了的康莊大道，以達到我們爲之追求的極境。